KB195933

낭만식객 오디세이

우리음식 반세기의 경험과 추억

낭만식객 오디세이

우리음식 반세기의 경험과 추억

초판인쇄 2021년 5월 3일
초판발행 2021년 5월 10일

지은이 한상훈
펴낸이 이재욱
펴낸곳 (주)새로운사람들
디자인 김남호
마케팅관리 김종림

등록일 1994년 10월 27일
등록번호 제2-1825호
주소 서울 도봉구 덕릉로 54가길 25(창동 557-85, 우 01473)
전화 02)2237.3301, 2237.3316 **팩스** 02)2237.3389
이메일 ssbooks@chol.com
홈페이지 http://www.ssbooks.biz

ISBN 978-89-8120-618-5(03570)

낭만식객 오디세이

우리음식 반세기의 경험과 추억

한상훈 지음

새로운사람들

〈책머리에〉

우리음식에 대한 반세기의 경험과 추억

혼자서 무거운 짐을 지고 머나먼 길을 가야 하는 것이 인생이다. 어떤 길이 펼쳐질지, 언제 끝날지도 모르는 인생이라는 길을 우리는 걸어가고 있다. 모르기 때문에 불안하기도 하지만, 그래서 묘미가 있고 살아볼 만한 가치도 있는 것이 아닐까?

태어날 때 부모를 만나고, 크면서 친구를 만나고, 사랑하는 사람과 자식도 도반(道伴, 길동무)으로 만나지만, 언젠가는 헤어져 혼자 걸어가야 하는 것이 또한 인생이다.

숙제를 하고, 돈을 벌고, 자식을 키우고, 약속을 지켜야 하는 등 항상 무거운 짐을 지고 살아가야 한다.

과학과 의술의 발전으로 가야할 길은 점점 멀어지지만 언젠가 홀로 자연으로 돌아가야 할 운명이다. 수명이 늘어날수록 그 길은 더욱 순탄하지 않을지라도.

작년 가을 강변을 산책하다 쓰러졌을 때, 마침 순찰하던 경찰이 나를 발견했고, 구급차를 불러서 대학병원 응급실로 옮겨주었다. 구사일생으로 재활병원에 입원해서 걸을 수 있게 됐을 때, 이젠 나머지 삶을 어떻게 살아야 하나 하는 생각이 앞섰다.

몇 년 전 환갑을 갓 넘긴 나이에 극단적 선택을 했던 친구 생각이 났다. 나와는 중고등학교 6년을 함께 보낸 동기동창이었고, 문예반도 하숙도 같이 했던 절친이었다. 부산상대를 나와 공인회계사를 했던 그가 얼마나 삶의 무게를 견디지 못했을까, 얼마나 외로웠을까? 한밤중에 불쑥 찾아가도 술상을 차려내던 유아교육과 교수인 아내와 장성한 두 아들을 두고 어떻게 먼저 떠날 생각을 했을까?

어느 책에서 읽었다. '삶의 무게와 모순을 타개하기 위해 또 다른 모순인 자살을 선택하는 일은 절대로 해서는 안 된다.'는 것이다. 천만다행으로 의식이 돌아왔을 때 나는 세상으로 돌아가고 싶었다. 재활과 요양도 내 스스로의 의지로 하고 싶었다.

이제 무엇을 할 것인가?

인문학은 문학과 철학과 역사라고 한다. 세상 모든 것은 이야기다. 경험과 상상을 얘기하고, 그것이 구전으로 전해지고, 그것을 글자로 표현한 것이 문학이고 철학이고 역사가 아닐까? 이렇게 인생의 진리가 이야기임을 믿으며, 나의 이야기를 오랜 기간 몸담아 온 음식을 바탕으로 건강이라는 테마를 곁들여 써보기로 했다.

식품을 전공하지도 않았고 요리사도 아니지만, 30여 년 공부하고 경험한 이야기를 글로 쓰면서 반추해보려고 한다. 제목만 보고 책을 사서 읽고는 종이 값이 아깝다고 느꼈던 경험이나, 어떤 영화를 보고 시간이 아깝다고 생각했던 그런 경우가 아니기를 비는 마음으로 나름 정성을 다했다.

쉽고 재미있게, 그러나 실제 경험한 바대로 솔직하게 써서 어느 누구에게는 한두 문장쯤 기억에 남아 도움이 되기를 간절히 바라면서 읽어주는 모든 분들께 다함없는 감사를 드린다.

2020년 5월 신록이 푸르른 날에~

한 상 훈

〈차 례〉

제1장 식품이란 무엇인가?

제2장 사람의 향기와 음식 궁합

제3장 먹거리 한류 K-푸드를 위하여

제4장 식품, 음지와 양지

제5장 코로나 시대를 이기는 법

제1장
식품이란 무엇인가?

식품이란 무엇인가?

식품에 뜻을 두고 공부를 시작할 무렵, 문득 '식품이란 무엇인가?' 하는 근본적인 의문이 들었다. 하루는 한자로 식품이라 써놓고 한참을 바라보았다. 먹을 식(食)자에 제품 품(品). 글자를 뜯어보니, 사람인 아래 좋을 양, 입구가 세 개였다. 사람에게 좋은 것인데 여러 사람의 입에 들어가는 것, 다시 말해 여러 사람의 입에 들어가서 좋은 것이란 뜻이었다.

그렇다. 식품은 개인이 아니라 여러 사람, 대중의 입을 즐겁게 하고, 인간의 건강을 위해 좋은 제품이라야 하는 것이다.

그로부터 30여 년이 흘렀다. 인생을 별로 훌륭하게 살지는 못했지만, 식품을 대할 때는 진지했고, 양심적으로 만들었다고 자부한다.

식품에 뜻을 두고 처음 만난 것은 소금(죽염)이었다. 1985년 장인이 식도암 판정을 받고 실의에 빠져 있을 때, 나는 다른 방도가 있을 거라 생각하고 수소문하던 중 경남 함양에 용한 분이 있다는 말을 듣고 찾아가서 인산 김일훈 선생을 만났다(지금의 인산죽염 창시자, 『신약』이란 책의 저자).

선생은 내 애기를 듣고 처방을 주셨는데, 유황오리, 다슬기, 죽염에 다른 한약재 몇 가지가 보태져 있었다. 장인은 그 약을 삼키지 못해 돌아가셨지만, 나는 소금, 특히 죽염 공부를 시작한 것이 식품과의 첫 만남이었다.

이런 연유로 나는 소금 예찬론자가 됐으며 소금에 대해서는 조금 안다. 인산 김일훈 선생은 구한말부터 북한까지 전국의 산하를 섭렵하며 약초를 연구해온 재야학자다. 선생의 처방에는 죽염이 기본적으로 들어가는데 왜 소금에 주목하였을까? 천일염을 대나무 통에 넣고 황토를 발라 고온에서 아홉 번을 구워야 하는 죽염에 왜 집착하였을까?

소금은 단순히 짠맛을 내는 조미료의 역할만 하는 것이 아니다. 물이 H2O 공급을 위한 것만이 아니듯이, 쌀밥이 탄수화물만 공급하기 위함이 아니듯이.

죽염을 고온에서 굽고 마지막 아홉 번째는 더 고온으로 액화시켜, 불순물을 제거하고 중금속을 분리시키며 천일염 속에 들어 있는 칼슘, 칼륨, 마그네슘 등 건강에 이로운 미네랄 성분을 얻어낸다. 99%가 염화나트륨인 정제소금이 안 좋다는 것도, 소금의 간수를 오랜 시간 제거하거나, 구운 소금이나 볶은 소금의 섭취를 권하는 것도 불순물이나 독성이 있는 것은 제거하고, 바닷물과 갯벌에서 용해된 각종 미네랄 성분을 함유한 양질의 소금을 얻기 위한 방편이라고 하겠다.

두 번째 식품과의 인연은 고추장이었다. 고추장의 매운맛과 캡사이신 성분의 효능이 다이어트 등 현대인들에게 먹힐 거라는 예상은 적중하였다.

고추장의 본고장은 순창 아니겠는가? 순창군청에 연락하여 고추장을 이용한 식품을 개발하겠다는 뜻을 밝히고 업체 추천을 부탁했더니, 순창버스터미널에 웬 젊은이가 마중을 나왔다.

순창에는 옛날부터 고추장이 유명해서 집집마다 담그는 비법이 전수되고 있었는데, 순창군에서 전통 한옥마을을 조성하여 고추장 기능 보유자들을 입주시켜 1997년 고추장마을을 만든 것이다. 고추장마을 한옥 마당에는 장독대가 가득하고, 처마 밑에는 고추장 메주가 정답게 매달려 있다. 시멘트 포장도로에 옛날 기와집은 아니지만, 깨끗하게 정돈된 마을이다.

순창고추장은 이성계가 순창을 지나치다가 밥을 먹게 되었는데

장이 맛있어서 왕이 된 후 진상품이 되면서 유명해졌는데, 조선의 건국은 1392년, 고추가 전래됐다는 임진왜란은 1592~1598년이니 이치에 맞지 않는다. 순창에 가보면 '천년의 맛 고장' 이런 문구가 보이는데, 이것도 잘못된 것이다.

고추에 대해서는 설이 많다. 사실 고춧가루가 들어간 김치가 있고 고추장 양념으로 우리의 밥상이 푸짐해진 것은 17세기 초 고추가 전해진 지 약 백년 후인 18세기부터인데, 조선을 건국한 이성계가 순창고추장을 맛있게 먹어서 진상품이 되었다는 말은 이치에 맞지 않는 듯하다.

고추가 들어오기 전에는 우리나라에 고초라는 매운맛 나는 채소가 있었다는 설도 있고, 김치에 산초를 넣어 매운맛을 냈다는 설도 있으며, 임진왜란 때 일본군이 고추를 화학무기처럼 쓰려고 가져왔다는 설도 있으나 필자는 17세기 초에 일본으로부터 들어온 것이라는 설을 믿으며 지금의 식탁 모습을 갖추게 된 것이 18세기고 3백여 년밖에 되지 않았다는 생각이다.

순창 고추장마을에 고추장만 있는 것은 아니다. 전통 방식으로 담근 된장, 고추장, 간장, 여러 종류의 장아찌 등 다양하다. 집집마다 조금씩 담그는 방식이 다르지만, 전부 국산 재료이며, 가능하면 순창이나 인근 지역에서 생산된 재료를 쓰고, 섬진강 맑은 물과 신안 천일염 등 최상의 재료로 전통 방식을 고집한다.

고추장 메주는 직사각형 모양의 큰 것이 아니고 바가지를 엎어놓은 모양으로 조금 작다. 기와집 처마 밑에 짚으로 엮어 매달아 둔 고추장 메주는 운치 있고 정겹게 보였다.

옛날에는 순창 가는 길이 힘들었다. 부산에서 시외버스를 타고 진주로 가서 남원 행으로 갈아타고 남원에서 순창으로 갔다. 도착하니 군청에서 연락 받고 마중 나온 젊은이(이름이 생각 안 남)가 기다리고 있었는데, 그의 집에 도착하니 부인으로 보이는 여성이 뭘 썰고 있었다. 장아찌였다. 무, 오이, 매실 등 장아찌 재료를 보니 얼핏 무슨 생각이 떠올랐다.

'아~장아찌를 미처 생각하지 못했구나.'

마중 나온 친구는 서울에서 IT 쪽 일을 하다가 어머니가 고추장 기능 보유자여서 고추장마을로 입주하자 가업을 잇기 위해 길을 바꿨단다. 그에게 말했다.

"요즘 젊은이들이 장아찌를 잘 모를 텐데, 너무 짜서 싫어할지도 모르니, 발효된 장아찌를 꺼내 장을 닦아내고 다시 요즘 입맛에 맞게 양념하여 상품을 만들면 어떻겠소?"

그랬더니 좋은 생각이라면서 한 번 해본 적이 있단다. 설탕과 다른 양념을 좀 넣고 다시 버무려 젊은이들에게 주었더니 잘 먹더란다. 나는 여기서 힌트를 얻어 나중에 〈고추장 샐러드〉란 이름으로 제품을 만들어 상당한 호평을 받았다. 직접 개발한 첫 제품이 고추장을 통해 탄생한 것이었다.

고추장은 가을에 수확한 콩으로 메주를 쑤어 한겨울(음력 1월~3월)에 고추장을 담가 항아리에 넣고 발효와 숙성에 들어간다. 10개월~1년을 숙성시켜 판매한다니 장독대에서 봄, 여름, 가을, 겨울 사계절을 숨을 쉬며 발효되고 숙성되어 식탁에 오르는 것이다.

나는 부산에서 순창까지 여덟 번 다녔다. 오랜 시간에 걸쳐 만들어진 음식을 오래 씹어 천천히 먹으라는 말이 있다. 현대의 바쁜 일상과는 반대되는 개념이지만 그래야 건강에 이로운 건 사실이다.

전통 고추장을 만난 다음해, 서울 코엑스에서 있었던 식품박람회에 참가했다. 일주일 동안 전시하는 박람회를 마칠 무렵, 한 젊은이가 부스로 찾아왔다.

"사장님이세요?"

"그렇습니다만~."

그는 명함을 건네주었는데, 무슨 회사인지 잘 모르는 회사였다.

"혹시 '원어데이'라는 회사 아세요?"

"잘 모르겠는데요."

그는 난감한 표정을 짓더니 설명을 덧붙였다.

"온라인 쇼핑몰인데 요즘 꽤 유명합니다."

"아~네 그러세요? 저는 부산에서 와서 잘 모릅니다. 그런데 여기는 어떻게 알고 오셨나요?"

"그냥 한 바퀴 쭉 둘러봤는데, 이 '고추장샐러드'가 가장 독창적인 상품으로 보여서요."

원어데이는 하루에 한 가지 상품만 파는 온라인 쇼핑몰로 옥션을 만들었던 대표가 옥션을 팔고, 다시 차린 회사였다.

박람회가 끝날 무렵 한 바퀴 둘러보았다. 황태와 오징어가 진열된 부스에 발을 멈췄다. 직원이 대표의 명함을 건네는데 주소가 주문진이었다. 통화를 해보니 주문진의 강원도립대학 산업협력관에 사무실이 있단다. 만나기로 약속을 하고 주문진으로 출발했다.

당시는 부산역에서 강릉까지 밤새 가는 열차를 타든지 서울로 가서 강릉을 경유하여 가는 방법밖에 없었다. 하루가 꼬박 걸리는 먼 길이었다. 강릉에 도착하여 택시를 타고 강원도립대학 산업협력관에 도착하니 오징어 고장답게 로비에 커다란 오징어 배너 그림이 걸려 있었다.

2층 사무실로 찾아갔더니 커피와 어떤 먹을거리를 줬다. 바싹바싹 맛있는 간식이었다. 황태에 양념을 발라 구운 스낵 같은 것이었는데 특이하고 맛이 보통이 아니었다. 황태를 적당한 크기로 찢어서 양념을 바른 후 숯불에 구운 것인데 약간 매콤하고 달콤한 데다 황태를 구웠으니 바삭한 과자 같은 느낌이었다.

임인상 대표는 주문진에 공장을 두고 주문자의 의도대로 식품을 만들어주는 사업을 하였는데, 나랑 연배도 비슷하고 성격도 좋은 분이라 금방 친해졌다.

바닷가 횟집으로 저녁을 먹으러 갔는데 거기서 만난 잊지 못할 음식이 있다. 가리비 젓갈. 귀한 가리비로 젓갈을 담아 단골손님에게만 주는 그 집의 특별 메뉴였다. 다른 젓갈과는 달리 꼬들꼬들한 식감의 가리비 젓갈 자신 있게 추천할 만하다.

식사 후 강릉 시내로 들어가 어느 호텔 커피숍으로 갔다. 유리창 밖으로 달빛이 비치고 소나무 가지가 드리워진 운치 있는 풍경이었다. 나는 해산물로 식품을 개발하고 싶다는 뜻을 임인상 대표에게 이야기했다.

"오징어는 어떠세요?"

"오징어 좋죠, 우리 아버님 제일 좋아하는 생선인데."

"저기 주문진시장 입구에 허름한 가게가 있어요. 그 집 주인이 오징어로 뭘 만들어 파는데, 먹어본 사람들이 맛있다고 택배로 주문이 제법 들어온답니다."

"그래요? 그거 좀 사서 우리 사무실로 택배 보내주시겠습니까?"

"그러죠. 내일 사서 택배 보내 드릴게요."

부산으로 돌아온 다음날 바로 택배가 도착했다. 그냥 플라스틱 트레이에 비닐로 씰링이 돼 있었고, 뜯어보니 오징어 한 마리가 양념에 잠겨 있는 형태였다. 오징어를 꺼내 직원들과 구워서 먹어봤는데 다들 맛있다고 했다.

'옳지, 이런 양념보다는 순창고추장을 써서 제대로 한 번 만들어 보자.' 이런 생각이 들어 개발을 시작했다.

주문진에서 울릉도 오징어를 경매하여 아주머니들에게 해체작업을 시키고, 손질된 오징어를 임인상 대표 공장으로 가져가서 만드는 작업이었다.

순창에서 전통 고추장이 오고. 국산 마늘에 약간의 설탕을 넣은 매콤하고 달콤한 소스로 오징어에 양념하는 음식이었다.

오징어를 어떤 크기로 썰어야 할까?

직접 실험을 했다. 몇 가지 크기로 썰어 여러 사람에게 먹여보는 방법이었다. 오징어의 껍질 때문에 양념이 잘 배지 않았다. 껍질을 벗기려니 인건비가 많이 들고, 식감의 문제도 있었다. 그러던 중 어느 횟집에 가서 회 써는 걸 구경하는데, 칼로 써는 게 아니라 기계로 썰고 있었다. 포를 뜬 생선을 기계에 밀어 넣으니 순식간에 같은 두께로 썰어져 나오는 기계를 처음 봤던 것이다. 그 얘기를 주문진 임인상 대표에게 전화로 알렸더니, 그분은 한 술 더 떴다.

회 써는 기계의 칼날 3개마다 썰어지게 두께를 조절하고, 가운데 칼날 2개는 안으로 밀어 넣어 반쯤 썰리게 기계를 수정하여 세 번째 칼날은 완전히 썰리고, 가운데 칼날 2개는 칼집을 내도록 하여 오징어를 기계에 밀어 넣으면 자동으로 칼집 넣어 썰어지는 기막힌 발명품(?)을 만들어냈다.

양념을 하여 구워 보니 양념이 잘 배어 훨씬 맛있었다. 이번엔 서울의 유명 요리연구가를 찾아가 거금(?)을 주고 양념 맛의 개선을 부탁했다. 거기는 요리학원도 겸하고 있어서 수정하는 양념으로 학원생들이 조리하여 가장 맛있는 반응을 보인 양념을 완성했다. 팬에 양념이 밴 오징어 불고기를 끓이면 금세 칼집 넣은 2개의 선이 말리면서 모양도 예쁘게 익혀졌다.

이렇게 몇 달에 걸쳐 개발한 오징어불고기를 들고, 일전에 만났던 '원어데이'를 찾아갔다. 사실 고추장 샐러드는 독창적이라면서도 대중성이 약하다며 런칭을 미루더니. 오징어불고기는 그날 직원들이 먹어 보고 바로 진행하자고 했다.

이제 제품 포장을 어떻게 하느냐가 과제였다. '조리 예'라는 사진을 포장지에 넣어야겠는데, 사진을 찍어보니 별로였다. 음식을 만들어 접시에 담아 사진관에 들고 가서 찍어도 대기업 제품처럼 그런 먹음직스런 사진이 아니었다. 다시 요리연구가를 찾아갔다.

“그거 굉장히 어렵답니다. 제가 아는 사람이 그런 음식 사진 공부하러 유학 다녀온 사람이 있는데 워낙 비용이 비싸서 하실 수 있을지?”

결국 소개해달라고 해서 연락했더니 사진 한 컷에 백만 원을 달라고 했다.

‘아니 무슨 사진을 어떻게 찍는데, 한 컷에 100만원이라니?’

의아하기도 하고 오기도 생겨 요리학원에서 만나기로 했는데, 중년의 아저씨가 딸 같은 조수를 데리고 장비를 잔뜩 싣고 왔다. 그로부터 한나절, 음식을 이리저리 데코레이션을 하여 수십 장의 사진을 찍더니 마지막엔 면봉을 들고 양념이 좀 많이 묻은 부분이나 고춧가루 하나까지 면봉으로 닦아내고 마지막 사진을 찍었다. 지켜보니 백만 원을 부를 만하다 싶었다. 그 사진작가는 내가 좀 안타깝게 보였던지 50만 원만 달라고 했다.

이제 다 됐다 싶었다. 전체 국산재료로 조미료 쓰지 않고 맛있는 상품을 만들었으니. 그러나 할 일이 또 있었다. 패키지 디자인, 이 일로 부산에서 주문진까지 그 먼 길을 17회나 다니고, 순창 8회, 서울 10회 등 시간이고 비용이고 장난이 아니었다.

내친걸음에 제대로 작품을 한 번 만들어보자는 욕심이 생겼다. 패키지 디자인인은 더 유명한, KBS의 일을 주로 한다는 기획사에 맡겼다. 일을 진행하던 중간에 회사를 서울로 옮겨 방배동에 사무실을 얻었는데, 세가 비싸 고민하다가 어차피 오징어불고기를 팔려면 냉동창고도 필요해서, 오징어 구하기가 쉬운 노량진 CBS 골목 안 1층으로 사무실도 옮겼다.

제품이 완성되어 판매를 시작하려는데. 냉동식품이라 스티로폼 상자가 필요했고, 그걸 쌓아둘 공간도 필요했다. 머리를 싸매고 있을 때 이번엔 노량진 사무실 건물주가 사무실 뒷골목 주택 마당을 주선해주었다. 고향 사람이라고.

이렇게 탄생한 오징어불고기는 힘이 들었지만 나의 식품개발 이력에서는 새로운 전기를 마련해 주었다. '원어데이'를 통해 많이 팔릴 때는 5개 들이 세트가 하루에 700여 개 택배가 나갔으니 성공한 셈이다. 돼지고기를 섞어 '돈오불'이라는 이름으로(지금의 '오삼불고기'와 비슷한 형태).

온라인 판매의 위력은 대단했다. 사용 후기 댓글의 효과도 알았고, 이로 인해 온라인 쇼핑몰에서 문의 전화도 많이 오고, 나를 찾는 회사들도 생겨났다.

식품은 이런 것이다. 각고의 노력과 시간, 좋은 식재료, 디자인, 판매 방식 등 종합예술 같은 재미와 보람과 끈기와 인연과 트렌드를 읽는 감각이 뒤따라야 한다.

필자는 식품학자도 요리사도 아니다. 그런데 식품에 뜻을 두고 35년을 살아왔다. 그 이유는 건강하고 맛있는 음식을 개발하고 알려야겠다는 생각에서였다. 지금 생각해보면 '모르면 용감하다'는 말이 딱 들어맞는다고 할까?

그러나 그 많은 식품의 종류를 나만큼 다양하게 경험하고 공부한 사람이 얼마나 있을까 싶기는 하다. 이 글을 읽는 분들이나 후배들에게 내가 경험하고 추구했던 일들이 조금이라도 도움이 되기를 바라는 마음이다.

식품은 여러 사람이 먹는 것을 말한다. 사정상 혼밥을 먹기도 하지만, 여럿이 함께 먹어야 맛있는 것 아니겠는가?

처음으로 돌아가 맛과 건강의 근원인 소금에 대한 올바른 이해와 수십 년을 먹어도 물리지 않고, 때만 되면 생각나는 쌀밥과 우리 전통 발효식품, 토종 동식물에 많은 관심 가지기를 바라는 마음이다.

쌀밥과 소금은 건강의 적인가?

언제부터인가 저염식(低鹽食)을 하자, 나트륨 섭취를 줄이자는 말이 나돌더니 최근엔 저탄수화물 식사가 답이라고 쌀밥을 죄악시하는 모양이다. '저탄고단, 저탄고지'란 말이 격언처럼 여겨지기도 한다.

과연 이런 논리는 맞는 것일까?

소금 많이 먹으면 고혈압과 심혈관 질환 등 건강에 나쁘다는 말은 전 국민이 알고 있을 것이다. 또 탄수화물을 적게 먹고 단백질이나 지방을 많이 먹어야 한다는 논리는 탄수화물을 과다 섭취할 때 비만의 원인이 된다는 것인데, 밥 적게 먹고 육류 많이 먹으라는 논리는 누가 만든 것일까?

쌀의 성분 중 탄수화물이 많은 것은 사실이지만, 쌀밥이 곧 탄수화물이라는 등식은 잘못된 것이다. 쌀은 약 80%의 탄수화물, 7%의 단백질과 미량의 지방, 기타 물질로 이루어져 있다. 소금을 적게 먹으라는 논리는 세계보건기구(WHO) 나트륨 1일 권장 섭취량이 200mg 이하인데 우리나라는 평균 섭취량이 2.4배인 480.mg 수준이니 소금을 과다 섭취한다는 말이다. 일단은 둘 다 틀린 말이다. 탄수화물과 나트륨을 말하는데, 쌀밥과 소금으로 대상이 바뀌었다.

탄수화물은 우리 몸의 에너지원이다. 특히 뇌 활동의 에너지원이기에 아침밥 먹기를 권하는데, 뇌는 우리 몸무게의 2%밖에 안 되지만 20%의 에너지를 소모하는 기관이다.

예를 들어 '쌀밥 적게 먹으면 공부 못 한다.'고 비약해서 얘기한다면 고(高)탄수화물이라고 밥을 멀리하게 될까? 실제로 미국의 학자가 25년간 추적하여 연구를 했는데 탄수화물의 적정 섭취량은 45~50%로 섭취량이 70% 이상이거나 40% 이하일 때 사망률이 높았다고 한다.

결론은 식사량의 반 정도는 탄수화물로, 나머지 반을 육류나 채소 또는 과일로 하는 것이 최상의 방법일 것이다. 탄수화물 섭취도 쌀밥 탓만 하지 말고, 라면이나 빵, 야식 과자 등 다른 탄수화물의 섭취를 줄이는 게 맞을 듯하다.

소금은 더 할 말이 많다. 그런데 나트륨과 소금은 다르다. 소금에 나트륨이 많이 들어 있는 건 사실이지만, 소금의 구성 원소인 염소와 나트륨의 비율이 대략 6대 4다. 소금 10g을 먹으면 나트륨을 4g쯤 먹게 되는 것이다. 나트륨을 WHO 권장 섭취량보다 많이 섭취하는 나라는 많으며 중국이나 중앙아시아는 우리보다 섭취량이 더 많다. 소금 섭취량이 많은 나라가 평균수명이 길다는 설도 있다.

한국인은 '밥심'으로 일한다고 말한다. 탄수화물이 에너지원이니 그럴 텐데, 고기를 끊으면 죽는다고 한다. '밥심'이란 말은 곡물을 먹지 않으면 죽는다는 말일 텐데 사실일까? 병원에서 금식이 끝나면 미음부터 먹인다. 그 다음은 죽, 적응 되면 진밥, 보통 밥 순이다.

서양에서는 어떻게 할까? 그들은 미음이 없을 텐데, 아마 수프부터 먹이지 않을까? 수프도 원래는 빵을 적당한 크기로 잘라 물을 붓고 양념하여 끓인 우리의 죽 같은 음식이다.

필자의 견해를 밝힌다.

탄수화물을 적게 먹으라는 말도 일부만 맞는 말이고, 탄수화물과 밥을 동일시하는 데는 반대한다. 위에서 설명했듯이 탄수화물은 섭취하는 음식의 45~50% 정도가 적당한 양인데, 무조건 적게 먹는다든지 아예 먹지 않고 다이어트를 하는 방법은 옳지 않다고 생각한다.

소금에 대해서도 마찬가지다. 소금이 건강에 해롭다고 여기는 사람들이 많은데, 우리 몸의 밸런스 유지를 위해 적정한 수분(70%)과 적정한 염도(0.9%)는 필수적이다. 요즘 음료나 커피 등의 과다 섭취로 물 부족 현상을 겪고 있는 사람들이 많은데 인체에 수분이 부족하면 탈수현상을 일으킬 것이고, 염분이 부족해도 많은 문제가 생긴다.

인간의 모든 병을 염증이라고 보는 학자들도 있는데, 실제로 인산죽염에서 조사해보니 암 환자의 거의 대부분이 체내 염도가 낮게 나왔다고 한다. 주변에서 상처가 잘 곪거나 부스럼이 많이 나는 사람은 염분이 부족해서 나타나는 현상일 것이다.

학자들에게 의견을 물었다고 한다. 소금 과다 섭취가 문제가 되니 소금 섭취를 획기적으로 줄이기 위해 우리의 발효식품(김치, 된장, 젓갈)을 먹지 않으면 어떻게 될까? 하나같이 득보단 실이 많을 거라고 반대했단다.

필자의 확고한 견해는 다음과 같다.

쌀밥이든 소금이든 먹고 싶은 대로 먹고 보완하는 방법을 찾자는 것이다. 식사를 5대 5로 한다는 개념을 항상 기억하고 밥과 나머지 육류 채소 과일을 반반씩 비율을 맞추는 노력이 필요하다고 본다. 쌀밥에 잡곡을 섞어 영양소를 보충하고 탄수화물 비율을 조금씩 줄이는 방법도 좋을 성싶다.

소금에 대해서도 마찬가지 견해다.

음식의 맛은 간인데, 자신에게 맞는 간의 음식을 먹고, 나트륨을 배출시키는 물질인 칼륨 성분이 많이 들어 있는 채소를 많이 먹으면 나트륨을 좀 많이 섭취했더라도 배출이 된다.

채식만을 고집하는 사람들도 있는데 채소를 너무 많이 먹으면 나트륨이 과다 배출되어 체내 염도를 떨어트리기 때문에 문제가 생길 수도 있다.

음식이든 세상살이든 적당한 게 좋다. 너무 지나치거나 모자라지 않게 하는 것이 최상이다. 그리고 다이어트를 원한다면 적게 먹고 운동을 해야지, '저탄고단'니 '저탄고지'니 하는 말 듣고 따라하면 또 다른 문제가 생기거나 요요현상에 시달릴 것이다. 과유불급(過猶不及)이라고 지나친 것은 모자람만 못하다는 말이 식품에는 딱 맞는 말이다.

2천년 이상 쌀밥을 먹고 살아온 한민족에게는 쌀의 유전자가 이어져 오고 있을 것이다. 소금도 좋은 소금은 많이 먹을수록 좋다는 학자들도 있다. 간이 맞지 않는 음식을 먹는 것도 여간 고역이 아니다. 그리고 소금에는 염소와 나트륨만 있는 것이 아니다. 천일염이 좋다는 이유도 거기에는 바닷물과 갯벌에 있는 다양한 미네랄 성분이 섞여 있어서 건강에 이롭기 때문이다. 신안천일염, 게랑드소금, 안데스소금, 히말라야소금… 이런 소금을 구입하여 비교해보는 것도 좋은 방법일 것이다.

가을엔 햅쌀밥 지어 조상님들께 제사 지내고 가족들이 모여 같이 밥을 먹자. 천일염으로 적당하게 간을 맞춘 음식이 제격이다. 발효음식과 비타민C도 챙기면 금상첨화다. 그리고 강가에 나가 흐르는 강물의 속삭임에 귀 기울여 보자.

코로나 때문에 추석에도 이동을 자제해 주기를 바란다는 방송이 나오고, 벌초 대행에 온라인 제사까지 등장하는 세상이 의아하고 걱정스럽다. 방역은 철저하게 하되 우리네 삶의 기본은 살려 나가는 지혜가 필요할 때다.

맛과 멋

멋은 맛에서 나온 말이라고 한다. 멋은 세련되고 아름답다는 뜻이다. 둘은 무슨 관계가 있을까? 맛있는 걸 먹어야 멋있다? 맛있는 음식을 만들 줄 알아야 멋있다? 멋은 주로 의상이나 외모를 표현하는 말 아닌가? 이런 의문이 들어 멋과 맛의 관계를 생각해 보았다.

5가지 맛

다섯 가지의 맛인 오미(五味)는 단맛, 쓴맛, 짠맛, 신맛, 매운맛이다. 그런데 이 중 매운맛에 대해서는 다른 견해도 있다. 매운맛은 맛이 아니라 통증이라고 매운맛 대신 감칠맛을 넣어 단맛, 쓴맛, 짠맛, 신맛, 감칠맛 이렇게 오미를 주장하는 학자도 있다.

감칠맛이란 무엇일까? 말로 표현하기 어려운 맛이 감칠맛인데, 이 감칠맛의 원인물질을 연구한 학자가 있었다. 일본 동경대학 이케다 가쿠니에 교수다. 그는 일본인들이 맛있다고 말하는 감칠맛의 원인물질이 무엇인가를 연구했다. 일본인들이 좋아하는 육수를 중심으로 3백 년 동안의 과거를 추적한 끝에 드디어 1908년 그 맛의 정체를 알아냈다.

다시마 속에 들어 있는 글루탐산이란 물질이 감칠맛이라는 결론에 도달했는데, 이것으로 일본의 식품회사 아지노모토에서 1956년 처음으로 MSG를 생산하였고, 우리나라에서는 1960년대 초 미원이란 이름으로 출시되어 MSG 시대가 열렸다. 일본에서 MSG의 폭발력은 대단했으며, 처음에는 회사 이름인 아지노모토라고 불렀다.

MSG는 무해(無害)한 것인가?

이 문제에 대해서는 상당한 논란이 있었다. 지금도 그 유해성 논란은 계속되고 있는데 우리나라의 식약처는 몇 년 전 평생토록 먹어도 무방하다는 발표를 했다.

과연 그럴까? MSG는 우리의 식문화를 바꿔 놓았다. 어떤 음식이든 조금씩 넣지 않으면 뭔가 부족한 느낌, 맛이 덜한 느낌이 들도록 만들었다.

맛소금이란 게 있다.

정제 소금과 MSG를 섞은 제품이다. 맛소금은 간을 맞출 수 있고 조미료 효과까지 더한 제품일까?

소금의 섭취를 줄이라고 하는데, 맛소금을 쓰면 소금을 얼마나 넣었는지 가늠이 되지 않는다. 김치에 MSG를 넣는 공장도 있고, 서울의 어느 생선구이 가게에서는 MSG를 탄 물에 생선을 담가 하룻밤 재웠다가 구우면 정말 맛있다고 주장하기도 한단다.

식약처에서 발표한 내용은 외국의 어느 학자가 주장한 MSG 무해론을 근거로 삼았을 텐데 하루 섭취량 0.5g# 정도의 실험이었다고 한다. 하지만 우리 음식은 서양 음식과 좀 다르다. 찌개나 국에 넣으면 바로 우리 몸 안으로 섭취되고 자장면 한 그릇에 10~20g의 MSG가 들어가는데 이렇게 마구 먹어도 좋다는 말인가?

필자는 또 다른 관점에서 논하고 싶다. 인간은 감각이 살아있어야 건강한데 이렇게 모든 음식이 MSG로 물들었을 때 우리의 미각은 사라질 것이다. 아이들이 집밥을 먹으면서 맛이 없다고 투정하거나 좀 이상하다는 반응을 보일 때 그것이 올바른 미각일까?

맛의 다양성을 없애고 획일화하는 것도 MSG의 문제다. 음식은 식재료에 따라 다양한 맛을 내야 하고, 식재료 본연의 맛을 추구해야 하는데 모든 걸 MSG에 맡겨버리면 우리의 맛 감각은 퇴화하여 상실될지도 모른다.

한때 음식점 테이블 위에 소금처럼 MSG를 따로 두고 손님이 선택해서 사용하던 시절이 있었는데, 지금은 사라지고 어떤 음식에 얼마나 넣는지도 모른다.

음식을 그리다

음식을 만들 때 주재료에 따라 어떤 부재료와 양념을 써서 어떤 음식을 만들 건지를 미리 그려보고 요리를 하는 습관이 필요하다. 그 음식을 먹을 사람의 취향과 건강까지 배려하는 마음이라면 금상첨화다. 거기에 정성(정신)을 더해 만든 음식을 대접하거나 가족과 함께 먹을 때 멋있는 삶이 되지 않을까? 자신의 노력과 사랑이 음식을 통해 전해지지 않을까?

다시 처음으로 돌아가 멋이란 무엇인지 생각해 보자. 서투르거나 어색한 데가 없이 능숙한 모습이 멋있다는 말이고 여기에 아름다움까지 더했을 때 멋있는 사람으로 평가받을 것이다. '그냥 대충대충 어디 레시피 보고 섞어서 마지막에 MSG 한 숟갈 넣으면 맛 없다는 소리는 안 듣겠지?' 하면 오산이다. 맛있는 음식은 그리 쉽게 만들어지지 않는다.

멋있게 사는 것도 서투르거나 어색한 데가 없이 능숙하게 보여야 한다. 시골 농부가 결혼식장에 양복 입고 멋진 넥타이

매고 가도 어딘지 어색한 모습인 걸 보지 않는가? 맛있는 음식도, 멋있는 모습도 노력이 필요하다.

자신의 차림새도 미리 그려보고 옷을 고르고 넥타이와 구두와 핸드백을 챙기지 않는가? 음식도 그렇게 그려서 요리해야 한다. 평소에 이런 노력이 없으면 진정한 맛과 멋을 만나기 어려울 것이다. 맛있는 음식 요리해서 먹고 멋있게 살자.

프랑스의 세계적인 요리사 삐에르 가르니에는 음식의 3요소를 첫째 맛, 둘째 모양(색상), 셋째 정신(정성)이라고 했다. 이런 맛에서 멋이란 말이 나온 것일까?

탕반문화와 벤또문화

'다반사(茶飯事)'라는 말이 있다. 늘 있는 예사로운 일이란 뜻이다. 차 다(茶), 밥 반(飯), 일 사(事). 차와 밥을 먹는 일일까? 차에 밥을 말아 먹는 일일까? 둘 중 어떤 뜻일까?

밥을 녹차에 말아 먹어본 적이 있다. 광주 무등산의 의제 허백련 선생 별장 근처에서, 전날 과음하여 아침밥을 먹을 수 없다고 했더니 녹차 한 대접을 주면서 밥을 말아 먹어보라고 하셨다. 선입견과는 달리 속이 편안해지고 맛도 괜찮았다. 물에 말아 먹는 것보다는 훨씬 나았다. 다반사라는 말이 종종 쓰이는 걸 보면 옛날에도 밥을 차에 말아서 먹었던 듯하다.

한국인은 유달리 국을 좋아한다. 그 종류도 다양하고, 계절에 관계없이 따끈한 국물이 있어야 밥을 먹는다. 밥을 먹기 전 국을 한두 숟가락 떠서 먹은 후 식사를 시작한다. 국이 없으면 물에 말아 멸치를 고추장에 찍어 먹든지, 풋고추를 된장에 찍어 먹든지 한다.

추사 김정희가 제주도로 귀양 갔을 때 처음 받은 밥상은 쌀이 귀했던 제주도의 조밥과 생된장, 푸성귀(상추)였단다. 양반가에서 귀한 음식을 먹던 추사는 탄식이 절로 나왔고, 부인에게 반찬을 보내달라는 편지를 여러 번 보냈다고 한다.

일본인은 우리와 유전자의 70% 정도가 같다고 하지만 식습관만큼은 상당히 다르다. 일본 식문화를 대표하는 것 중 하나가 벤또(도시락)일 텐데, 벤또는 한 마디로 밥상을 작게 축소하여 상자에 담은 것이다. 도시락 통의 재질과 반찬의 종류, 지방에 따라 다른 벤또의 종류가 4천여 종이라니 놀랄 만하다.

일본인은 무엇을 축소하여 한정된 공간에 담아내는 것을 좋아하는 모양이다. 일본의 정원처럼, 수석이나 분재처럼, 현대에 와서는 워커맨이나 트랜지스터라디오 같은 작은 전자제품까지 그런 특징이 나타나는 듯하다. 이어령 교수의 『축소 지향의 일본인』, 전여옥의 『일본은 없다』 이런 책들이 있었는데, 일본은 무엇을 작게 만드는 데 관심이 많은 듯하다. 그렇다면 우리는 '확대 지향의 한국인'일까?

한국인은 왜 국물을 좋아할까? 그 이유를 생각해봤다. 장례식이나 잔치를 치를 때 여러 사람에게 음식을 나눠주려면 가마솥에 국을 끓여 한 그릇씩 떠주는 게 가장 합리적인 방법이었기 때문이 아닐까? 예전에는 모든 식재료가 귀했으니 양을 늘리려고 그랬을 수도 있겠다. 국을 한 그릇 먹고 나면 포만감이 생기지 않는가.

경남 진주에 가면 진주비빔밥이 유명한데, '헛제삿밥'이라고 부른다. 밥과 나물, 제상(祭床)에 올리는 탕국이 나오는데, 이들을 비벼서 비빔밥으로 먹는다.

전주비빔밥과는 사뭇 다르다.

벤또는 한사람을 위한 음식이지만 우리의 탕은 여러 사람과 나누는 음식이다. 가족이든. 손님이든 음식을 나누는 쪽에 관심을 둔 듯하다.

보온도시락이 유행한 적이 있었다. 거기에도 밥과 국을 담는 통이 있었고, 반찬통은 위에 조그맣게 얹게 돼 있었다. 이처럼 우리의 국사랑은 대단한 듯, '국사랑'이라는 상표의 제품을 보기도 했다.

여기서 국에 대한 필자의 견해를 밝힌다.

국은 탕에서 유래한 음식이다. 지방마다 조금씩 다르겠지만, 우리 집 제사 때 탕국은 무를 작은 깍두기처럼 썰어 넣고 끓이다가 쇠고기와 조갯살을 조금씩 추가하여 국물이 자작할 정도의 탕국을 만들어 제상에 올린다.

조합이 맞고 좋은 음식이라고 생각한다. 요즘 나트륨 문제로 국물을 다 먹지 말라는 얘기들을 하는데, 지금의 국보다 국물 양이 적게 하고 건더기를 풍부하게 한다.

건더기도 채소와 고기, 어패류를 섞어 영양의 균형도 맞고, 위에 부담도 덜 주며, 나트륨 섭취도 줄일 수 있는 음식을 만들면 좋겠다는 생각이다.

요즘 편의점 도시락이 많이 팔린단다. 그런데 자주 나트륨 과다 문제가 보도되는데, 몇 번 편의점 도시락을 사먹어 봤더니 대충 이해가 됐다. 밥을 먹으려면 반찬이 적당한 비율로 있어야 하는데 도시락 규격의 한계가 있고, 고객이 선호하는 반찬을 담으려니 김치처럼 짠 음식은 상대적으로 양이 적어져 반찬의 간을 세게 한 듯했다.

방법이 없을까? 한국인이 좋아하는 국을 만들면 될 것이다. 국을 몇 종류 만들어 별도로 판매하면 어떨까? 고객이 선택하여 도시락과 함께 구매하고, 어차피 전자레인지에 넣어서 데울 테니 괜찮은 방법이 아닐까? 일본에서 미소된장국을 자판기에서 파는 것처럼.

또 하나의 방법은 밥에다 간을 하든지, 간이 된 주먹밥을 도시락에 넣는 것이다. 우리나라는 도시락 용기가 거의 플라스틱인데, 물기 있는 반찬이 남은 걸 버리면 재활용하는 데 문제가 있어 환경오염도 줄일 겸 아예 국을 따로 포장하고 나머지 반찬 가짓수를 줄여 단가를 맞추는 방법이 좋아 보인다.

양념을 한 주먹밥을 적당한 크기로 만들어 넣으면 먹기도 편하고, 고객이 몇 개를 먹으면 자신의 양에 적당한지를 가늠할 수도 있을 것이다. 특히 반찬 중에 햄, 소시지, 베이컨 등 인스턴트식품의 비율이 높은 것은 생각해봐야 할 문제다.

탕반문화가 밥을 국에 말아 한 방에 빨리빨리 먹는 식습관이 되지 않기를 바란다. 우리의 탕반문화 역시 손님들을 위해 싱싱한 재료를 준비하고, 장시간 가마솥에 불을 지펴 요리하고 대접하는 정성과 나눔의 식문화로 발전하기를 염원한다.

물과 소금

어둡고 부패한 세상을 바로잡으려면 빛과 소금이 있어야 할 것이다. 인간이 생명을 유지하려면 첫째 공기, 둘째 물, 셋째 소금이 필요할 것이다. 공기는 따로 설명할 필요조차 없을 테고, 물과 소금에 대해 알아보자

요즘 뉴스에는 수돗물에 벌레가 나오는 것과 향신료에 쇳가루가 섞여 나온다는 것이 화제가 되고 있다. 식품과 관련된 이야기로 2가지 모두 필자가 관심이 많은 부분이고, 쇳가루 문제는 고춧가루 편에서도 언급한 바 있다.

70%가 물이다

지구의 70%가 물이고, 우리 몸의 70%도 물이다. 바닷물에는 1리터당 평균 35g의 염분이 들어있고, 인체도 0.9%의 염분을 지니고 있다.

양수도 염도가 0.9%는 되어야 살균 등의 작용으로 태아를 건강하게 키울 수 있다.

우리의 몸은 5대 건강지표, 즉 염도(鹽度), 산도(酸度), 당도(糖度), 온도(溫度), 수분도(水分度)가 일정하게 지켜져야 건강을 유지할 수 있다. 물과 소금은 모든 생명체의 근원인 셈이다.

물은 크게 생수(生水, 살아있는 물)와 사수(死水, 죽은 물)로 나눌 수 있겠는데, 샘물, 우물물, 강물, 지하 암반수처럼 솟아나거나 흐르는 물이 생수이고, 저수지나 호수 등에 고여있는 물이 사수다. 생수가 몸에 좋은 건 두말할 나위도 없다.

이번에 문제가 된 정수 문제와 정수기를 알아보자. 수돗물은 취수원에서 강물을 정수장으로 끌어와 활성탄지(숯가루가 들어있는 천)를 통과시켜 부유물질과 냄새를 제거하고, 염소나 오존 살균을 하여 내보낸다.

이번에 발생한 문제는 활성탄지의 교체 시기를 놓쳤거나 앞뒤로 활성탄지의 방향을 바꿔 흡착물질을 제거해야 하는데 그렇게 하지 않는 바람에 정수장으로 날아든 벌레가 알을 낳아 활성탄지의 숯가루에 있는 유기물을 먹이로 부화한 유충이 수돗물에 섞여 송수관을 타고 가정으로 흘러가서 생긴 현상으로 보인다.

정수기는 흡입된 물을 1차로 활성탄(탄소, 숯가루) 필터로 걸러 부유물질과 냄새를 제거하고, 2차로 은이온 필터를 통과하면서 중금속을 흡착하는 방식으로 정수한 물을 내보내는 장치다. 나는 정수기 무용론을 주장하는데, 필터 교체 시기(쓰는 양과 물의 조건에 따라 다르다)와 정수기 내부의 청결 문제, 정수기 배관의 오염 등에 대해 문제를 제기한다.

정수기 비용으로 생수를 사서 마시고 다른 용도의 물은 수돗물을 쓰는 게 좋다고 주장했는데 수돗물에서 벌레가 나온다니 괜히 틀린 주장을 한 것처럼 느껴진다.

우리나라에서 정수기가 본격적으로 보급되기 시작한 시기는 80년대 중반이다.

당시 국내 최초로 출시된 정수기가 산호정수기라고 기억하는데, 원통형 정수기로 위쪽에 입구가 있어 수도꼭지에 연결하고 바닥 쪽에 출구 호스가 있는 형태였다.

최근에 다시 광고하는 브리타 정수기

독일의 물은 석회분이 많아 맥주 산업이 발달했는데, 브리타 정수기가 독일 제품이다. 손잡이 달린 주전자 형태로 손잡이 안쪽이 깔때기 형태로 경사가 지고 가운데에 홈을 파서 필터를 끼운 형태의 간이 정수기다.

투명 플라스틱 용기라 필터를 통과한 물이 보이고 적당히 물을 조절하면 필터가 물에 잠겨 역할을 계속하고 통째로 냉장고에 넣어두고 마실 때 꺼내어 주전자처럼 따를 수도 있으니 간단하고 편리하다.

용기나 필터를 씻어 깨끗하게 사용할 수도 있다. 서울 삼익제약에서 수입했는데 그걸 부산, 울산, 마산 지역 백화점에 입점시켜 제법 팔았다. 그 후 각종 수입 정수기와 웅진코웨이가 나와 정수기 보급이 일반화되었다.

생명 유지에 없어서는 안 될 물과 소금

어떤 것이 좋고 어떻게 먹어야 할까?

드라마 〈대장금〉을 보면 장금이가 제주도에 가서 환자가 먹을 약을 달일 때, 바닷가라 물에서 짠맛이 나니까 이런 물로 약을 달일 수 없다면서 용천수를 찾아 나선다.

용천수란 비가 내려 땅속으로 스며든 물이 오랜 시간을 두고 땅을 통과하면서 여과되고, 땅속의 미네랄을 함유한 물이 되어 땅속에서 흐르다가 암반 사이로 용출되는 물인데 최고의 식수라 할 수 있겠다.

제주 삼다수가 제주도의 용천수인데 그래서 인기 있는 생수가 된 것이리라.

좋은 물과 좋은 소금이 있으면 맛있는 음식을 만들 수 있다. '몽고간장'이 마산의 몽고정이란 우물물을 사용하여 탄생했듯이, 제주도에는 9백여 개의 용천수가 있었단다.

샘이 있는 곳에 마을이 생겼고, 샘물의 양에 따라 주민 숫자도 많고 적고 했단다. 좋은 물이 있는 곳으로 사람들이 모여 살았다는 뜻이다.

음식의 맛은 간에서 결정된다. 아무리 맛있는 음식도 간이 안 맞으면 맛이 없게 느껴지고, 간만 잘 맞추면 다른 양념 없이도 맛있는 음식을 만들 수 있다. 그러면 소금은 어떤 소금이 좋은 소금일까?

소금은 바닷물에서 만들어지는데, 청정한 바닷물에서 만들어지는 천일염이 최고다. 깨끗한 바닷물과 햇볕과 바람과 염부(鹽夫)의 정성으로 만들어진 천일염 말이다.

용천수처럼 다양한 미네랄을 함유할 수 있으려면 청정한 갯벌이 있어야 한다.

세계 5대 갯벌에 속하는 한국의 서해안에서 신안천일염이 나온다. 중국이나 호주에서도 천일염이 생산된다.

한때 한국의 소금산업이 존폐의 기로에서 위기를 겪을 때 중국이나 호주의 천일염을 수입하여 한국의 염전에 붓고 포대갈이하여(국산 포대에 담아) 판 적이 있었다. 그 수익금으로 염전 업자들에게 보조금을 주고 하다가, 우리 천일염의 품질이 알려지고, 건강에 대한 인식이 높아져 다시 우리 염전이 활성화되었다.

중국이나 호주산은 품질이 낮고 이물질이 있지만, 지금도 가격 문제로 천일염은 써야겠는데 비용을 아끼려고 수입산 천일염을 쓰는 업체가 있는 것으로 알고 있다.

물과 소금은 미네랄을 섭취할 수 있는 식품이다. 시판되는 생수가 다 같아 보이지만 자세히 보면 미량의 미네랄 성분이 표시돼 있다. 생수를 사서 마실 때 살펴보기 바란다.

〈대장금〉에서 용천수는 양반들만 마실 수 있었고 일반인들은 우물물을 마시든지 연못을 만들어 빗물을 받아 식수로 쓰는 봉천수를 마셨는데, 그게 조선 중종 때의 일이니 5백년 전 그 귀한 물을 지금은 전국 어디서나 누구든 마시는 시대가 된 것이다.

생수는 광천수니, 지하 암반수니, 샘물 등으로 표기하여 시판하는데 같은 취수원에서도 다른 상표의 제품이 만들어지니까 상표에 연연할 필요는 없고, 성분 분석표의 미네랄 종류나 자신의 입맛에 맞는 걸 선택하면 되겠다.

소금도 천일염이 좋은데, 청정한 갯벌에서 생산되어 다양한 미네랄을 함유한 천일염이 좋다. 염전의 바닥은 갯벌의 땅이거나 타일, 장판을 깐 곳도 있다. 토판염이란 염전의 판(바닥)이 흙이란 뜻이니 개중에는 낫다고 보이는데 값이 조금 비싸다.

소금은 염화나트륨(NaCl) 85% 이상의 물질을 말한다. 나머지 10~15%는 간수란 뜻이다. 간수에는 독성이 있어 간수 뺀 천일염이 좋다는 것인데 그럴 시간이 없으면 쓸 만큼의 양을 프라이팬에 볶아 간수를 증발시켜 볶은 소금, 구운 소금으로 만들어 쓰면 되겠다.

요즘 코로나 사태로 해외여행 가기가 어려우니 여행 가서 먹었던 음식이 생각나 그걸 집에서 만들어 보려고 향신료를 사는 사람들이 많은데, 향신료 가루 속에 분쇄할 때 들어간 쇳가루가 문제라고 보도됐다. 예전부터 이런 문제를 걱정했는데 기술적인 문제는 문외한이라 모르겠고, 향신료뿐만 아니라 고춧가루, 황토 화장품에서도 문제가 됐던 쇳가루다.

세상일을 잘 모르겠으면 역사를 돌이켜보고 옛날 방식을 알아보면 답이 있는 경우가 많다.

절구통과 채를 사용해보면 어떨까?

절구통에 일정량을 넣고 빻아서 채로 치고 이물질을 걸러낸 다음 다시 원하는 크기로 빻는 방법 말이다. 시간과 노력이 들 들겠지만, 음식에 정성이 들어갈 것이고 가루가 좀 들어가도 돌가루나 나무 부스러기여서 인체에 유해할 정도는 아닐 성싶다.

SCL FOOD

오늘의 제목은 시즌 푸드(제철음식), 컬러 푸드(다양한 색상의 음식), 로컬 푸드(지역 음식)의 첫 글자를 따서 SCL로 써보았다. 그만큼 중요한 의미를 갖기 때문이다. 우리 땅에서 생산한, 다양한 색상의 제철음식을 먹는 것은 건강한 식품의 총체적 표현인 셈이다.

제철음식의 중요성은 두말할 필요도 없고, 자연이 가르쳐주는 빨강 노랑 초록 보라 등의 색상마다 다르게 함유된 영양소의 의미를 알아야 하며, 기후와 풍토에 맞는 우리 땅(원래는 반경 백리 안의 의미였다고 한다.)에서 생산된 식품이 우리 몸에 좋다는 말이다.

Season Food(제철음식)

아마 이 계절이 옛날에는 노지딸기 수확 철이었을 것이다. 주말이면 친구들과 만나 경부선 완행열차를 타고 삼랑진역으로 달려가곤 했다. 여자 친구라도 한 명 데려오는 녀석은 부러움의 대상이었다.

1인당 얼마의 돈을 지불하고 밭이랑을 따라 잎을 뒤져가며 딸기를 찾아 직접 따먹는다. 서로 먹여주기도 하고, 누가 큰 걸 따는지 내기도 하고, 어지간히 먹고 나면 딸기밭 주인이 그릇에 딸기를 얼마간 담아 싸준다. 집에 가져가라고. 아~옛날 생각이 난다.

제철음식도 먹고 여행도 가고 참 좋은 추억이다.

요즘은 왜 이런 낭만이 없을까? 한겨울에도 딸기가 난다. 비닐하우스에서 키워 크기도 재래종의 2~3배는 될 듯하다. 당도도 월등히 높다는데 워낙 단맛에 길들여져서인지 잘 모르겠다. 갈수록 계절의 경계가 무너지고 제철음식도 점점 사라져 간다.

좋은 일일까? 편리할지는 몰라도 자연의 섭리를 무시하는 것이 좋은 일만은 아닐 것이다. 엄마가 자식 먹이려고 텃밭에 심어 수확한 딸기와, 돈만 있으면 시도 때도 없이 마트에서 사다 내미는 딸기, 어느 것이 더 맛있게 느껴지며, 어느 것이 건강에 이롭고 기억에 남을까?

로컬 푸드(지역음식)

옛날에는 백리 안에서 생산된 음식을 먹는 게 좋다고 했다. 요즘도 유기농 인증 요건에 반경 30~40km 이내에 유기농에 영향을 주는 요소가 있는지 감안한다.

그 지역의 기후와 풍토에 맞는 먹거리는 당연히 중요하고, 요즘은 교통이 발달해서 그렇지 옛날에는 백리를 옮겨가려면 식품이 시들고 상했을 것이다.

일부 마트에서 로컬 푸드 코너를 따로 마련해두고 그날 수확한 식품을 파는데 인기라는 걸 보면 소비자들도 로컬 푸드의 가치를 인정하는 모양이다.

컬러 푸드

식품은 초록, 노랑, 빨강 등 고유의 색상을 띠고 있다. 이는 식물 속에 있는 베타카로틴, 안토시아닌 등의 색소 때문인데, 이들 색소가 지닌 많은 효능이 섭취 후 우리 몸에 상당한 영향을 미치기 때문에 식품의 색상은 대단히 중요하다.

노화와 질병의 개선을 위한 SCL FOOD

인간을 늙고 병들게 하는 요인은 무엇일까? 학술적으로 여러 가지 원인이 있겠지만, 쉽게 한 가지의 요인을 꼽는다면 활성산소 때문이다. 활성산소란 무엇인가? 우리가 호흡할 때 몸속으로 들어간 산소가 인체 내 대사 작용으로 생긴 물질과 결합하여 산화된 물질이고 만병과 노화의 원인이라고 한다.

자동차를 예로 들면 기름을 넣고 주행하여 생긴 노폐물이 배기가스가 되듯이 우리 몸의 배기가스쯤이라고 생각하면 되겠다. 자동차도 기름이 연소하면서 각종 노폐물이 발생하여 엔진에 때가 끼고 부식하여 수명을 다하듯이 사람에게도 활성산소가 이런 역할을 한다.

자동차의 배기가스를 제대로 배출하지 못하면 어떻게 될까? 사람도 마찬가지로 활성산소를 잘 배출해야 하고, 활성산소를 적게 만들어내도록 노력을 해야 한다. 그 방법은 적당한 운동과 좋은 식품의 섭취다.

약방의 감초처럼 어디나 따라다니는 처방이 적당한 운동이다. 재활치료를 해보면 운동이, 우리 몸을 움직이는 게 얼마나 중요한지를 알게 된다.

예를 들어 젓가락으로 콩을 줍는다든지, 팔을 끝까지 뻗어 물건을 옮긴다든지, 발을 뒤꿈치부터 땅에 닿게 하여 똑바로 걷는다든지, 정교하게 만들어진 우리 몸의 기능과 감각을 모르고, 무시하며 살아왔다는 사실을 깨달을 수 있다. 쉴 새 없이 우리 몸을 움직이고 미세한 근육을 써야 감각을 잃지 않고 살 수 있으니 그만큼 중요하다는 의미다.

그러면 노화와 질병을 개선하려면 어떻게 해야 할까? 활성산소를 적게 만들거나 배출시키는 일을 해야 할 것이다. 답은 운동과 좋은 식품의 섭취다. 운동은 이미 얘기했고 항산화식품을 섭취하는 것이 중요하다. 비타민A, C, E, 미네랄 등이다.

당근, 브로콜리, 파프리카 등의 식품이 항산화식품의 재료가 된다. 특히 비타민E, 토코페롤을 강조하고 싶은데 미국에서는 많이 팔리는 비타민의 30%가 이 비타민이라고 한다.

제철음식, 컬러 푸드, 로컬 푸드의 개념을 이해하고 해당식품을 찾아서 먹고 운동하는 습관을 가질 때 우리는 노화를 늦추고 질병을 이기며 건강한 삶을 살 수 있을 것이다.

소금을 적게 먹어야 좋은가?

루돌프 사슴코는 매우 반짝이는 코

루돌프 사슴은 순록을 말한다. 유라시아 대륙과 아메리카 대륙의 북쪽 북극과 가까운 침엽수림 지대를 타이가라 하는데, 거기서는 차탄족이 순록을 키우면서 산다. 순록은 사슴처럼 생겼는데 말처럼 그들의 이동 수단으로, 고기와 가죽을 공급하면서 같이 살아가는데, 종을 치면 순록들이 일제히 모여든다. 목동은 순록에게 소금을 나눠 먹인다. 목동이 오줌을 싸면 순록들이 옆으로 다가와 오줌을 받아먹는다.

수십 길 낭떠러지 위 바위를 아슬아슬하게 타고 다니는 염소들이 있다. 그들은 바위틈의 무언가를 핥아먹는다. 순록이고 염소고 목숨을 걸고 구하는 것이 소금이다. 지구상의 모든 생물에게 꼭 있어야 하는 것이 소금이다.

인류의 역사와 함께해온 소금

요즘 식품에서 가장 많은 관심은 아마 소금과 탄수화물일 것이다. 오늘은 소금에 대해 알아보자.

최초의 조미료이자 우리 몸에 꼭 있어야 하는 것이 소금인데, 요즘은 무슨 죄인인 것 같다. 고혈압의 주범이고, 모든 성인병의 원인물질처럼 인식된다.

과연 그럴까?

소금은 체액의 농도를 조절하고 세포의 대사에 관계하는 등 없어서는 안 되는 물질이다. 모자라면 여러 가지 병이 생기고 심하면 죽기도 하는데, 왜 이런 논란을 일으킬까? 필자가 식품에 대해 관심을 가지게 된 것도, 가장 많은 시간을 할애하여 공부한 것도 소금이다.

1985년 당시 나는 결혼 4년차였고, 어느 보험회사 소장이었다. 하루는 퇴근해서 집에 오니 분위기가 침통했다. 이유를 물으니 장인어른이 식도암 3기 판정을 받아 가망이 없다는 것이다. 경남 창녕에서 태어나 일찍 부모를 여의고 트럭 조수로 시작하여 택시회사 사장이 되도록 열심히 성실히 살아오신 분이었다. 나는 수소문을 시작했다. 그러던 중 경남 함양에 도인이 한 분 계시는데 대단한 실력이 있어 전국에서 난치병 환자들이 찾아온단다.

당장 함양으로 달려갔다. 읍내에서 물으니 그분이 계시는 곳을 가르쳐 주었다. 큰길에서 골목으로 조금 들어가 나타난 집이다. 마당이 삼각형이고. 기다란 기와집이 한 채 있었는데, 길게 마루가 깔려 있고 일자로 방이 서너 개, 여름이라 미닫이 문은 모두 열려 있었고, 방마다 대여섯 명씩 앉아 있었다.

맨 왼쪽 방에 자리를 잡고 찾아온 이유를 설명했다. 한 시간쯤 지났을까? 차례가 되어 그분 계시는 방으로 갔는데, 하얀 모시 바지 적삼에 머리카락이 듬성듬성하고 흰 수염이 기다란 노인이셨다. 인산 김일훈 선생. 지금의 인산죽염 창시자이고, 『신약』이라는 책을 쓰신 분, 구한말 전국의 산야를 섭렵하고 의학을 공부하신 분이다.

나는 장인어른의 병세를 설명했다. 가만히 생각에 잠겨 듣고 있던 선생은 메모지를 꺼내 뭘 적기 시작하는데 마음이 조급한 나는 대뜸 물었다.

"저, 선생님 가망이 있겠습니까?"

"음, 이 약을 먹을 수 있으면…."

속으로 희망이 생기는 듯했다. 무슨 약인지 모르지만 약을 드시기만 하면 희망이 있다니까. 선생의 처방은 이러했다. 유황오리, 죽염, 다슬기, 약초 몇 가지.

선생의 처방에서 빠지지 않는 죽염과 다슬기, 처방전을 들고 바로 서울로 달려갔다. 경동시장에서 약재를 구하여 고려대 부근의 중탕집을 찾아가 약을 다렸다. 몇 시간 후 양주병처럼 생긴 유리병 3~4개가 만들어졌다. 그걸 들고 곧장 부산으로 내려가 자초지종을 설명하고 약을 드렸다. 그런데 세상에, 그 약을 3분의 1쯤 드시고 장인어른은 돌아가셨다. 약을 토해내고, 다 드시지를 못한 것이다.

이것이 내가 식품에 관심을 갖게 된 첫 번째 동기다.

장인은 돌아가셨지만 나는 거기서 난치병을 고쳤다는 몇 명의 환자를 보았고, 교통사고로 리어카에 실려 들어온 사람이 며칠 만에 걸어서 나갔다는 얘기도 들었다.

인산 선생은 왜 죽염을 중시했을까?

죽염은 오행을 담은 식품이다. 화-소나무 장작불, 수-바닷물, 목-대나무통, 금-천일염. 토-황토. 지구를 구성하는 5가지의 물질로 만들어지는 것이 죽염이다.

소금은 고체, 액체, 기체의 3가지 물질의 형태를 다 가지고 있다. 고체(固體) 상태인 소금은 천도 이상 열을 가하면 액체(液體) 상태로 변한다. 1300~1700도 이상 열을 가하면 기화(氣化)되어 공기 중으로 사라진다. 이 원리를 이용하여 8~9백도에서 8번 굽고, 마지막 9번째는 1천도 이상 열을 가하여 액화시켜 불순물과 중금속까지 제거한 다음 순수하게 미네랄만 남은 소금을 만들어내는 것이다.

우리 몸에 존재하는 60종의 미네랄이 모든 대사작용에 관계하는데 천일염의 바닷물 속에 있는 미네랄을 9번 굽는 방식으로 소금에 남아 있게 만드는 것이다. 왜 9번인가 하면 동양철학에서 9라는 숫자가 완전수라고 보기 때문인데 홍삼의 9중9포도 아홉 번 찌고 말리는 방식이고, 아홉 가지 음식을 담은 쟁반인 9절판 등도 같은 맥락이다.

소금이 부족하면 염증이 생긴다. 다시 말해 소금의 부족이 만병의 근원이란 뜻이다. 반대로 소금의 과다섭취는 고혈압, 뇌졸중, 심장병의 원인이 된다.

로마 시대에는 군인의 급여로 소금을 줬다. 여기서 샐러리맨이란 말이 나왔다.

카라반(대상)은 소금 장수이고, 샐러드는 채소에 소금을 뿌린 음식이다. 소스는 소금물에 양념을 더한 것이다. 이렇게 소금은 인류와 뗄 수 없는 관계를 가지고 있다.

과연 어떻게 하는 것이 좋을까? 우리는 소금을 너무 많이 먹는다, WHO(세계보건기구) 권장량이 얼마인데 우리는 얼마를 먹는다, 이런 얘기를 많이 한다. 우리의 소금 섭취가 많은 건 사실이지만, WHO의 소금 권장량은 없다.

무슨 얘기냐고요? 나트륨(Na) 1일 권장량 2천mg이 있다. 소금의 원소기호는 NaCl, 즉 나트륨과 염소로 이루어진 물질이다. 소금의 나트륨과 염소의 구성 비율은 대략 4대 6이다. 소금 10g을 섭취하면 대략 4g의 나트륨을 먹게 되는 것이다. 그런데 나트륨과 소금을 혼돈하여 얘기하는 경우를 많이 본다. 우리가 소금을 좀 많이 먹지만 우리보다 소금 섭취량이 더 많은 국가도 더러 있다.

그러면 어쩌란 말인가? 필자의 소견은 그냥 신경 쓰지 말고 적당하게 생각되는 간으로 음식을 먹으라는 것이다. 그래서 과다섭취하면 어쩌려고? 2가지 조건이 있다.

첫째, 양질의 소금을 먹어라. 양질의 소금은 정제염(바닷물을 정제하여 인위적으로 만든 소금)으로 거의 모든 가공식품에 들어 있다. 천일염, 암염, 호수염 등은 따로 설명할 예정이다.

둘째, 칼륨(K) 함량이 많은 식품을 주목하라. 오렌지, 귤, 구운 감자, 바나나, 호박, 해조류 등에 많은 칼륨은 체내의 과다한 염분을 배출시키는 역할을 한다.

소금의 섭취는 너무 적어도 문제고, 많아도 문제가 있으니 적당히 먹고 다른 식품으로 조절하자는 뜻이다.

날씨가 무척 덥다. 여름에 땀을 많이 흘리게 되면 물을 마시고 별도로 소금을 먹어야 할 때도 있다. 맑은 물(생수)과 양질의 소금은 우리 몸에 없어서는 안 될 것이며, 이 둘만 잘 섭취해도 대부분의 질병에서 자유로울 수 있을 것이다. 소금과 물에 대해서는 따로 몇 차례 더 다루기로 하고 독자님들의 건강한 여름나기를 빌어드린다.

발효시킨 술이 거듭나서 식초가 되다

식초를 알아보기 전에 건강 십훈(十訓, 건강에 대한 10가지 교훈) 중 몇 가지를 소개한다.

소육다채(小肉多菜)-육고기는 적게 먹고 채소를 많이 먹어라.
소염다초(小鹽多醋)-소금을 적게 먹고 식초를 많이 먹어라.
소당다과(小糖多果)-설탕을 적게 먹고 과일을 많이 먹어라.
소식다작(小食多嚼)-적게 먹고 많이 씹어라.

건강 십훈에도 나오듯이 식초는 신이 준 기적의 물이다. 식초는 2번의 발효 과정을 거쳐 탄생한다. 1차 발효는 술이 되는 과정인 알코올 발효, 2차 발효는 식초가 되는 초산발효다. 막걸리를 부뚜막에 놓아두면 식초가 된다. 쌀이나 밀, 옥수수에 누룩을 넣어 발효시킨 막걸리(알코올)가 공기 중의 초산균과 결합하여 2차 발효를 일으켜 식초가 되는 것이다.

식초는 인류 역사와 함께 신맛을 내는 조미료로, 약으로도 사용되어 왔고, 우리 몸에 매우 유익한 물질이다. 식초는 기원전부터 쓰였는데 서양에서는 와인으로 만든 식초, 사과식초 등이 치료용으로 처음 쓰였고, 동양에서는 쌀, 현미 등 곡물을 이용한 식초가 발달이 되었다.

생선회를 먹을 때 식초로 초고추장을 만들어 먹듯이 식초는 살균과 방부효과가 있으며 식욕 증진과 더불어 피를 맑게 하고, 골밀도를 높이며, 성인병 예방과 개선에 도움을 주는 등 많은 효능을 가진 식품이다. 우리가 실제로 사용하는 식초는 합성 식초, 양조식초, 천연 발효 식초 등인데, 합성 식초는 빙초산이라고 부르는 화학물질이다.

석유에서 추출한 에탄올로 만드는 빙초산은 상온에서 얼어 있는 것처럼 보여서 붙여진 이름이다. 우리나라에서 60년대부터 쓰이고 있는 빙초산은 산도가 매우 높아 많은 물에 희석하여 쓰지만, 독성이 강해 독극물로 분류하여 식용으로 쓰지 못하는 나라도 많다. 여름철 국물김치에도 쓰는 빙초산을 이제는 쓰지 말아야 한다는 생각이다.

양조식초는 마트에서 흔히 보는 식초다. 현미 식초, 2배 식초 등 공장에서 주정을 사용하고 발효 기간을 단축하여 생산한 것으로 요리할 때 쓰면 된다.

천연 발효 식초는 1차로 알코올을 발효시켜 술을 만들고 거기에 초산균을 넣어 2차 발효(초산발효)를 통해 만들어진다. 천연 발효 식초를 파는 사이트도 많이 있으니 구해서 건강음료로 즐기는 것도 좋은 방법이리라. 물로 5~6배 희석하여 공복을 피해 식사 후 마시기를 권한다.

특히 요구르트에 발효 식초라면 멋진 조합이겠다.

발효 식초를 이용한 자신만의 음료를 만들어 하루 2~3잔씩 마셔보면 어떨까?

60여 종의 유기산을 함유한 식초(vindgar)는 와인과 시다는 말의 합성어다. 인류 최초의 발효식품 와인을 발효시켜 식초가 탄생했는데 바로 발사믹 식초다. 우리나라에서도 많이 판매하고 있으니 음료나 샐러드의 드레싱을 만드는 데 써도 좋을 것이다. 피로물질 젖산을 빨리 분해하는 식초는 숙취 해소에도 좋은 식품이다. 만성피로나 숙취로 고생하는 사람도 식초가 답이 될 것이다.

흑초는 현미 식초를 황토 항아리에 담아 오랜 기간(2년 이상)

숙성 발효시킨, 색깔이 검은 식초를 말하는데 혈당을 낮추고 다이어트에 도움이 된다고 알려져 있다. 일본에서 건강식품으로 유명해졌다.

발효는 미생물을 이용하여 인체에 유익한 물질을 생산하는 과정이다. 한국식품이 훌륭하다는 것은 김치, 된장, 젓갈, 식초 등 다양한 발효식품이 있기 때문인데, 발효식품은 미생물의 작용으로 원재료에 없는 새로운 물질을 생성하여 저장성을 높이고 소화를 도우며 장을 튼튼하게 하고 각종 질환을 예방할 뿐만 아니라 개선하는 역할까지 하는 것이다.

경북 청도에서 생산되는 씨 없는 감과 감식초

안개가 자주 끼는 날씨 때문에 씨 없는 감이 나는데 거기 감나무를 다른 곳에 옮겨 심으면 다시 씨가 생긴단다. 감이 많이 나서 곶감, 감말랭이, 감식초 등을 만드는데, 감식초를 식품 개발 재료로 쓸려고 몇 번 방문했더니 실망스러웠다.

농가에서 떨어진 감이나 흠이 있어 팔기에 부적절한 감을 골라 빨간 고무통, 아이들 목욕시킬 때 쓰는 통에 던져 넣어두는데, 시간이 흐르면 저절로 감식초가 되고 국자로 떠서 깔때기로 병에 담아 팔고 있었다. 식초가 식품이고 산성인데 그런 용기에 담으면 안 된다는 정도는 알 텐데, 설사 농가에서 모르더라도 지자체에서 알려줘야 할 것이다. 안타까웠다.

환경호르몬 문제가 걱정되어 식품 재료로 쓰지 못했다. 식초는 당연히 항아리나 유리병에 보관해야 할 것이다. 청도군에서 운영하는 특산물 홍보센터에 가봤다. 홍시를 얼려 냉동실에 보관했다가 어린 홍시를 시럽과 함께 믹서에 갈아서 만든 홍시 주스는 여름에 먹으면 시원하고 좋은 음료였다. 그런데 과일주스 파는 상점에서 온갖 서양 과일을 수입하여 주스로 만들어 팔면서 이런 건 왜 팔지 않을까?

만해 한용운은 '타고 남은 재가 다시 기름이 됩니다.'라고 했는데, 이는 윤회를 얘기한 것일 테고, 식초는 먼저 술이 되어 사람들을 즐겁게 한 다음, 다시 발효하여 건강한 식품이 되었다.

나만의 음식을 그리자

광복절이자 말복 날인 새벽, 마지막이 아닐까 싶은 장맛비가 촉촉이 내린다. 이제 여름이 물러갈 때가 되었나 보다. 음식은 마시고 먹는 것인데, 앞장에서도 말했듯이 어떤 음식을 만들 것인가를 생각하여 미리 그려보고 만들어 자신만의 독특하고 건강한 음식을 조리할 수 있다면 얼마나 좋을까?

요리를 잘할 줄 몰라도, 복잡하고 어려운 요리가 아니더라도 덥고 습기 많은 계절에 요구르트에 발효 식초 넣은 음료라도 만들어 가족의 건강을 챙기고 손님에게 기억에 남을 마실거리로 한 잔 대접하는 것도 의미 있는 일일 것이다.

안데스 소금과의 인연

30여 년 식품과 관련된 일을 하다 보니 소금에 관심을 가지는 계기가 됐던 것 같다. 현재도 가장 관심을 가지는 게 소금이고, 사업적으로 가장 도움이 됐던 것은 석류다. 필자는 식품을 개발하면서 2가지 원칙을 지키려고 노력한다. 국산 재료를 쓰는 것과 가능하면 첨가물을 쓰지 않는 것이 그것이다.

얼마 전 〈동네한바퀴〉라는 텔레비전 프로그램을 봤다. 교직에 있으면서 시간 나면 야생화를 연구한 남편이 정년퇴임하고 부인과 함께 차린 식당이 소개되었다. 사회자가 "나물이 맛있다. 어떻게 만들었어요?" 하고 묻자, "소금과 들깨죠. 우리는 모든 나물을 소금과 들깨로만 무칩니다."라고 대답했다.

명답이라 생각한다. 요즘 음식에서 가장 논란이 되는 것이 소금일 텐데, 소금은 무조건 적게 먹을수록 좋을까? 좋은 소금은 많이 먹을수록 좋다는 학설도 만만찮다.

인산 김일훈 선생을 만나 죽염을 알게 되면서 시작된 나의 식품 공부는 1990년 안데스소금을 만나면서 더욱 확신을 갖게 됐다.

1990년 후배들이 찾아와서 말했다.

"롯데에서 후레쉬 포크라는 돼지고기 브랜드를 출시했는데, 그 고기를 사용하여 고깃집 프랜차이즈를 하고 싶은데, 포스트 샵을 하나만 만들어 주세요."

이런 부탁을 받고 나는 식품을 공부하며 개발하는 사람이지 식당은 끼어들기 싫다고 말했으나, 그들이 전부 운영해주겠다고 떼를 쓰는 바람에 해보기로 했다.

부산 동래구청 인근에 가게를 구해 생전 처음 식당을 운영해봤다. 필자의 출신 고교 부근이고 부산 사람들은 롯데에 대한 호감도 있어 손님이 많았다.

하루는 어느 할머니가 가족들과 식사하고 계산을 하는데, 거스름돈 2천 원을 드렸으나. 못 들었는지 그냥 가셨다.

나는 카운터를 비워놓고 할머니를 부르며 50미터쯤 쫓아가 거스름돈을 드렸는데 이 일이 소문나서 50여 평 가게에 손님이 가득 찼다.

그러던 차에 우리 지배인의 소개로 중년의 신사가 나를 찾아왔다. 그는 쇠고기 등심을 시킨 다음 나와 마주보고 앉았는데, 고기만 빼고 상 위의 모든 것을 치워 달라고 했다. 의아했다. 상 위에는 불판 위의 고기만 있을 뿐 찍어먹거나 싸먹을 상추도 없었다. 고기도 자기가 굽겠다면서 종업원도 물리고.

고기가 살짝 익자 그는 상의 주머니에서 용각산 통 같은 것을 꺼내 열고는 하얀 가루를 고기 위에 뿌렸다. 그러고는 고기를 잘라 먹어보라고 내 앞의 접시에 놓아주었다. 소금 같았다. 맛이 담백했다.

드디어 그가 찾아온 이유를 설명했다.

자신이 부산대학교 총학생회 간부 출신이며 대우에 입사하여 피혁 수입 담당으로 아르헨티나를 14번 다녀왔다는 등 흥미로운 이야기가 펼쳐졌다. 아르헨티나를 마지막 방문했을 때 거기 농장주가 선물이라며 가방 하나를 주었는데 집에 와서 열어보니 소금(안데스소금)이어서 줄려면 좀 그럴싸한 것을 주지 소금이 뭐냐고 투덜거리며 가방을 장롱 밑에 넣어두고 시간이 흘러갔는데, 한국에서 건강식품 시장의 성장과 함께 고급 소금도 인터넷에 소개되기 시작하자 이걸로 사업이 가능할까 싶어 나를 찾아왔다는 것이다.

안데스 산맥은 남아메리카 대륙을 남북으로 가로지르는 세계 최장의 산맥이다.

6,500만 년 전부터 시작된 신생대에 태평양에서 융기하여 형성된 안데스 산맥이 해저에서 융기하면서 바닷물도 함께 올라가 해발 3,500~4,000m 지점에 바닷물 호수를 만들었고, 그 오랜 세월 동안 바닷물이 증발하여 만들어진 태고의 소금이 빙산처럼 호수 위를 떠다니는데, 사람이 소금산 위로 올라가 캐낸 청정 소금이 바로 안데스소금이다.

바닥에 묻은 흙만 털어내고 굵기에 따라 구분하여 포장한 것이다. 안데스산맥 남부지역 칠레와 아르헨티나 경계지역에 있는 호수 면적이 우리나라 면적의 3~4배란다. 아르헨티나는 팜파스라는 대초원 지대라 소를 방목하는데 농장주도 자기 집 소가 몇 마리나 되는지 몰라 비행기에서 항공촬영을 하여 단위 면적당 마리수를 추정한단다.

그는 안데스소금에 대한 자부심이 대단했다. 부산의 신발산업이 쇠퇴하면서 아르헨티나에서 수입하던 가죽의 양이 현저히 줄어들자 소금으로 사업을 해보고 싶어 했다. 안데스소금은 청정하고 맛도 좋거니와 치약 대신 양치를 하면 잇몸이 튼튼해지고, 결막염 같은 눈병도 소금물에 씻으면 낫는단다.

그날 그가 나에게 소금을 물에 타서 마셔보라고 권유했다. 6개월간 나는 안데스소금을 생수에 타서 마셨다. 맛이 없어 감식초를 조금 넣어서 마셔야 했다. 실제로 허리둘레가 1인치 반 정도 줄고 몸무게도 조금 줄었다.

인체 내의 모든 신진대사를 조율하는 미네랄은 몸무게의 약 4%를 차지하지만 그 역할은 지대하다. 광물질이라 식품으로 섭취할 수 없는 것도 많아서 소금이나 물을 통해 섭취한다.

죽염을 만들기 위해 고열로 굽는 것도 천일염의 염도는 낮추면서 중금속과 이물질은 제거하고 천일염 속의 미네랄을 얻기 위한 방편이다. 지하 암반수가 좋다는 것도 미네랄이 많이 녹아 있기 때문이다.

안데스소금은 태고의 바닷물 속에 녹아 있던 미네랄이 다량 함유되어 있으며 청정지역이라 이물질이나 중금속도 없는 양질의 소금이다.

안데스소금의 유럽 판권은 프랑스의 까르푸가 갖고 있는데, 유럽 중산층의 반 이상이 안데스소금을 먹는단다.

필자는 프랑스의 게랑드소금, 신안천일염, 안데스소금을 세계의 3대 명품 소금이라 생각한다. 천일염에는 칼슘, 마그네슘, 아연, 칼륨, 철 등 다양한 미네랄이 들어 있다.

소금을 많이 먹으면 고혈압에 걸린다는데, 이것은 체액의 농도가 진해져 삼투압 현상으로 혈관 속의 수분을 빼내서 생기는 현상이기 때문에 많이 먹지 않는 것이 좋겠지만, 좋은 소금에는 이런 미네랄이 많이 들어 있으니 좋은 소금을 골라 적당히 먹는 것이 최상의 비결이다.

그러려면 청정한 지역의 갯벌에서 생산된 소금이 최고일 것이다. 우리나라 서해안은 세계 5대 갯벌에 속하는데 예전에는 강화도 석모도까지 좋은 염전이 있었으나 공업화와 중국의 폐수가 서해안으로 흘러들어 많이 없어지고 신안군의 섬들이 천일염 주요 산지가 되었다. 행여 신안도 오염이 되어 양질의 천일염 생산에 영향을 받을까 봐 걱정이다.

색깔 있는 채소가 답이다

오늘은 이 시대에 가장 필요한 식품이 무엇일까 하는 물음에 대한 필자의 견해를 밝히고자 한다.

결론부터 말하면 컬러 푸드(Color Food)다. 그 중에서도 Color Vegetable(색깔 있는 채소)이다.

자연은 식물의 색깔을 통해 어떤 성분이 들어 있고 어떤 효능을 가진 식품인지를 알려준다. 모든 식품의 성분을 분석하고, 먹어보지 않아도 색상으로 알 수 있으니 자연의 섭리에 고마울 따름이다.

코로나 같은 전염병이 돌고, 환절기라 건강에 대한 관심이 높은 계절인데, 이 글이 식품을 선택하고 음식을 구상하는 데 많은 도움이 됐으면 좋겠다.

3대 영양소는 탄수화물, 단백질, 지방을 말한다. 5대 영양소는 여기에 비타민과 미네랄이 추가된다. 잘 알다시피 3대 영양소는 에너지원으로, 특히 단백질은 우리 몸의 근육 내장 뼈를 구성하는 영양소다. 그런데 현대의 병이나 노화 등 대부분의 건강에 관한 문제들은 비타민과 미네랄 때문에 발생한다. 그만큼 비타민과 미네랄의 역할이 중요하다는 뜻이다

16~18세기 대항해 시대, 오랜 항해 기간 중에 선원들이 원인 모를 이유로 쓰러지고, 다수의 사망자가 발생하였다. 이런 일이 지속되자 배에 신선한 채소와 오렌지, 레몬 등 신맛 과일들을 싣고 출항하여 선원들에게 먹였더니 이런 증상이 없어졌

다. 원인을 알고 보니 괴혈병 때문이었고, 과일과 채소에 함유된 비타민C가 부족해서 생긴 일이었다.

그러나 20세기 들어 1911년에 비타민이란 말이 생겨났고, 비타민C를 파프리카에서 추출하는 데 성공한 것이 1928년이니 불과 백 년 전의 일이다.

필자가 이 글을 쓰는 이유는 식품에 관한 이야기를 통하여 건강에 도움이 되는 정보를 제공하기 위해서인데, 30년 넘게 식품과 관련된 일을 경험하고 공부해보니, 건강을 위해서는 채소, 그 중에서도 색깔 있는 채소, 컬러 푸드가 답이라는 결론에 도달할 수 있었다.

앞에서 살펴보았듯이 세계 5대 건강식품이 요거트 외엔 모두 식물성이고, 10대 슈퍼 푸드도 연어 1가지 외에는 모두 식물이다. 자연은 우리에게 식품을 통해 치유의 길을 열어주고 친절하게 색깔로 답을 보여주고 있는 것이다. 오늘 소개하는 색깔 있는 채소는 필자의 경험으로 선정한 식품이다.

여기서 과일을 언급하지 않는 데는 이유가 있다. 일반적으로 과일도 비타민과 미네랄이 많이 들어 있다고 알고 있으나, 요즘의 과일은 원래 자연에 있던 과일이 아니다. 끊임없는 종자 개량으로 당도를 높여 과당과 포도당으로 이루어진 과일의 당도는 설탕보다 더 위험(?)한 수준에 이르렀다고 보기 때문이다. 과일을 먹더라도 주스나 잼을 만들면서 설탕을 추가하지 말고 과일 그대로 적당량 드시기를 권한다.

과일 몇 가지를 추천하자면 다음과 같다. 심장, 당뇨, 다이어트, 변비에 좋은 사과. 다이어트, 피부미용, 소화를 돕는 키위. 식이섬유 풍부하고 포만감을 주는 바나나. 여성에게 좋은 신비의 과일 석류. 항산화 작용을 하는 뽕나무 열매 오디 등이다.

색깔 있는 뿌리채소, 당근과 비트

이제 색깔 있는 채소에 대해 알아보자. 당근과 비트는 색깔 있는 뿌리채소다. 당근은 단맛 나는 뿌리라는 뜻이란다. 베타카로틴이 풍부하여 항산화 작용, 특히 눈 건강에 이로운 식품이다. 예전에 줄을 서서 기다리는 김밥집이 있다는 소문을 들었는데, 그 집 김밥은 김밥 속이 한 가지뿐이란다. 그게 당근이라고 해서 궁금하여 찾아갔다. 실제로 사람들이 줄을 서서 기다리고 있었고, 김밥 싸는 걸 옆에서 지켜보니 진짜 당근 한 가지뿐이었다. 먹어보니 맛있었다. 당근을 어떻게 해서 맛있느냐고 물어보았다.

"별 거 없어요. 당근을 데쳐서 소금 간만 하고 참기름 조금 넣어 무쳤어요."

그렇다! 맛의 기본은 소금이다. 간만 잘 맞추면 맛있는 음식을 만들 수 있다. 한 번 만들어 보시기를 권한다.

혈관 청소부 비트

건조식품을 개발하고 있을 때였다. 제주도에서 비트를 들여와 껍질을 벗기고 채 썰어 건조기에 말리니 짙은 고동색이 되었다. 뜨거운 물을 부어 우려냈다. 아~그 영롱한 자줏빛 액체! 색깔이 너무 예뻤다

비트는 구입하여 채 썰어 햇볕에 말리든지 가정용 건조기로 말려 차로 마시든지, 전 부칠 때 밀가루 반죽에 섞어 색깔을 내든지 유용하게 쓸 수 있는 식재료다.

초록의 건강 투사 보리새싹, 부추, 브로콜리, 시금치

모든 식물은 새싹이 돋아날 때 가장 많은 영양분을 함유하고 있다. 추운 겨울을 견뎌낸 보리가 이른 봄 새싹을 틔울 때 새싹에는 많은 영양분이 있을 터, 2000년대 초 일본에서 보리새싹이 건강기능식품으로 들어와 제법 팔렸다. 보리새싹을 급속 냉동하여 만든 동결 건조식품이었다.

당시만 해도 초저온으로 급속 냉동하는 기술이 보편화되지 않아 일본에서도 몇 군데 공장에서만 생산이 가능한 상태였다.

최근에 우리나라의 광고가 나오는 걸 보니 이제 국내 생산이 가능한 모양이다.

햇 부추는 사위에게도 주지 않고 남편에게만 준다는 말이 있다. 이런 말이 있을 정도로 부추는 비타민과 미네랄이 풍부하고 양기를 돋우는 식품이다. 종로3가 낙원상가 지하에 노인들이 많이 찾는 식당가가 있다. 국수 한 그릇에 2천 원, 떡국 3천 원 하는 값싸고 양도 많다. 거기서 인기 있는 반찬은 무한리필이 가능한 김치다.

내가 보기에 분명히 중국산 김치인데 부추가 섞여 있고, 사람들이 좋아한다.

중국산 김치는 겉잎을 쓰지 않아 푸른색이 없다. 우리 김치처럼 고춧가루를 많이 쓰지 않으며, 다데기라는 분말을 물에 풀어 고춧가루가 거의 보이지 않고 빨간 물이 든 것처럼 보인다. 한 번은 주인아주머니에게 중국산이니 하는 말은 하지 않고, "김치가 맛있는데 어떻게 담근 거냐?"고 물었다.

"이거요? 하루 전에 김치를 한 입 크기로 썰어 부추와 버무려서 하룻밤 자고 나면 이렇게 돼요."

그분이 내가 중국산인 줄 알고 물었다는 걸 아는지 어떤지는 모르겠다. 부추는 열에 약해 생으로 먹는 것이 좋으며, 부추김치를 담가 익을 때까지 두지 말고 겉절이로 먹는 것도 좋다.

겉절이를 할 때 양파를 조금 섞으면 더 좋은 방법이겠다. 돼지국밥이나 순대국밥을 시키면 생부추나 겉절이를 한 부추를 주는데 좋은 방법이다. 부추는 뿌리대파처럼 뿌리 쪽의 흰 부분이 있는 것이 좋다고 한다.

브로콜리는 비타민C 함유량이 많고 칼슘도 들어 있어 좋은 식재료다. 데쳐서 초고추장에 찍어서 많이 먹던데 된장찌개에 조금 넣어보면 어떨까? 카레 만들 때 감자, 당근이랑 섞어도 좋겠고, 파프리카와 함께 볶음밥을 만들면 색과 영양의 조화도 이룰 수 있겠다.

시금치 좋은 건 다 아실 테고, 슈퍼 푸드 편을 참조하시기 바라며 시금치는 지용성이니 기름과 함께 요리하는 방법이 좋겠다. 신안군 비금도 시금치처럼 바닷가에서 해풍을 맞고 자란 것을 좋은 품질로 친다.

빨간 토마토와 알록달록 파프리카

잘 익은 빨간 토마토의 라이코펜 성분은 강력한 항산화 작용, 노화방지, 항암작용을 하는 물질이다. 익혀서 먹는 것이 더 좋으니 앞장의 내용을 참조하기 바라고 완전식품인 계란과 함께 조리하는 토마토계란 볶음(밥)을 강추한다.

터키의 대표적인 향신료 파프리카는 오스만제국 시절부터 재배가 이루어졌고, 헝가리로 전파되어 20세기 초 헝가리 학자가 비타민C를 추출해낸 채소다. 빨강, 주황, 노랑의 파프리카는 여러 가지 요리에 활용할 수 있는데 육류 요리에 곁들이거나 볶음밥 등에 색상을 맞추는 용도로 써도 좋다. 헝가리를 비롯한 동유럽에서는 구워서도 먹는다.

파프리카를 반으로 잘라 고추전처럼 고기와 채소를 섞은 속을 넣어 오븐이나 팬에 구우면 색다른 요리가 될 것이다. 필자는 팝오렌지(파프리카+오렌지) 주스나 팝스트로베리(파프리카+ 딸기) 주스를 만들어 먹어본 적이 있다. 적당한 비율로 섞어 믹서에 갈아서 약간의 설탕을 넣으면 오렌지주스나 딸기주스보다는 덜 달고 맛도 영양도 풍부한 음료를 만들 수 있으며, 비용도 줄일 수 있다.

파프리카는 온실에서 재배하므로 난방비가 들지 않는 여름철에 가격이 싸다. 파프리카를 햇볕에 말리거나 가정용 건조기에 말려 색깔별로 가루를 만들어 두고 각종 요리에 활용하는 방법을 권해드린다.

비타민 섭취도 가능하고, 약간의 매운맛을 내는 데다 음식의 색상을 맞추는 데도 좋은 향신료가 될 것이다.

갈색의 바다 보물 김, 미역, 다시마

예전에 〈해초 한 그릇〉이란 제품을 소셜커머스에서 판 적이 있었다. 다이어트를 컨셉으로 많이 팔렸는데, 개발자가 딸의 다이어트를 돕기 위해 만든 제품이었다.

미역을 가늘고 길게 썰고 각종 해조류를 섞어 건조시킨 식품이었는데, 말린 해조류에 뜨거운 물을 붓고 스프를 넣어 간을 하면 미역이 부풀어 올라 포만감이 생겨 한 끼 식사나 간식으로 먹으면 다이어트에 도움이 된다는 논리였다. 여성 고객들의 호응이 컸다.

해조류는 육지의 식물이 자라지 못하는 겨울에 많이 먹었고, 요오드라는 성분이 있어 건강에 이로운 점이 많다. 해산물을 많이 먹는 일본에는 김의 날, 다시마의 날, 톳의 날도 있다. 해조류는 육지의 채소로 치면 모두 유기농이다. 비료와 농약을 쓰지 않기 때문이다.

우리나라처럼 농수축산물이 다양하고 품질이 좋은 곳이 또있을까? 우리는 복 받은 민족이다. 완도김, 기장미역처럼 청정한 바다에서 생산되는 해조류, 겨울철 밥상의 보약이다.

햅쌀밥을 갓 구운 김에 싸서 먹으면 다른 반찬 없어도 얼마나 맛있는가?

고향에서는 생미역을 씻어 돌돌 말아 초고추장에 찍어 먹는다. 미역귀를 떼어내서 말려 간식처럼 먹기도 하고.

매일 밥상에 김을 올리고, 일주일에 두 번쯤 미역국을 먹고, 국물 낼 때 다시마를 쓰고⋯⋯ 해조류와 함께 하는 식생활, 건강에 좋은 결과를 가져올 거라 믿는다.

우리는 먹거리가 넘쳐나는 시대에 살고 있다. 보릿고개라는 유행가 가사에도 나오던데, 우리 어릴 적에는 부모님이 밥 먹고 뛰지 말라고 했다. 배 꺼진다고. 또 물왕대복이라던가, 밥 먹고 물을 많이 마시라고 하셨다.

단백질이고 지방이고 가릴 형편이 아니었다. 밥을 그릇에 평평하게 담느냐, 고봉으로 높이 쌓아 많이 먹느냐의 문제였고, 거기다 물까지 마셨으니 위에 부담이 가서 소화가 잘 될 리도 없었다. 그러나 지금은 그런 시대가 아니다.

음식을 먹을 때, 가능하면 소식하고, 건강과 질병을 생각하며 먹어야 한다.

당뇨환자가 10%를 넘었고 잠재적 환자까지 더하면 20%에 육박한다는데, 당뇨가 얼마나 무서운 병인지, 합병증이 얼마나 많은지 음식도 생각하고 공부도 해야 한다.

3대 영양소가 우리의 생존을 위해 필요한 것이라면 건강을 위해서는 비타민과 미네랄에 주목해야 하고, 비만과 변비, 다이어트와 피부미용을 위해서라도 채소의 중요성과 컬러 푸드의 소중함을 인식하는 계기가 되었으면 좋겠다.

오늘 추천한 식품 외에 육류 요리를 할 때 살균과 잡내를 제거하고 연육작용을 위해 생강을 권한다. 식이섬유가 풍부하여 청소부 역할을 충실히 해줄 팽이버섯을 추가로 권해드리고, 비타민C가 많은 채소로 감기를 예방하고, 겨울철에는 갈색 해조류 많이 드시기를 권한다.

건강한 삶 속에서 행복이 함께 하기를!

저염식은 옳은 선택일까?

21세기 들어 저염식의 열풍이 불고 있다.

정부에서도 방송도 법칙처럼 말하는 저염식은 과연 옳은 선택일까? 이 논란의 시작은 세계보건기구(WHO)의 나트륨 섭취 기준 발표에서 비롯되었다. 이런 상황을 지켜보면서 의아하고 안타까운 생각을 밝히고자 한다.

WHO가 밝힌 나트륨 섭취 기준은 첫째로 권장 섭취량이나 권고 사항은 아니다.

둘째, 나트륨 섭취량과 소금 섭취량은 동일한 개념도 아니다. 셋째, 국가와 민족이 다르고 식습관과 먹는 음식이 다른데 획일적인 방법으로 섭취량을 규정할 수 있을까? 넷째, 이런 결론이 누구의 학설이나 연구로 결정되었을까? 다섯째, 거기에 사용한 소금은 어떤 종류의 소금이었을까?

어떤 식품이나 첨가물이 건강에 문제가 있다면, 권장 섭취량이나 권고사항으로 공표한다.

소금의 원소기호는 NaCl이다. 나트륨이온과 염소 이온이 결합된 것이 소금인데 그 비율은 약 4대 6이다. 소금 10g에는 약 4g의 나트륨이 들어 있는 것이다.

세계보건기구가 발표한 일일 섭취기준 나트륨 2천mg은 소금으로 보면 약 5g인데 한국인은 평균 12~13g을 먹으니 2.5배나 먹는 셈이고 소금 섭취를 줄이기 위해 저염식을 해야 한다는 논리가 확산됐는데, 서양인이 서양인을 상대로 연구한 결과가 세계인에게 통용될 수 있을까?

서양인의 인체 구조는 우리와 다르다. 곡류와 채식을 주로 하는 동양인은 장의 길이가 육식을 위주로 하는 서양인보다 길고, 육류 속에는 이미 염분이 채소보다 많이 들어 있기에 소금 섭취가 덜해도 건강이 유지되지만 동양인에겐 더 필요한 것이고, 중앙아시아 쪽은 우리보다 소금 섭취량이 더 많다.

또 하나의 중요한 사실은 모든 실험에 사용하는 소금이 정제염이라는 것이다. 정제염은 바닷물을 특수막으로 통과시켜 염소 이온과 나트륨 이온을 흡착하여 순수한 NaCL만 정제하는 방식으로 만드는데, 97.5%가 NaCl이고 설탕처럼 반짝거리게 하기 위해 알루미늄을 쓰고, 모래알처럼 달라붙지 않게 하려고 방습제를 넣으며 미네랄은 없다.

우리나라 식품공전에는 염화나트륨 85% 이상을 소금으로 규정하는데, 85~88%가 염화나트륨(순수한 소금)이고 나머지는 간수와 미네랄로 구성된 물질이다.

많은 사람들이 생수를 마신다. 또한 현미가 몸에 좋다고 한다. 천일염이 좋다고도 한다. 그 이유가 무엇일까? 물을 마실 때 H^2O를 보충하기도 하지만 천연암반수나 샘물에 들어 있는 미네랄을 섭취하기 위해서이고, 쌀의 씨눈에 들어 있는 각종 유익한 성분을 섭취하는 게 건강에 이롭기 때문일 것이다. 마시는 물은 땅 속의 미네랄이 함유된 암반수나 샘물 마시기를 권해드리고, 현미가 건강에는 좋으나 맛이 없고, 소화가 잘 안 되니 발아현미를 구해서 먹으면 이런 문제가 해결될 것이다.

20세기 들어 비타민과 함께 그 중요성이 부각된 미네랄은 무엇이며 어떻게 만들어진 것일까? 미네랄은 우리 몸의 구성요소이며 체내 대사와 각종 호르몬 생산에도 꼭 필요한 물질이다. 지구 나이 46억 년 우주의 미세먼지로 수십억 년 동안 지구에 내려와 바닷물이나 땅 속에 존재하는 물질이 미네랄이다. 우리가 음식을 먹을 때 영양소뿐만 아니라 우주의 기운을 섭취한다는 인식을 꼭 해야겠다.

소금을 많이 먹으면 고혈압이 생기고 여러 질병의 원인이 된다? 과연 그럴까? 소금은 삼투압 현상으로 인체 세포의 수분과 염도를 조절하고, 혈관을 통해 영양소를 각 기관으로 실어 나르는 역할과 뇌의 명령을 전기신호로 전달하는 등 없어서는 안 될 물질이다. 성경에도 나오듯이 빛과 소금이 없으면 생명을 유지할 수 없는데, 여기에도 미네랄이 필수적인 요소다.

천일염이 좋다는 것은 마그네슘, 칼슘, 철. 인, 칼륨 등의 미네랄이 들어 있기 때문인데. 소금을 많이 먹으면 삼투압 현상으로 혈관 속의 수분을 빼내어 일시적으로 혈압을 상승시키는 것은 사실이나 소금에는 칼륨처럼 반대의 기능을 하는 미네랄도 들어 있고, 최대 30 정도의 혈압을 상승시키지만, 물을 마시고 시간이 지나면 환원되는 인체의 자연치유력도 있다.

인체는 몇 가지 밸런스를 지켜야 기능이 제대로 유지된다. 체온 36.5도, 수분 70%, 염도0.9% 등인데 이 밸런스가 깨지면 건강에 이상이 생긴다. 병원에서 맞는 링거주사도 0.9% 생리식염수다. 물을 많이 마시면 좋다고 한다. 물론 깨끗하고 미네랄을 많이 함유한 생수가 좋을 것이다. 그런데 소금은 적게 먹어라? 그러면 인체의 염도는? 소금을 적게 먹으라는데, 얼마나 적게 먹으라는 걸까? WHO 기준? 그러면 지금 먹는 음식의 간을 2.5배로 줄여서?

맛있는 음식을 먹는 것은 생애 최고의 행복 중 하나일 것이다. 맛있는 음식을 결정하는 첫 번째 요인은 간이 맞는 음식이다. 식재료가 고급이면 더 좋겠지만, 어떤 식재료건 간만 잘 맞추면 맛있는 음식이 된다. 간은 소금으로 하는 것이 기본이다. 간장이나 된장, 고추장으로 하더라도 그 기본은 소금이고,

결국 음식에 넣는 소금의 양으로 음식의 맛이 결정되는 게 아닐까? 간이 맞지 않는 음식을 먹는 것은 괴로운 일이다.

의사들의 얘기를 빌리면 병을 얻는 환자들의 생체 염도는 0.4~0.8% 정도, 암 환자는 0.2% 수준이란다. 염자가 붙는 병들, 예를 들어 피부염, 위염, 장염 등등은 염도의 불균형, 즉 소금이 부족해서 생기는 병이라는 학설도 있다. 산후 우울증으로 고생하는 사람들도 많다는데, 이도 출산할 때 양수가 터지면서 일시에 염분이 빠져나가서 생기는 거란다.

전에 학자들에게 물었단다. 소금이 해로우니 김치, 된장, 고추장 먹지 않는 게 어떻겠냐고? 모두들 득보다 실이 많다는 의견이었단다.

필자의 주장은 이렇다.

짜게 먹는 게 좋다는 뜻이 아니라, 간이 맞는 음식을 맛있게 먹고, 나트륨 섭취가 과다하면 다른 방법으로 보완하면 된다는 주장이다. 시금치, 양파, 해조류 등 칼륨이 많이 든 음식을 많이 먹어 염분 배출을 돕고, 정제염처럼 염화나트륨만 있는 소금이 아닌, 각종 미네랄이 풍부한 좋은 소금을 먹자는 것이다. 소식과 운동으로 근본적인 문제를 해결해야지, 저염식은 답이 될 수 없다는 논리다.

돌아가신 할머니 말씀이 생각난다.

"야~야, 기양(그냥) 하던 대로 해레이~(해라)."

우리 민족은 이렇게 먹으면서 수천 년을 살아왔다. 그래도 별 탈 없이 살아왔는데, 지금 와서 그걸 고치라고? 그냥 간이 맞는 음식 맛있게 먹고. 기본적인 소양과 교양을 갖춘 간이 맞는 삶을 즐겁게 살다가 갈 일이다.

남태평양의 피지나 여러 섬들에 사는 사람들은 육류를 먹을 형편이 못 돼 늘 갈망하다가, 호주나 뉴질랜드에서 먹지 않고 버리는 양고기 뱃살을 헐값에 수입하여 얼마나 먹어댔는지 국민의 절반 이상이 비만과 고혈압에 시달리는 풍토병이 되었다. 그만큼 식습관과 과식은 무서운 것이다. 우리도 돼지 뱃살인 삼겹살을 좀 줄이면 좋겠다.

그러면 어떤 소금이 좋은 소금일까?

암염은 원래 바다였던 곳이 융기하여 땅 속에서 만들어진 소금이다. 히말라야 소금(핑크 소금), 간수는 없고, 80여 가지의 미네랄을 함유한 소금이다. 미국 솔트레이크시티의 호수염은 지각변동으로 산맥이나 육지가 융기하면서 생긴 바닷물 호수에서 만들어진 소금이다. 아르헨티나 안데스소금과 볼리비아 우유니 호수염도 있다.

필자는 안데스 소금물을 6개월 동안 마셔본 경험이 있다. 실제로 4kg 이상 살이 빠지고 허리둘레가 1인치 이상 줄어든 경험을 했다.

자염은 우리 선조들이 고안한 소금 제조 방법이다. 밀물 때 써레질로 바닷물을 갯벌로 끌어와 바닷가에서 웅덩이를 파고 여과된 바닷물을 끓여 만든 소금이다. 한반도 서남 해안에서 고려시대부터 20세기 초 일본으로부터 천일염 염전이 도입되기 전까지 존속했으며 지금도 몇 군데 생산하는 곳이 있다고 한다. 성분은 천일염과 비슷하며 바닷물을 끓이느냐 햇볕과 바람으로 증발시키느냐의 차이다.

천일염은 1907년 일본으로부터 염전 기술이 도입되어 만들기 시작했다. 바닷물을 염전에 가두어 햇볕과 바람으로 증발시켜 얻어진 소금이다. 염전의 바닥인 갯벌을 다진 토판염을 최고로 친다. 생산지역으로는 프랑스의 게랑드 소금과 한국의 신안 천일염을 꼽는다. 게랑드 소금이 세계적으로 가장 많이 알려졌으며 역사가 천년이라고 한다.

미네랄 함유량은 우리나라의 신안 천일염이 더 높다. 비가 올 때 불순물 유입이나 염도 유지를 위해 '해주'라는 한국만의 독특한 염수 보관시설이 있다.

죽염은 천일염을 대나무 통 속에 넣어 가마에 넣고 장작불로 구워낸 소금으로 한국에만 있으며 1985년 필자가 만났던 인산 김일훈 선생이 시작한 인산죽염이 유명하다. 소금은 800도 부근에서 액체로 변하고, 1300도 이상 되면 기화되어 공기 중으로 사라지는데 8백도 부근에서 9번 구운 죽염을 최고로 치는데, 이는 9라는 숫자가 완전수라고 생각했기 때문이다. 홍삼의 9중 9포나 9절판처럼. 1~3회 구운 생활죽염도 있고, 9번 구운 죽염은 약리작용이 뛰어나며, 뒷맛은 구운 계란 맛이 난다.

정제염은 바닷물을 특수한 막으로 통과시켜 순수한 염화나트륨 성분만 정제한 소금이다. 한국의 한주소금을 들 수 있다.

재제염은 천일염과 정제염을 일정 비율로 섞어 소금 결정을 다시 제조한 소금으로 우리나라의 꽃소금을 들 수 있다.

맛소금은 정제염과 MSG를 혼합하여 만든 제품이다. 사실 제품명에 소금이 표기돼 있지만 이는 소금이라고 볼 수 없다.

이렇게 소금의 종류를 설명하는 데는 이유가 있다. 저염식은 논쟁의 대상이 될 수 없으며, 어떤 소금을 먹는 게 건강에 이롭고 현명한 방법인가를 말하기 위해서다.

물을 많이 마시면 좋다고 한다. 맞는 말이다. 우리 몸의 70%가 물(수분)이니 평균 몸무게가 60kg이라면 40리터 이상의 물이 몸속에 있어야 하고, 어항의 물을 갈아주듯이 계속 깨끗한 물을 새로 마셔야 하는 것이다.

잘 안 될 것이고, 섭취한 음식물이 빨리 부패할 것이고, 모든 것이 전기신호로 전달되는 인체의 균형이 무너질 것이다.

정부에서도 그렇고, 방송에 나오는 대다수의 패널들도 저염식을 얘기한다. 다들 WHO 나트륨 섭취 기준을 근거로 삼고 있는 듯한데, 서양인이 정제염으로 동물 실험을 통해 얻어진 결과를 우리는 어떻게 봐야 할까?

필자의 견해는 이렇다.

견해이기도 하지만 상당히 과학적인 근거이다.

기호에 맞게 간을 맞춘 음식을 맛있게 먹고(단 좋은 소금을 골라서) 건강하고 즐겁게 살자 는 것이다. 개인의 기호나 취향을 정부가 가르치려는 것이 못마땅하다.

일부 의사들은(한시적이겠지만) 소금을 먹지 않아도 된다고 하는데, 이는 음식사대주의 아닌가?

우리 조상들이 그런 지혜가 없어서 수천 년 동안 이런 식문화를 지속해 왔다고 생각하지 않는다. 저염 된장이니 저염 고추장, 저염 김치? 차라리 이런 음식 먹지 말지, 왜 수천 년을 이어온 소울 푸드를 제멋대로 손대려고 하는가?

정부도 한식 세계화를 외치지만 말고, 염도의 매뉴얼을 정해서 그것을 홍보하는 게 좋겠고, 의사들, 요리 연구가들도 소금에 대한 공부를 좀 했으면 좋겠다. 어느 요리 프로그램이든 무슨 소금을 쓴다고 말하는 데가 있던가? 한 스푼이니 한 꼬집이니 하는 따위의 엉터리 같은 말만 해댄다. 짜게 먹자는 말이 아니다. 간이 맞는 음식을 소식(小食)하고, 좋은 소금을 먹어 우주의 기운인 미네랄을 섭취하여 건강하게 살자는 뜻이다.

저(低)탄수화물 식사도 마찬가지다.

쌀밥 적당히 맛있게 먹고 부족한 부분은 잡곡이나 다른 식품으로 보완하면 된다는 말이다. 너무 맵고 짜게 자극성 있는 음식은 당연히 좋지 않다. 소식하고 운동하고 갈증 나면 물마시고, 그게 답이다. 조상들이 해오던 대로, 과학으로 밝혀진 것이 있다면 보완하면서 살자는 얘기다.

모든 것이 그리운 계절이다. 누구를 만나지도 못하고, 하루에도 몇 통씩 오는 코로나 안내문자, 그걸 받고 유심히 보는 사람이 있을까?

미국 유명 의과대학에서 박사학위 받은 감염병 학자의 강의를 들었는데, 비타민C와 비타민D와 아연 이 3가지 성분이 많은 음식이 코로나 면역력 증강에 짱이라고 한다. 아연은 굴에 많이 들어 있고, 견과류, 계란, 육류 등이 좋단다.

이 글이 어떤 분들께 새해 선물이 되었으면 좋겠고, 자신에게 맞는 소금을 찾아보는 계기가 되기를 바란다. 염전에도 한번 가보고.

모든 음식을 죽염이나 암염으로 하면 좋겠지만 가격이 비싸고, 죽염이나 암염 아니라도 찾아보면 자신의 기호에 맞는 소금을 찾을 수 있을 것이다. 음식점이나 소금을 많이 쓰는 경우는 절임용으로는 천일염 굵은 소금, 조리용은 꽃소금(천일염 비율이 높은 것이 좋음), 일반 가정에서는 신안 천일염을 구워서 가루 내어 쓰기를 권하고 싶지만, 냄새도 나고 힘이 들 테니 강권하기는 어렵다.

좋은 소금을 찾는 새해가 되면 어떨까?

당신의 치아는 몇 개입니까?

식품에 뜻을 두고 한창 공부하던 시절, 지인이 식품에 대한 강연회가 있다며 같이 가자고 했다. 식품 관련 일이라면 무엇이든 보고 듣고 할 때라 따라나섰다. 부산 양정동의 어느 건물 강의실, 사람들이 백여 명 모여 있었다. 강사가 들어오더니 자기소개를 하고 누군가 지적을 하여 일으켜 세웠다.

"선생님, 치아가 몇 개입니까? 선생님 이빨 숫자 말입니다."

답이 없자 이번엔 어떤 여성을 지적하고 물었다,

"여사님, 치아가 몇 개입니까?"

여성은 난감한 표정을 지었다. 나는 다음에 나를 지적할지도 모른다는 생각에 혀로 아래쪽 이빨을 헤아려 보았다.

그러나 어금니는 커서 파악이 되는데 전체 숫자는 헤아리기가 어려웠다. 거울이 있으면 꺼내서 입을 열고 비춰서 헤아려 보고 싶었다.

강사는 다시 다른 사람을 지적하더니 물었다.

"자, 그러면 선생님 송곳니는 몇 개입니까?"

그 사람이 입을 오물거리더니 "4개 아닙니까?" 하고 되물었다.

"네, 맞습니다. 네 개죠?"

또 다른 사람을 지적하여 물었다.

"송곳니는 뭐 하는 치아입니까?"

대답이 없자 강사는 답답하다는 표정으로 "여러분, 〈동물의 왕국〉 보시죠?" 하고 다시 물었다. "네~" 하고 합창을 하자, "〈동물의 왕국〉에서 사자나 호랑이가 다른 동물을 사냥하면 물어뜯죠?" 하고 물었다. "네~." 이번에도 단체로 대답을 했다.

"무엇으로 물어뜯던가요?"

"송곳니요."

이렇게 일문일답을 마치고 다시 질문을 던졌다.

"여러분 고기 좋아하시죠?"

"네."

"고기 얼마나 드세요? 먹는 음식 중의 몇 %나 고기를 드시나요?"

그러면서 강사는 칠판으로 가더니 '28개'라고 쓰고는 설명을 달았다.

"성인의 치아(영구치)는 스물여덟 개입니다, 사랑니는 빼고요."

"네~." 이번에는 묻지도 않았는데 다시 합창을 했다.

나는 무슨 교육을 하려고 이런 질문을 주고받는지 이해가 되질 않았다. 강사는 다시 칠판으로 가서 '4÷28'이라고 쓰더니 나누어지지 않자 4에 0을 두 개 붙여 쓰고 400÷28=14.28까지 계산하다가 그만뒀다.

"이게 무슨 말인가 하면 말입니다. 송곳니로 뜯는 고기(육류)는 15% 이내로 먹어야 한다는 뜻입니다."

장내가 약간 술렁이고, 고개를 끄덕거리는 사람도 있었다. 그 강사는 어느 정수기회사 간부였는데 자기 딴에는 육식을 적게 하는 게 좋다는 말을 하고 싶었던 모양이다.

쌀밥과 소금 예찬

필자는 쌀밥과 소금 예찬론자다.

나트륨 섭취를 줄이라는 게 소금을 적게 먹어야 하고, 소금이 건강의 적인 것처럼 여겨지도록 하는데 잘못된 주장이다. 탄수화물 섭취를 줄이라는 게 쌀밥이 주범인 양 밥을 멀리하도록 만드는 세태는 잘못된 것이고 사리에도 맞지 않는다.

먼저 쌀밥부터 알아보자. 탄수화물을 많이 먹으면 몸에 축적되어 비만의 원인이 된다는 논리인데, 에너지원으로 쓰이는 탄수화물은 운동을 통해 소진하거나, 적게 먹으면 좋다는 말인데, 운동은 하기 싫고, 그런 말 해봐야 듣지 않으니 먹지 말라고, 되도록 적게 먹으라고 하는 모양이다.

그것도 쌀밥을 콕 찝어서.

앞에 한 번 소개했는데, 미국 의학자가 오랜 기간 사람들을 조사한 결과 탄수화물은 적게 먹어도(음식물 섭취량의 40% 이하) 많이 먹어도(섭취량의 70% 이상) 건강에 이롭지 못하다는 결론을 내리게 되었다는 것이다.

탄수화물의 적정 섭취량은 45~50%가 알맞다고 한다. 그리고 쌀밥. 라면, 중국음식, 빵, 피자, 과자 등의 음식을 통한 탄수화물의 섭취량 중 쌀밥의 비율은 얼마나 될까?

쌀밥을 예찬하는 또 하나의 이유는 우리 민족이 수천 년 동안 먹어 왔고, 쌀 알갱이를 그대로 먹는다는 것이다. 밀은 분쇄하여 가루로 먹는데 그만큼 흡수가 빨라 설탕만큼 당(糖) 지수를 높이기도 하고, 글루텐의 단점도 생각해야 할 것이다.

소금의 경우를 보면, 나트륨 섭취가 많을 때는 삼투압 원리에 의해 혈액 속의 수분이 혈관에서 빠져나와 혈압이 높아진다는 게 주된 논리다.

소금 중에서 나트륨의 비율은 40% 남짓이고, 채소를 먹으면 식물 속의 칼륨 성분이 나트륨을 배출시켜 균형을 맞출 수 있는데, 채소 많이 먹으라고 말하지 않고, 나트륨 섭취를 줄이기 위해 소금을 적게 먹으라고 하니 일부만 맞는 말이다. 소금의 순기능도 얼마나 많은가?

건강을 위한 음식 조합

그러면 어떤 음식을 얼마나 먹는 게 건강에 이로울까?

필자가 나름 오래 공부하고 경험한 내용을 소개한다. 먼저 '5대 2대 3의 법칙'을 권한다. 탄수화물 50%, 단백질 지방 20%(육류), 기타(비타민, 미네랄 채소 과일 해조류) 30%를 섭취하는 것이 '5대 2대 3의 법칙'이다.

쌀 100g으로 밥을 지으면 대략 300g 밥 한 공기가 되고 열량은 300KCal이다. 성인 남녀의 기초대사량이 1800칼로리(여성), 2400~2500칼로리(남성)이니 반 정도는 탄수화물로 섭취해도 된다는 말이고, 필자는 밀가루 음식이나 간식보다는 쌀밥(잡곡밥이 더 좋겠다)으로 섭취하는 것을 권한다.

단백질 섭취는 육류를 권장하고, 기호에 따라 생선을 먹는 것도 좋은 방법이겠다. 비타민과 미네랄이 현대의 화두인데, 채소(색깔 있는 채소, 앞장 참조)와 해조류(김, 미역, 다시마, 톳 등)의 중요성을 일깨우고 싶고, 과일은 원래 당도가 12~13브릭스(brix) 정도가 보통이었으나 품종 개량으로 15~18브릭스까지 나오는 과일도 있으니 고를 때 고려해야 할 대목이다. 특히 갈아서 주스로 마시거나, 설탕을 더해 잼으로 만들어 먹는 방법은 재고해야 한다고 본다.

일본인의 평균수명이 긴 것은 해산물을 많이 먹었기 때문이라는 이유가 설득력이 있어 보인다. 이틀에 한 번씩 미역국을 먹으면 어떨까? 건더기를 많이 넣어서 먹으면 포만감도 있고, 해조류의 효능도 얻을 수 있을 것이다.

건강을 위한 물 마시기, 걷기 운동, 체온 유지

아침에 눈을 뜨면 물부터 마시자. 맥주컵으로 1~2잔을 기본으로 될 수 있으면 많이 마시는 게 좋다. 물 마시는 시간은 식전 30분, 식후 2시간, 나머지 시간에는 다다익선이다. 식후 2시간 이후라는 이유는 식사 후 음식물이 위의 끝부분인 유문을 통과하여 장으로 가는 데 약 2시간이 걸리기 때문이다.

여기서 말하는 물은 음료수나 차가 아니다. 그냥 맹물(생수가 좋음)을 말하는 것이고, 미지근한 물이나 냉장고에 넣지 않은 것이 좋다. 요즘 어린이나 젊은이들은 음료수를 많이 마시기 때문에 당분은 쌓이고, 수분은 마신 것보다 더 많이 배출시켜 비만의 원인이 되고 물 부족 현상까지 생겨 걱정스럽다.

걷기 운동도 건강의 필수항목이다. 체력이 강하다는 것과 건강하다는 의미는 다르다. 아침에 일어나 물 마시고 공복에 30분쯤 걷기를 추천한다. 저녁 먹기 전에도 30분으로 하루 두 차례 걸으면 더 좋을 것이다.

체온 유지도 신경을 써야 한다. 『오행생식』이란 책을 쓴 김춘식이라는 재야학자가 있었는데, 그의 제자였던 어느 여성이 나에게 말했다.

"체온만 잘 유지해도 많은 병을 예방할 수 있는데, 요즘 젊은 여성들 옷 입고 다니는 걸 보면 안타깝기 짝이 없어요."

특히 배꼽티 입은 걸 보면 그녀는 쯧쯧쯧 혀를 찼다. 겨울에 내의를 입는 것이 얼마나 좋은지 모른다는 말도 했다. 옛날 여성들이 아궁이 앞에 쪼그리고 앉아 장작불을 때면 그 열기와 음이온을 쬐어 여성 질환에 도움이 됐을 거라는 생각이 든다. 요즘은 아궁이도 없으니, 특히 여성들은 겨울철 하복부 보온에 신경 쓰면 좋겠다.

아메리카노 1~2잔도 괜찮을 성싶다. 최근에 치매 예방 등 커피의 효능이 계속 밝혀지고 있다. 미국 양키들이 마시는 커피라고 유럽인들이 업신여겼던 커피 아메리카노를 설탕이나 시럽 첨가 없이 하루 한두 잔 마시는 걸 권해드린다. 같은 커피라도 커피믹스를 하루에 5~6잔 마시는 건 문제라고 본다. 커피의 효능보다 설탕의 당분과 프림이 문제가 되기 때문이다.

특히 커피믹스를 타서 그 봉투로 젓는 걸 보면 걱정스럽다. 모든 가공식품에서 식품과 닿는 부분은 엄격히 통제하는데, 커피믹스 봉투도 자세히 보면 2중으로 되어 있다. 안쪽은 PE(폴리에틸렌)라는 비닐 같은 재질이고, 바깥쪽은 알루미늄처럼 반짝거리는 재질이다. 커피를 저을 때는 반드시 티스푼이나 나무 젓가락이라도 사용하기 바란다.

필자의 주관적 관점으로 몇 가지 적어보았는데, 늘 강조하듯이 김치, 된장 등 발효식품과 비타민C, 따로 소개한 5대 건강식품, 10대 슈퍼 푸드, 색깔 있는 채소 등을 많이 먹고 서럽도록 착한 이웃들이 건강하게 겨울을 맞이하고 또 월동하기를 기도하는 마음이다.

제2장

사람의 향기와 음식 궁합

음식을 보면 생각나는 사람들

다반사(茶飯事)라는 말이 있다.

차를 마시고 밥을 먹는 일, 즉 늘 있어 예사로운 일이란 뜻이다. 1970년대 중반 서예를 할 때의 일이다. 남종화의 대가로 동양화 근대 5대작가로 꼽히는 의제 허백련 선생의 제자 한 분과 친분이 있어 광주로 만나러 갔다.

무등산 자락에 있는 증심사라는 절에 갔다가 내려오는 길이었고, 등산로 중간 중간에 매점 같은 구멍가게가 있었는데, 누군가가 동행한 의제 선생의 제자를 불러 세웠다. 가까이 가보니 매점 주인아주머니가 반갑다며 평상에 앉으란다. 아주머니는 안으로 들어가더니 주전자와 잔 2개 안주 한 접시를 들고 나와 잔에 술을 따라준다.

의제 선생 제자 분도 당시 국전에 몇 차례 입선한 작가였는데, 그림을 받고 싶어 몇 달 전에 더덕주를 담가놓고 제자 분을 기다렸단다. 더덕주의 알싸한 맛에 서서히 취기가 올랐다. 아주머니는 오래된 더덕을 구해 남편 거랑 제자 분 거랑 더덕주 2항아리를 담가놓고 제자 분과 마주칠 날을 기다려 왔다면서 연신 반갑다는 말과 함께 선생(제자 분)의 작품을 받고 싶다는 말을 했고 나는 술이 좋으니 아예 큰 잔을 달라고 말했다.

맥주잔 2개가 나왔고 두 번째 술은 더 큰 주전자에 담아왔다. 맥주잔으로 몇 잔이나 마셨을까. 나는 평상에 엎드려 잠이 들었고, 그 이후는 기억을 못 하겠다. 의제 선생 별장인 '춘설헌'에서 잠을 깬 것은 다음날 아침이었는데, 냇가에 가서 세수를 하고 오니 아침상을 들고 왔다. 정갈하게 차려진 남도밥상이었지만, 속도 쓰리고 밥을 먹을 수가 없었는데 밥상에 노란 색 물이 한 사발 보였다. 녹차였다.

무등산에는 춘설차라는 녹차가 나는데, 당시는 의제 선생의 아드님이 차를 만들고 있었다. 내가 밥을 못 먹겠다고 하자 선생(제자 분)은 차에 밥을 말아 먹어보라고 시범을 보여주었다. 거짓말처럼 속이 편안한 게 밥을 너끈히 먹을 수 있었다.

이게 다반사 아닌가?

그 후로 나는 담근 술은 먹지 않았고 춘설차 마니아가 됐다. 편의점 냉장고의 술을 보면서 의제 선생의 제자 생각이 났다. 7순이 넘었을 텐데, 나를 보면 얼마나 반가워할까 싶었다. 건강하게 장수하시기를 빌어드린다.

그 옆 냉장고의 맥주 코너, 어느 여인의 얼굴이 떠올랐다. 내가 만난 유일한 제주도 출신 부씨. 그녀는 예뻤다. 술은 맥주만 마시는데 그것도 버드와이즈만 마셨다. 그녀가 좋아했던 라비올리 파스타는 지금도 기억이 난다. 1년 내내 검정색 옷만 입었는데, 어디서 뭘 하고 사는지? 보고 싶다. 먹거리를 볼 때마다 떠오르는 추억과 얼굴들이 있다.

냉장 판매대에서 달고나 우유를 발견했다. 어릴 적 그 달고나 맛일까? 요즘 달고나 커피, 달고나 토스트도 인기란다. 음식도 세월이 흐르면 추억의 맛이 그리워지는 것이리라.

중학교 때의 일이다. 여름날 해가 지고 어둑어둑해지는데 동생이 보이지 않았다. 길가에도 가보고 가까운 갈 만한 곳을 찾아봤으나 없었다. 할머니가 장독대에 가셔서 뚜껑을 덮고 계셨는데, 놀란 목소리로 "니, 여기서 뭐 하노?" 하셨다.

"으응, 응~응."

동생 목소리다. 우리 집에서 가장 큰 독, 입구가 애들 키보다 컸다. 어떻게 거기 들어갔는지 혼자 나오지를 못했던 것이다. 내가 장독대로 가서 내 손을 잡고 겨우 나왔는데, 한 손에 먹다 남은 오징어가 들려 있었다.

아버님은 오징어를 좋아하셨다. 간혹 울릉도 오징어를 팔러 다니는 아저씨가 우리 집에 들르면 할머니는 아버님 드리려고 오징어를 사두었다가 한 마리씩 구워 드렸다. 근데 동생이 오징어 넣어두는 곳을 알아내고 거기로 갔던 것이다.

오징어 껍질에 붙어 있는 하얀 가루, 이것이 무엇일까? 이 가루를 털어내고 질기다고 껍질을 벗겨 먹던 오징어. 한참 세월이 흐른 후 오징어불고기를 개발하면서 이 가루의 정체를 알게 됐다. 타우린, 자양강장제, 피로회복제의 원료다.

오징어은 명태, 고등어와 함께 국민 생선 3총사의 하나다. 오랜 세월, 수많은 사람들의 입맛을 사로잡은 먹거리에는 분명 이유가 있다. 맛이든 영양이든. 그런데 명태가 사라졌고, 오징어도 어획량이 줄어들었으며, 수온의 변화로 위태롭다. 오래오래 우리의 밥상을 지키며 있어주기를 바랄 따름이다. 갑자기 오징어무국이 먹고 싶어진다.

10년 전쯤의 일이다.

글을 쓰기 위해 우리 국민의 아침식사 비율을 조사했더니 34%였다. 아침식사의 중요성은 설명하지 않아도 될 듯하지만, 그때 나는 아침식사의 중요성을 외치면서 대용식으로 유기농 미숫가루와 블랙선식을 개발하여 온라인에서 호평을 받고 있었다.

아침을 예찬한다는 의미로 아침예찬을 상표, 상호 특허등록을 했다. 그게 내년이면 10년이라 연장해야 하니 세월 참 빠르다.

요즘 고단백, 저탄수 식사법이 유행인데 필자의 생각은 좀 다르다. 우리 몸의 에너지원, 특히 뇌 활동의 에너지원은 탄수화물이다.

공부하는 학생이나 지적 활동을 하는 직장인이 탄수화물 식사를 하지 않고 하루를 시작한다는 건 이치에 맞지 않는다.

아침밥 꼭 드시기를 권한다. 쌀밥에 김, 된장국도 좋고, 계란 감자 사과 요구르트 이런 메뉴도 좋겠다.

이 글을 쓰는 목적이 진정한 식품 이야기를 통하여 건강하게 살자는 것인데, 우리의 질병, 노화, 비만 등의 화두에 답할 식품은 채소와 과일 해조류 등이지 육류와 기름은 아닌 듯하다. 우리 조상들이 곡기를 끊으면 죽는다고 했듯이 곡류를 기반으로 한 식사를 해야 한다고 생각한다. 아침밥 챙겨 드시고 음식에 관한 추억에 젖어보시기 바란다.

지주식 김을 만나다

갓구운 김에 밥을 싸서 깨소금 간장을 찍어 한 입 베어 물면 아~ 그 바싹하고 고소한 맛에 저절로 군침이 도는 식품이다.

김에 대한 나의 첫 기억은 초등학교 입학할 무렵이다. 겨울인데 할머니께서 바다에 나가신단다. 소쿠리에 호미랑 칼 등 도구를 챙겨 담아서. 그런데 소쿠리에 이상한 물건이 하나 담겨 있었다. 그건 캉가루 구두약 뚜껑이었는데, 캉가루가 그려져 있었다. 이게 뭐냐고 물으니, 김 긁는 데 쓰신단다.

김? 처음 들어보는 말이었다. 오후에 할머니가 돌아오셨는데, 미역과 고둥, 조그만 게 등을 잡아 오셔서 삶아주셨는데 갈색의 풀 같은 것도 있었다. 그것을 물로 여러 번 깨끗하게 씻어 갈대를 엮어서 만든 발 위에 나무로 짜 맞춘 사각형 틀에 적당히 깔아 돌담에 얹어 말리니 검정색 종이처럼 되었고 석쇠에 넣어 연탄불에 구워 식탁에 올리시더니 밥을 싸서 먹어보라고 하셨다. 최초로 먹어본 자연산 돌김이었다. 맛있었다. 고소했다. 바삭한 식감이 특이했다.

동네 앞 바닷가에 썰물이 되면 걸어서 갈 수 있는 바위가 몇 개 있었는데, 그 바위에 이끼처럼 달라붙은 자연산 돌김을 구두약 뚜껑으로 긁어와서 만든 것이었다.

세월이 많이 흘러 식품을 공부하면서 김을 양식할 때 염산을 뿌린다는 사실을 알게 되었고, 그건 아니다 싶었다.

텔레비전에서 김밥집을 하는 젊은이가 무산 김(염산을 쓰지 않은 김)을 쓴다면서 자부심을 느낀다는 장면도 보았다. 왜 염산을 쓸까 하는 생각도 해봤다.

우리 민족은 삼국시대부터 김에 음식을 싸서 먹었다는 기록이 있는가 하면, 김이라는 이름은 17세기(선조 때던가 인조 때) 무렵 광양 사는 김 아무개라는 사람이 임금께 김을 진상했는데 왕이 맛있어서 이름이 뭐냐고 묻자 이름이 없다고 하여 그의 성을 따서 김이라 부르라고 했다는 말도 있다.

지주식 김 얘기는 20년 전쯤 완도 전복 양식협동조합장의 댁을 방문했을 때 들었다. 완도는 청정해역이라 전복 외에 지주식 김이란 것도 있다고 자랑삼아 얘기했는데, 당시 어느 대기업에서 그 지역을 전부 매입해버려 직접 가서 보지는 못했다.

농사를 지을 때 잡초가 나면 농약(제초제)을 뿌리듯이 바다에도 잡초가 나고 따개비나 다른 생물들이 김 주위에 생기면 염산을 뿌려 제거한다. 염산을 뿌리면 김이 새까맣게 윤기 있어 보이니까 염산을 쓰는 것인데, 수확하기 보름 전까지만 소량을 쓰도록 규제하고 있으나 수확 2~3일 전까지도 마구 뿌린단다. 공무원들이 해안을 감시하고 있어도 몰래 감쪽같이 뿌린단다.

식품을 공부할수록 우리 조상들의 현명함과 위대함을 많이 느낀다. 자연을 이해하고 순응하면서 자연을 이용하여 뭘 창조해내는 위대함 말이다.

김도 그렇다.

봄에는 나물, 여름엔 과일, 가을엔 곡식, 수확을 할 수 없는 겨울에는 바다에서 해조류를 찾아내 사시사철 제철 음식을 먹었다.

자생적으로 바위에 붙어 자라는 김으로 모자라자, 갯벌에 밤나무 등으로 기둥(지주)을 박아 거기에 구멍을 뚫어 포자(김의 종자)를 심고 밀물 때는 물에 잠겨 자라다가 썰물이 되면 햇볕에 노출시켜 자연 소독을 하고 다시 물에 잠기기를 반복하다가 가을에 햇김을 생산하는 지주식 김, 얼마나 과학적이고 자연 친화적인가?

그러다가 일제 강점기(1930~40년대) 때 지금 김 양식의 대부분을 차지하는 부류식 김이 자리 잡게 된 것이다. 부류식 김은 밧줄을 격자로 묶어 밧줄 사이사이에 종자를 심어 물속에 잠기게 하여 양식하는 방법인데 아까 말했듯이 잡초나 다른 생물들을 없애느라 화공약품인 염산을 쓰게 된 것이다.

이번에 찾아간 전북 고창의 지주식 김은 유네스코가 지정한 람사르 습지에서 지주식으로 김을 양식하는데 썰물이 4시간 이상 지속되기 때문에 물이 빠지면 갯벌뿐이라 배를 타고 염산을 뿌릴 수 없으며 경운기를 개조한 탈것을 타고 지주로 가서 전부 수작업으로 재배, 수확하는 귀한 김이라는 것이다.

고창은 전라북도 서남쪽 끝인데 북으로 부안, 동쪽으로 정읍과 경계를 이루고 복분자, 풍천장어, 선운사 동백꽃, 고인돌 유적지 등 유명한 것이 많은 고장이다.

고창군청에 연락하고 갔더니 해양수산과로 가보란다. 거기서 소개받은 K씨는 새로 설립된 고창 지주식 김 영어조합법인의 대표인데 고창의 서쪽 끝인 만돌해변 갯벌체험학습장으로 오라고 했다. 썰물이 되면 바다에 작업하러 나가야 한다고 바쁜 모양이었다. 현재 영어조합에 가공공장을 짓고 있는데, 10월쯤 완공된단다.

김은 우리나라를 찾는 외국 관광객이 가장 많이 사가는 식품이다. 김을 우리처럼 반찬으로 먹는 나라는 없다. 그런데 최근에 김 맛을 알아서 소비가 늘어나는데, 구워서 간식으로 과자처럼 먹거나 그들이 좋아하는 향신료를 가져와서는 김에 뿌려서 가공해달라고 한단다.

바삭하고 고소한 맛에 칼로리는 거의 없고, 각종 미네랄과 비타민이 듬뿍 들어 있으니 현대인들의 기호로는 최고의 조건인 셈이다.

유기농 식품이 있다.

3년 이상 화학비료와 농약을 쓰지 않고 재배한 식재료의 함량이 95% 이상인 식품에 유기농 마크를 붙여준다.

그렇다면 민물과 바닷물이 만나는 섬진강에서 갈색의 이끼가 붙은 나뭇가지가 떠내려오는 것을 보고 김인 줄 알아 지주식 김을 개발한 우리 조상의 혜안에는 무슨 마크를 붙여줘야 할까? 수백 년 전부터 유기농? 우스운 얘기다.

마트에 가보면 수십 종의 김들이 즐비하다. 자연산돌김, 재래김, 두번구운김, 올리브유로 구운김 등등. 그런데 지주식 김은 없었다. 무염산 김도.

이 글의 큰 제목은 Gjc(진정한 식품 컬렉션) 또는 GjT(진정한 식품 이야기)가 될 것이다. 어떠한 것이 자연을 닮은 진정한 식품이고 어떤 식품을 먹어야 진정 건강한 식생활을 할 수 있느냐를 보여주고 싶다. 진정한 식품의 길을 제시하고 싶다. 한 50편쯤 글을 써서 책으로 엮으면 식품에 대한 어떤 길라잡이가 될 수도 있으리라.

이제 여름이 시작되는데, 온라인에는 지주식 김, 햇김이라고 팔고 있다. 또 마트에 가면 자연산 돌김은 왜 그리 많은지? 우리 할머니처럼 구두약 뚜껑 들고 바위의 김 채취하러 다니는 분들이 그리 많다는 말일까? 다 거짓말이다. 먹는 것을 가지고 장난치거나 미사여구를 써서는 안 된다!

내 고향 부산이 그립다

내 고장 칠월은 청포도가 익어가는 시절
이 마을 전설이 주저리주저리 열리고~

이육사의 고향은 경북 안동이다. 이육사는 청포를 입고 오는 의인을 기다리며 청포도를 연상했을 것이지만 고향인 부산인 필자는 '내 고장 칠월은 해수욕장 개장하는 시절' 아마 이렇게 썼을 것이다. 요즘 새삼 고향이 그립다. 누구나 고향이 그립겠지만 고향을 그리워하는 이유를 따져 들어가면 몇 가지 연유가 있을 것이다.

서울로 이주한 지 12년

이사 온 지 며칠 후부터 지금까지 줄곧 고향을 그립게 하는 것은 의외로 돼지국밥과 아나고(붕장어, 바다장어)구이다. 어른들도 다 돌아가시고, 일가친척도 타지로 떠나고, 어릴 적 친구들도 몇 명이나 고향에 있는지 모르는데, 음식에 대한 그리움은 사라지지 않는다. 음식을 그리워하는 이유가 무엇일까?

우리가 살면서 어떤 음식이 먹고 싶을 때가 있다. '오늘 점심 뭐 먹지?' 이런 수준이 아니라 지속적으로 생각나는 어떤 음식, 그것은 두 가지 이유 중 하나일 것이다. 어릴 적 너무 많이 먹어 향수처럼 생각나는 음식이거나, 자신의 몸에 꼭 필요한 영양소가 그 음식에 들어 있어 땡기는 것이리라.

나에게 그런 음식이 뭐냐고 묻는다면 단연 돼지국밥이다. 하나 더 고르라면 아나고(붕장어, 바다장어)구이다. 서울로 이주한 지 12년, 제법 세월이 흘렀는데도 거의 매일 생각이 난다.

서울에 와서 돼지국밥 얘기를 했더니 더 맛있는 순대국밥이 있지 않으냐고 지인들이 말했다. 그러나 그건 아니었다. 내용물이 비슷하다고 그 맛과 향수를 대신할 수는 없었다.

7월의 첫날, 한여름 밤의 꿈이 아니라 고향 음식을 생각하며 향수를 달래보기로 했다. 서울에 명동이 있듯이 옛날에 부산은 시내에 간다면 남포동과 광복동을 말했다. 유명 상점과 극장이 몰려 있는 곳.

나중에 부산국제영화제가 시작되면서 남포동 극장가는 piff 광장이 되었는데 거기에 18번 완당집 본점이 있다. 얇은 밀가루 피에 돼지고기와 채소를 섞은 소를 넣어 조그만 만두처럼 만든 완당을 만두국처럼 끓여 먹는 음식이다.

남포동에서 바다 쪽으로 길을 건너면 자갈치시장이다. 오후에 해가 기울기 시작하면 군데군데 연탄화로가 놓이고 플라스틱 의자가 자리 잡는다. 노천 곰장어집. '아줌마 몇 인분!' 하면 껍질 벗겨 토막 낸 꿈틀거리는 곰장어와 양파 대파를 고추장 양념에 버무린 양념 곰장어를 연탄불 위의 여러 개 구멍이 뚫린 철판 위에 올려준다. 지글지글 익는 소리에 곰장어들이 움직임을 멈추면 소주와 함께 입속으로 '캬!' 그립다. 곰장어는 이렇게 먹는 양념구이와 기장군 대변 일대의 짚불구이, 그냥 철판에 구워 참기름과 소금을 섞은 소스에 찍어먹는 소금구이가 있는데, 나의 기억으로는 소금구이가 가장 맛있었다.

광복동 길과 남포동 길 사이의 좁은 길, 유명상점과 음식점이 빼곡하다. 여기에 할매회국수집이 있다. 들어서면 주전자와 양은 대접을 주는데 멸치육수다. 뜨겁지만 속이 시원하다. 비빔국수에 가오리회를 고명으로 얹은 회국수, 군침이 돈다.

조금 더 가서 좌회전하면 서울깍두기다. 큼직하게 썬 깍두기, 걸쭉한 깍두기 국물을 설렁탕에 부어 먹으면 간이 딱 맞다.

조금 더 가면 '일광집'이라는 별미집이 있었는데, 그 집 음식 이름이 튀김실국수다. 멸치 육수에 소면을 담고 그 위에 튀김 2개를 얹어주는데 그 튀김이 일품이다. 가자미를 포를 떠서 만든 튀김인데, 바삭바삭한 튀김 옷 안에 부드럽고 고소한 가자미살, 정말 맛있었다. 언젠가 튀김장사를 하는 분을 만나면 추천해주고 싶다.

몇 년 전 부산 갔을 때 찾아가니 할머니는 돌아가시고 아들이 물려받아 장소를 옮겼는데 그 맛이 아니었다. 가자미를 손질하여 포를 뜨고 길게 잘라 하나씩 튀겨내는 작업이 쉽지는 않았을 것이다. 근데 이 맛있는 걸 2개밖에 안 준다. 돈을 받고 팔지도 않았다.

골목이 끝나갈 무렵 나타나는 양산박. 소설가 윤진상 선생이 하는 포장마차인데 부산의 문인들과 예술인들의 사랑방으로 한 시대를 풍미했다. 나는 거기서 젊은 시절의 이문열 작가를 만나 둘이서 대취한 적이 있다. 그날 이문열 작가는 다음날 직장에 출근해야 하는 나를 경북 영양의 자신의 고향집에 가서 한 잔 더 하자고, 직장 하루 빠지는 게 뭐 대수냐고 하면서 택시를 잡아 타라고 실랑이를 벌이느라 혼이 났다.

좀 이동하여 바닷가로 가보자. 광안리 해수욕장과 해운대 쪽 대로 중간에 언양 불고기 골목이 있다. 부산언양불고기, 진미언양 등 몇 집이 옹기종기 모여 있는데~ 내력이 있다. 언양불고기는 경부고속도로 건설 당시 불고기 양념을 하여 하루 이틀 재워두는 시간을 절약하고 양념하여 바로 석쇠에 구워 먹는 불고기인데 울산 언양에서 시작되어 부산으로 진출한 곳이다. 우리는 친구들과 상대적으로 작은 진미언양이라는 집을 다녔는데 당시 50대로 보이던 인상 좋은 서빙 아주머니, 살아 계실까?

광안리와 해운대 사이 망미동 옥미아구찜. 아귀찜은 마산에서 시작된 음식이다. 아귀를 적당히 말려 좀 말린 콩나물과 고추장양념에 버무린 것인데, 언제부터인가 맛있는 아구찜 집이 생겼다는 소문을 듣고 찾아갔다. 그런데 방식이 달랐다. 생아귀를 생콩나물과 함께 버무려서 생선살이 먹을 게 있고 덜 맵게 녹말가루도 써서 새로운 맛이었다. 콩나물의 식감도 좋고.

해운대 송정을 지나면 대변항이 나온다. 멸치가 유명하다. 갓 잡은 큰 멸치의 살을 발라 상추와 함께 초고추장에 버무린 멸치 회, 새콤달콤한 양념 맛에 부드러운 멸치 살, 아삭한 상추와 절묘한 조화를 이루는 멸치 회는 싱싱한 멸치만 가능하다.

해안을 따라 울산 쪽으로 가다 보면 칠암이라는 어촌마을이 나온다. 가운데 방파제가 있고 해변을 따라 횟집들이 늘어서 있는 마을이다. 주로 아나고를 취급한다. 회, 구이, 매운탕, 그 중의 한 집이다. 가게 앞에 연탄불 몇 개를 피워놓고 생선 굽기에 한창이다. 붕장어 배를 갈라 길게 포를 뜬 후, 적당한 크기로 잘라 초벌구이를 한다. 한 번 구운 장어에 초고추장을 묻혀 한 번 더 구워 완성하는 장어구이. 내장과 껍질을 넣어 끓인 매운탕. 포를 떠서 종잇장처럼 얇게 썰어 짤순이에 돌려 물기를 완전히 뺀 아나고 회. 옛날 생각과 잊지 못할 맛의 기억이 입 안에서 춤을 춘다.

부산에는 산과 강과 바다가 공존한다

부산의 주산인 금정산, 산성 터가 있고 고개를 넘으면 산성마을이 나온다. 염소불고기를 하는 집들이 옹기종기 모여 있다. 육(肉)고기 중에서 가장 맛있게 기억되는 염소불고기. 특유의 누린내가 있어 노련한 솜씨로 잘 잡아야 한다. 보험회사 소장 시절, 40~50명 사원들의 회식 메뉴 1순위가 염소불고기였다. 염소불고기 먹던 '고향집' 지금도 있을까?

돼지국밥 얘기를 한다는 것이 다른 얘기로 부산을 한 바퀴 돌아버렸다. 돼지국밥은 6.25 동란 시절 피난민들의 허기를 채워주는 음식으로 출발하였다. 1970년대 서울 구로공단 노동자들의 단백질 공급원으로 출발했던 순대수래국밥과 비교가 된다. 6.25 전쟁 시절, 도살장에서 돼지고기와 내장 등을 받아와 고무 다라이에 이고 다니면서 파는 아낙들이 있었는데 이걸 사서 만든 음식이 돼지국밥이다. 돼지 뼈와 고기를 푹 삶은 육수에 밥을 넣고 여러 번 토렴하여 맛이 어우러지게 만드는데, 부추 무침을 듬뿍 넣어야 제맛이 난다.

서면, 부전동, 조방앞, 범일동 등 부산에는 돼지국밥 골목이 많다. 그러나 체대 다니던 후배가 진수를 보여주겠다며 데리고 간 '신창국밥'이라는 식당이 있다. 그곳은 허접한 고기를 쓰는 집이 아니다. 순대도 잡곡밥을 넣어 제대로 만든다. 돼지국밥 한 그릇이면 한 끼의 밥으로도, 안주로도 그만이다.

내 고향 부산을 한 바퀴 둘러보는 사이 새벽 5시다. 맛있는 음식들 꿈꾸면서 자야겠다. 이육사 시인은 청포를 입고 올 의인을 생각하며 고향의 청포도를 떠올렸을 텐데, 나는 온갖 음식을 생각하며 밤을 샜으니 부끄럽다.

그러면 어떤가? 어릴 적, 오래 먹던 기억에 남는 음식을 회상하며 향수에 젖어보는 것도 좋으리라. 어떠한 사랑도 꿈에서 깨어나면 장난일 뿐이라는 셰익스피어의 희극 〈한여름 밤의 꿈〉은 사실일까?

나는 그 여자의 음식을 보는 내 눈을 사랑한다

이 제목은 정현종 시인의 '나는 그 여자의 울음을 듣는 내 귀를 사랑한다.'라는 시 구절을 차용한 것이다.

1977년 서예를 배운 지 3년쯤 되었을 때 나는 서예학원의 총무를 맡고 있었다. 총무는 아침 일찍 나가 학원 청소를 하고 선생님이 작업할 먹을 갈아두고, 학원비 수납을 하는 등의 일을 하는데, 일하던 총무가 그만두게 되어 걱정하기에 자청하여 하게 됐다. 전에 하던 총무는 일정한 돈을 받았는데 나는 무보수로 봉사하겠다고 했다.

부산 대청동, 서울의 인사동처럼 골동품점, 표구사, 화랑 등이 모여 있고 미문화원이 있는 곳이다. 서예학원은 3층 건물인데 길에서 보면 2층, 뒤로 돌아 골목길에서는 1층이었다. 3층에는 6.25 때 피난 온 노부부가 살고 계셨는데 부엌 나무기둥의 못에 학원 열쇠를 걸어둔다.

아침에 나가면 3층에서 열쇠를 가져와 문을 열고, 전날 학원생들이 연습한 폐지를 모아 치운 다음 바닥과 테이블을 쓸고 닦은 후 테이블마다 놓인 연적에 물을 갈고 환기시킨 후, 커다란 벼루에 선생님이 쓰실 먹을 천천히 갈면 오전이 거의 지나가는 일이었다.

선생님이 나오시면 작품을 하는데 화선지 반절, 전지 가로, 세로 등 원하는 대로 깔고 문진을 놓으면 글씨를 쓰기 시작하신다. 주로 다이어리에 메모를 해오시고 어떤 날은 원고 없이 생각나는 대로 하신다.

오후에는 나의 연습시간. 선생님이 써주신 체본이나 유명 비석을 탁본하여 만든 법첩을 옆에 두고 보면서 연습을 한다. 그날 연습을 마칠 무렵부터 퇴근하고 오는 직장인들과 학교를 마친 학생들이 속속 학원에 도착하면 선생님의 교습이 시작된다.

그렇게 총무 일을 한 지 달포쯤 지났을 무렵, 하루는 출근을 하니 깨끗이 청소가 돼 있고 연적의 물까지 새 물로 채워져 있었다. 간혹 사모님이 나오셔서 청소해주는 경우가 있었기에 오후에 물으니 사모님은 오시지 않았단다.

그 다음날도, 다음다음날도 그렇기에 '우렁각시가 나타났나?' 하는 생각이 들었다. 사흘 후 좀 더 일찍 나와 먼 발치에서 지켜보았는데, 어깨까지 내려온 긴 머리를 묶은 웬 젊은 여성이 와서 청소를 하고는 핸드백을 메고 사라지는데 낯익은 얼굴은 아니었다.

그날 오후 나는 늦게까지 남아 학원에 오는 사람들을 지켜봤다. 오후 7시쯤 되었을까? 그 긴 머리 아가씨가 오더니 서예 연습을 하고 갔다.

그 다음날 나는 서예 공부하는 그녀 옆으로 가서 왜 아침에 청소를 하느냐고 물었다. 내가 무보수로 총무 일을 한다는 얘기를 듣고, 도와주고 싶은 마음이 들었단다.

나는 고맙다고 뭘 보답하고 싶다는 말을 했는데, 답이 없다가 연습을 마치고 돌아갈 무렵 내게로 오더니 "그럼 내일 영화 보여주실래요?" 했다.

"그러죠. 몇 시에 어디서 만납시다." 하여 다음날 저녁 우리는 동명극장에 나란히 앉아 영화를 봤다. 영화가 끝나고, 2층 로비에서 내려가는 계단으로 진입할 무렵 그녀는 팔짱을 끼고 다정함을 표했다. 콩닥콩닥 가슴이 뛰었다.

극장 앞으로 나와서 아무 말도 못하고 우두커니 서 있는데, 다시 팔짱을 끼더니 "우리 에덴공원 갈래요?" 했다.

"아~네~!"

우리는 버스를 타고 에덴공원으로 가서 컴컴한 비포장도로를 걷기 시작했다. 새로 맞춘 구두가 꽉 조여 발이 아프고, 팔짱 낀 상태가 어색하여 비포장도로 돌멩이를 차는 바람에 새 구두가 다 까졌다.

그녀는 여상을 졸업하고 직장에 다니다가 오빠의 일을 도우려고 학원과 가까운 남성여고 매점에서 일하고 있다는 얘기와 함께 다른 많은 얘기도 했는데 지금은 기억이 안 난다.

그렇게 우렁각시와 첫 데이트를 했는데, 첫 데이트 이후 그녀의 반응은 싸늘했다. 말을 건네지도 않고, 아는 체도 하지 않았다. 그녀는 초보라 한 번씩 옆으로 가서 가르쳐주고, 영화 〈사랑과 영혼〉의 한 장면처럼 획을 긋는 그녀의 손 위에 내 손을 얹어 도와주는 등 가슴 설레는 순간도 있었지만…….

그러던 중 학원 서예전 결정이 내려졌다. 스승님은 작품 준비를 시키고 나는 회비를 받아 표구를 시키거나 전시장소를 잡는 등 할 일이 많았다. 하필 가을에 군 입대도 해야 해서 바쁜 나날을 보냈는데 우렁각시도 도와주었다.

학원생들이 전시회를 하면 선생님께 체본을 받아 연습하여 작품을 만들기에 거의 다 비슷비슷한 스승님 작품의 아류일 수밖에 없었다. 한글 서예는 궁체와 흘림체밖에 없었는데 70년대 들어 훈민정음 활자본을 본 딴 한글고체라는 글씨체를 발표하는 서예가들이 있었다.

나는 한글에 관심이 많아 틈틈이 한글고체를 공부했는데 우리 학원에서는 하는 이가 없어 도움을 받을 수가 없었는데, 총무이기도 하고 군대도 가게 됐으니 뭔가 좀 색다른 작품을 만들어보고 싶었다.

당시 한글서예는 궁체나 흘림체로 김소월이나 서정주 시를 쓰는 정도였는데, 나는 정현종 시인의 '나는 그 여자의 울음을 듣는 내 귀를 사랑한다.'는 시를 발견하고 한글고체를 약간 변형하여 연습을 하고 있었던 것이다.

전시회 장소를 알아보니 화랑은 비용이 많이 들고, 호텔은 자기네 건물에 흠집 날까 봐 제약조건이 많아 지하1층에 있는 넓은 평수의 다방(한일다방으로 기억됨)을 전시장소로 정하고 준비를 마쳤다.

거의 모든 작품이 한자(漢字)이고 스승님 글씨와 비슷한 아류인데 한글고체로 최근의 현대시를 썼으니 특이하게 보여 관심이 많았다.

드디어 전시회 날짜가 되자 나는 회원들의 작품을 걸어두고 군 입대를 했다. 우렁각시에게 부탁하기도 했지만, 입대한 지 두어 달 후 우렁각시에게서 편지가 왔다. 데이트했던 얘기, 전시회 얘기, 내 작품이 인기가 많았다는 얘기도 있었다.

그 후 소포가 한 번 왔는데, 매점 물건을 골고루 넣었는지 종합 선물세트였다.

그것으로 내무반에서 회식을 했던 기억이 난다.

옛날 기억이 나서 적는다는 게 너무 길어졌다. 사실 오늘 쓰려고 했던 것은 내가 매일 눈 뜨면 가서 아침밥을 먹는 식당 이야기다.

퇴원하여 이사를 했고, 매일 기저질환을 위한 약을 먹어야 하는데, 일찍 아침밥을 하는 식당이 있는지 찾아야 했다. 동네 마트 아주머니에게 물으니 골목 안에 분식집이 두 곳 있는데 그 중 한 집이 일찍 백반을 한다고 했다.

골목 안으로 들어갔다. 마주보고 있는 분식집 2개, '김밥 먹고 떡볶이 싸가고'와 '승냥분식'이라는 2개의 간판을 본 후 '승낭분식'으로 들어갔다.

조그맣다. 왼쪽에는 테이블 2개, 오른쪽은 주방이다. 70년대 어느 식당에 들어온 듯했다. 백반을 시켰다. 밥과 국, 김치와 몇 가지 반찬이 나왔다. 국은 우거지 된장국, 고등어구이 한 토막, 계란 후라이, 그런데 김치는 중국산이다. 아마 가격 문제로 그런 듯했다. 콩나물무침, 비름나물, 무생채…식판의 작은 접시에 담긴 반찬이 꽤 많다. 가격은 6천 원이다.

말이 나온 김에 중국산 김치 구별법을 정리해두자. 첫째는 배추의 푸른 잎이 없다. 둘째는 고춧가루가 점으로 보이지 않고 김치 물을 묻힌 듯 촉촉하다, 국산 김치처럼 김치용 고춧가루를 쓰지 않고 다데기(가는 고춧가루 약 40%, msg, 마늘가루 등을 섞은 분말)란 양념으로 버무려 모양이 다르다.

'승낭분식'의 주인아주머니는 혼자 일하는데 50대 중반 쯤으로 보인다. 얼마나 부지런한가 하면 새벽 5시에 문을 열고, 반찬은 전날 준비해두었다가 밥만 하면 5시 30분부터 식사가 가능하다. 국은 이틀에 한 번씩 바뀐다. 우거지된장국, 미역국, 콩나물국 등으로. 나물도 오이무침, 호박나물 등으로 번갈아 내놓고, 한 번씩 감자조림이나 무조림이 나오는데 무조림은 일품이다. 조기새끼나 코다리를 조금 넣고 푹 익힌 무조림, 말랑말랑하고 달콤한 맛이다.

이 집 백반과 아이스 아메리카노 한 잔으로 하루를 시작한 지 석 달째다. 매일 계란을 먹고, 등 푸른 생선에 채소 반찬을 먹으니 든든하고, 혈압이나 당 수치도 정상 유지 중이다. 점심 이후는 순두부, 된장찌개, 김치찌개 메뉴가 추가된다.

이 집 음식은 특별한 게 없다. 맛도 심심하다. 그런데 간이 딱 맞다. 짜지도 싱겁지도 않은 간이다. 가장 중요한 기본이 갖춰진 것이다.

〈대장금〉에 이런 대사가 나온다.

한 상궁이 장금에게 하는 말이다.

"음식을 그릴 줄 알아야 한다."

"짠맛은 찬물에서 더 짜게 느껴진다."

음식을 잘하려면 자신이 하려는 음식의 주재료와 어울리는 부재료를 생각하고 어떤 양념을 할 것인지 머릿속에 그려져야 한다는 뜻이다. 맞는 말이다. 그림을 그린다면 어떤 그림을 그릴지 어떤 색의 물감이 필요할지 머릿속에서 그려내야 하는 것처럼. 화장을 할 때도 마찬가지일 터이다.

모든 음식을 레시피만 보고 그대로 따라하는데, 하고자 하는 음식을 그려서 해보기를 권하고 싶다. 간을 맞추는데 소금이나 간장을 계량하지 말고 감으로 하는 연습을 해보면 자신만의 음식을 만들 수 있을 것이다.

그리고 '승낭분식'은 메뉴를 어떻게 정했는지 모르지만 꼭 필요한 메뉴를 잘 갖췄다. 등 푸른 생선에 계란, 나물 등 탄수화물 위주의 아침식사에 잘 맞춘 듯하다.

이 집 메뉴처럼 완전식품인 계란은 매일 한두 개 먹기를 권하고, 일주일에 한두 번 불포화지방산 DHA가 풍부한 등 푸른 생선 먹기를 권한다. 아이들의 두뇌 발달에도, 노인들의 치매 예방에도 좋은 식품이다.

그렇게 아침밥을 먹으러 다니던 어느 날, 처음으로 말을 건넸다. 젊은 시절의 우렁각시 생각이 났기 때문이다.

두 사람의 외모는 사뭇 다르다. 우렁각시가 훤칠한 키에 긴 머리였는데, 승낭분식 아주머니는 키가 160이 될까 말까 한 자그만 체구에 짧은 머리를 뒤로 감아 스카프로 묶었고, 7부바지에 면티, 그 위에 앞치마를 입은 언제나 같은 모습이다.

한 번은 점심 때 라면을 먹으러 갔는데, 웬 젊은 여성과 밥을 먹고 있었다. 내가 아침에 먹은 그대로의 반찬이었다.

내가 그녀에게 물었다.

"그 음식을 만들고, 다시 먹으면 식상하지 않아요?"

"괜찮아요. 먹어야지 어떡해요. 한 번씩 밥 대신 바나나도 먹어요."

나는 바나나를 사다주기로 마음먹었다. 편의점 cu에 가면, 편의점 물건 가격이 비싼데 유일하게 싼 게 하나 있다. 바나나 5개에 1700원, 바나나 한 봉지를 사다주었다. 일주일에 두 번, 3주 동안. 바나나의 효능을 알기에 비타민 섭취에 도움이 되려나 싶어 하는 일이지만, 그녀에겐 아무 말 안 했다.

젊은 시절 우렁각시처럼 아무런 대꾸가 없다. 달라진 거라곤 "어서 오세요." 하던 인사말이 "오셨어요."라고 바뀐 것. 며칠에 한 번 고등어구이 대신 가자미구이 반 마리가 내 밥상에 오르는 것. 맛있는 반찬은 한 끼에 다 없어지지만 혹시 무조림이 남으면 나에게 준다.

지금까지 그녀에게 들은 얘기는 전남 완도 출신이며, 성은 강 씨라는 것. 완도 출신 골프선수 최경주가 누구 집 아들이라는 것, 영화배우 이보희가 친구 누구의 언니라는 것 정도다.

내일부터 나흘간 휴가를 간다고 해서 걱정이다. 어디서 아침밥을 먹느냐? 새벽에 거기서 밥을 먹고 건축공사장에서 일하는 사람들도 걱정인 모양이다. 배고픈 사람에게, 일찍 일을 시작하는 사람들에게 음식을 제공하는 것은 의미 있는 일이다. 그것도 값싸게, 그렇게 일찍 균형 있고 정성들인 음식을…….

그녀는 잘 생기지도, 늘씬하지도 않다. 굳이 외모를 누구와 비교하자면 영화배우 조여정과 비슷한 분위기랄까? 나는 왜 그녀를 보며 젊은 시절 우렁각시가 생각났는지 모르겠다.

이 골목에서 식당을 10년 했단다. 음식을 배워본 적도 없고 어린 시절 아버지를 따라다니며 아버지 밥을 챙겨드리려고 노력한 게 전부란다. 이 집 라면이 참 맛있는데, 백종원의 '라면 맛있게 끓이는 법'이 티비에 나와서 봤더니 자신이 원래 하고 있던 방법이더란다. 음식에 대한 감각은 타고난 듯하다.

'승낭분식'의 승낭은 무슨 뜻인가 물었다. 승냥이의 승냥을 쓴다는 게 점을 하나 빠뜨려 승낭이 됐단다. 승냥이는 야생 들개인데 왜 그런 상호를 썼을까?

음식은 단순히 돈의 가치로만 평가할 수 없는 부분이 있다. 가족의 음식을 돈으로 따져 준비하지 않듯이. 필자가 이런 글을 쓰는 이유는 그녀가 음식에 대한 기본개념을 가지고 있으며, 새벽부터 나와 거의 실비에 가까운 가격으로 장사를 하는 이유가 있을 거라 생각되기 때문이다.

승낭분식 휴가로 당장 밥 먹을 곳이 마땅치 않다. 집을 떠나 보면 집밥이 그립듯이, 다음 주 월요일이 기다려진다. 그녀가 재충전하고 와서 다시 새벽밥을 먹을 수 있으면 좋겠다. 그녀의 음식에는 자극성이 없고 특별한 재료도 없다. 음식은 이렇게, 흔히 보는 재료로 음식을 먹을 사람들에 대한 관심과 정성으로 만들어야 한다는 생각이다.

승냥이 아줌마 보고싶어요!

오, 사랑하는 나의 아버지

푸치니 오페라 자니스키키에 나오는 아리아다. 몇 년 전 오페라 아리아를 공부한 적이 있는데, 이 아리아의 가사 내용이 아버지를 사랑하는 그런 내용은 아니다. 아버지에게 자신의 사랑을 허락해 달라는 딸의 절규라 할까? 아버지가 허락하지 않으면 강으로 뛰어들겠다는 내용도 있다. 동서고금을 막론하고 사랑은 최대의 이슈인 모양이다.

단골식당이 휴가라 늦게 아침 겸 점심을 먹고 나오는데 비가 내리기 시작했다. 우산이 없어 처마 밑에서 비를 피하다 금방 그칠 기미가 없어 비를 맞고 걷기 시작했는데, 머리에서 이마로 눈으로 비가 흘러내리고 아버님 생각에 울컥하여 빗물과 눈물이 섞여 흐르는 느낌이었다.

아버님 생각이 나는 이유는 무엇일까? 나이 들고 아프니, 생의 반을 병원에서 보내신 아버지, 이승에서 자신의 꿈을 펼쳐 보이지 못하신 아버지 생각이 간절하다. 그야말로 '오, 사랑하는 나의 아버지'란 느낌이 들었다.

아버지에 대한 나의 첫 기억은 아마 내가 3~4살 때 일인 것 같다. 아버지가 원기소라는 영양제를 사다주셨는데 고소하고 맛있었다. 그런데 하루에 몇 알씩만 먹으라고 하여 감질이 났을까? 막내 삼촌이 오셨을 때 얘기했더니, 방바닥에 원기소를 뿌려놓고 엎드려 바닥에 손대지 말고 많이 먹기 내기를 하자고 하셨다. 막내삼촌과 나는 두 손을 등 뒤로 올리고 엎드려서 원기소를 정신없이 먹고 있었는데 아버님께 들켰다.

"경삼아(막내삼촌 이름)! 잘한다, 니 몇 살이고?"

아버님 목소리의 유일한 기억이다.

내가 초등학교에 입학했을 때의 일이다. 당시 우리 동네에 신작로가 생겼는데 학교 앞의 구(舊)도로는 인도로 변하고 차들은 신작로로 다니기 시작했다. 학교를 파하면 선생님이 아이들을 줄 세워 하나, 둘, 셋, 넷 구령을 붙이며 인솔하여 신작로와 구도로가 만나는 지점 횡단보도까지 데려다 주었는데, 중간쯤 가면 급장인 나에게 인계하고 선생님은 학교로 돌아가셨다.

그러던 어느 날, 구도로 길가에서 곡괭이를 들고 아버님이 땅을 파고 계시다가, 수건으로 땀을 닦으시며 "학교 갔다 오나?" 하셨다. 나는 쭈뼛거리며 대답을 하지 못하는 사이, 이내 하나 둘 셋 넷 하는 구령소리에 묻혀 버렸다.

'아버님이 왜 거기서 일하고 계시지? 우리 아버지는 공무원인데~.'

의아스러움과 아이들 보기에 괜히 부끄러운 생각이 들어 하교 때마다 나를 괴롭혔다.

얼마 후 할머니께서 같이 동사무소로 가자고 하셨다. 동사무소 앞에는 사람들이 줄을 서 있었는데, 할머니를 알아본 동사무소 직원이 옆으로 부르더니 아버님이 일하고 받아오신 전표를 받고 밀가루 포대를 내주었다.

아버님은 부산이 직할시가 될 무렵 사무관인 호적계장이셨는데 그 무렵 그만두시고 박정희 시대 국토개발 사업인가 할 때 그 일을 하셨던 것이다. 어린 마음에 시청 사무관을 하셨던 분이 아버님인데 그런 모습이 부끄러웠던 철없는 아이였던 것이다.

아버지와 외출했던 유일한 기억도 남아 있다.

초등학교 3~4학년쯤 어느 일요일 아버님은 같이 낚시를 가겠느냐고 물으셨다. 함께 동네 앞 바닷가로 갔다.

아버님은 낚싯대를 매시고, 나는 빈손이었다. 바닷가에 도착하여 자갈을 헤치고 대나무에 방울이 2개씩 달린 방울낚시 2개를 땅에 꽂아 주셨다.

방울이 울리면 얘기해라 하시며 아버님은 바닷물이 무릎까지 닿는 곳으로 걸어가셔서 낚싯대를 드리우고, 나는 바닷가에 앉아 방울이 울리기를 기다리고 있었다. 깜깜 무소식이었다. 해가 뉘엿뉘엿 서산으로 넘어갈 무렵 방울이 울렸다. 아버님은 재빨리 오시더니 낚싯줄을 낚아채셨다. 재빨리 낚싯줄을 끌어당기니 저만치 고기가 팔딱거리는 게 보였고, 어른 손바닥 2개 크기의 도다리가 잡혔다.

자갈 위에 던져진 도다리가 신기하여 그놈이 도망갈까 봐 지키고 있었는데, 하나 남은 방울이 또 울리기 시작했다. 이번엔 아버님이 오시기 전에 내가 낚아챘는데 아까보다 조금 작은 도다리가 걸렸다.

좀 멍청한 도다리였을까? 나는 도다리가 어떻게 생긴 생선이며 땅바닥에 붙어 산다는 것을 알았다. 살아 있는 도다리를 그때 처음 보았고, 그 후로도 본 적이 없다.

아버지와의 유일한 외출이었다.

도다리 2마리는 미역국을 끓여 가족들이 함께 먹었다.

아버님은 서울대 수의대 출신이셨다. 지금은 의사가 인기 있지만 조금 있으면 치과의사가 인기 있을 거고 그 다음엔 수의사가 더 인기 있을 거라고 말씀하셨는데 나는 그 당시 수의사가 뭔지 잘 몰랐다.

대학 졸업 후 아버지는 미국 유학을 보내달라고 할아버지께 말씀드렸으나, “사람 고치는 의사도 아니고, 소 돼지 고치는 게 무슨 의사라고 유학을 가노? 내 죽기 전에는 전답 팔아서 뭐 할 생각하지 마라."고 엄명을 내리셨고, 아버님은 생명공학을 공부하러 미국 가겠다던 꿈을 접으신 채 공무원이 되셨다.

나는 30년쯤 지난 후 생명공학이라는 얘기를 보도를 통해 들었다. 공무원이 된 아버님은 경남 의령군청 축산계장을 하셨고, 내부 사무관 승진시험에 합격하여 부산직할시청 호적계장으로 계시다가 퇴직하셨다.

어려서 몰랐지만 아버님을 생각하면 이 부분이 마음에 걸린다. 아버님은 청렴한 공무원이셨다. 누구나 자신의 가족을 좋게 평하겠지만 나는 아버지의 그런 면을 직접 보고 많은 사람들에게서 들으며 자랐다.

의령군청 축산계장 때는 도축(屠畜) 책임자로, 요즘도 호적계장이 있는지 모르지만, 부산시청 호적계장 때는 일제시대와 6.25를 겪으며 부역하거나 범법한 사람들의 호적 세탁 문제로 뇌물과 부당한 명령에 시달리신 듯하다.

축산계장 때는 뇌물로 들고 온 고기를 강가에 묻으셨고, 호적계장 때는 돈 보따리를 들고 출근하시는 모습을 내 눈으로 두 번 봤다. 케이크 상자 크기의 현금 보따리였다. 어머니는 고기를 이웃과 나눠 먹지 왜 강가에 묻느냐고, 돈 보따리를 어느 거 한 번은 그냥 쓰면 안 되느냐고 하며 여러 번 다투셨다.

퇴직하실 때는 두 분이 모두 상처를 입으신 듯, 어머니는 아이들 크는데 그 좋은 직장을 왜 그만두느냐고 하셨고, 아버님은 이런 썩은 풍토에서 더 일하기 싫다고 하셨다. 이런 갈등은 그 후 평생을 두 분의 앙금으로 남았고 집안 불행의 단초가 됐다.

생선과 '김치밥국' 이야기를 해야겠다.

왜 국밥이라 하는데 김치밥국이라 하는가? 아버님은 김치밥국을 좋아하셨다. 겨울에 김치밥국을 끓이면 잘 익은 김치에 커다란 멸치 2마리와 국수 몇 가닥이 보였다. 먼저 국수부터 후루룩 하고 국물을 들이키면 '아!' 군침이 돈다. 나는 멸치를 덜어냈는데, 아버님은 그걸 꼭꼭 씹어 흔적 없이 잡수셨다. 다른 생선도 어지간한 크기까지는 머리까지 씹으셔서 콩알만 하게 씹은 뼈만 남기셨다. 치아가 좋으셨던 듯하다.

김치밥국은 밥을 먼저 넣고 국을 부은 것이란다. 우스개로, 다른 국밥은 국에다 밥을 말아서 국밥이라 한다고 농담을 하셨다. 아버님은 술, 담배를 하지 않으셨고, 오징어를 무척 좋아하셨다. 정기적으로 오징어장수 아저씨가 우리 집을 방문할 정도로. 할머니는 울릉도 오징어를 한 축씩 사서 장독대에 숨겨두고 한 마리씩 구워 아버님께 드렸다.

'나는 누구인가? 인간은 어떤 존재인가?'

누구나 이런 질문을 해보았을 것이다. 청출어람(青出於藍)이란 말이 있지만, 나로서는 엄두도 못 낼 일이다.

안전제일주의 할아버지는 식사 때 한두 잔만 술을 드셨고, 담배 선물이 들어오면 풍년초로 바꿔서 양을 늘리셨다. 동물을 사랑하셨던 할아버지는 사람이 배은망덕하지 동물은 보살펴준 만큼 보답을 한다고 입버릇처럼 말씀하셨다. 땅에 대한 애착은 또 왜 그리 많으셨는지.

아버님은 과묵한 분이셨다. 일상적인 말씀 외에는 한 마디도 들어본 적이 없다. 나의 결혼식 날, "잘 살아야지." 이 한 마디 뿐이셨다.

지금 아버지를 추억하며 사랑한다고 말하는 것은 말씀 없이 실천하시고, 꿈을 접고도 누구에게 원망하지 않으신 점 때문이다. 젊어서 병을 얻어 길고 긴 고통의 세월을 보내시다 돌아가신 점도 안타깝다. 이런 일들이 아버님을 그립게 하고, 나를 부끄럽게 만들기 때문에 더 늦기 전에 기억을 정리해 두려는 것이다.

오, 사랑하는 나의 아버지!

먼저 가신 할아버지는 만나 뵈었습니까? 예전의 회포는 푸셨는지요? 어려운 이웃을 돕고, 은혜에 보답하라는 당신의 가르침을 실천하겠습니다. 거기는 부당한 압력이나 뇌물은 없으시죠? 아이들 키울 걱정에 부담을 드렸던 어머니를 이해하시고 용서하셨습니까? 울릉도 오징어, 생각이 나시는지요?

저도 어느덧 환갑이 넘었습니다. 훗날 만나 뵈면 다함없이 사랑한다고 말씀드리겠습니다. 이 책을 완성하고 제 나름의 삶을 정리할 수 있도록 도와주십시오. 오, 사랑하는 나의 아버지! 영면하소서!

할머니의 카레라이스

할머니가 돌아가신 지 40년이 됐는데, 요즘 음식을 앞에 두고 앉으면 자주 할머니 생각이 난다. 나는 공무원이셨던 아버님의 전근 문제로 할머니 손에서 컸는데, 가장 먼저 떠오르는 음식은 코다리무조림이다. 무를 큼지막하게 썰어 간장 양념을 하고 그 위에 코다리 몇 토막을 얹어서 졸인 음식인데, 달콤짭조름한 무와 쫄깃한 코다리의 식감이 일품이었다.

나는 생선 중에서 명태와 가자미를 좋아하는데, 그 이유가 좀 특별하다. 초등학교 시절 우리 동네에 부산대학교에 다니는 7촌 아저씨가 살고 있었는데, 저녁 먹고 공부하러 그 댁에 다녔다, 아저씨의 후각은 역대 급이었다. 갈치나 고등어 같은 생선을 먹고 가면 용케 알아보고 양치질하고 오라고 불호령이었다. 그런데 어느 날 명태를 먹고 가니 아무 말씀이 없었다. 결국 나는 비린내 적게 나는 생선으로 선호도가 굳어진 듯하다.

우리 집에 말린 생선을 팔려고 정기적으로 찾아오는 아저씨가 있었다. 동해안에서 배를 타는 선원인데, 직접 잡아 배 위에서 말린 생선을 들고 왔다. 할머니는 그 아저씨에게 아버지가 좋아하는 울릉도 오징어와 내가 좋아하는 코다리를 정기적으로 사주셨다. 그 아저씨의 생선은 깨끗했고, 해풍에 말려서 그런지 맛도 좋았다.

이렇게 특별한 재료와 할머니의 정성이 더해진 음식이니 얼마나 맛이 있었겠는가.

요즘도 그때 생각이 나서 코다리 찜을 하는 식당에 가는데 동태를 그대로 썼는지 쫄깃한 맛은 전혀 없고 대, 중, 소로 값을 매겨 1인분은 팔지도 않기에 더욱 아쉽다.

드디어 오늘의 주인공 카레라이스 얘기다.

어느 날 할머니가 "오늘 학교 갔다 오면 맛있는 거 해줄게." 라고 말씀하셔서 수업을 마치고 집으로 뛰어갔다. 그날은 밥을 밥그릇이 아닌 대접에 퍼서 상 위에 올려놓았는데 밥상 옆에 커다란 냄비가 있었다. 뚜껑을 여니까 노란 죽처럼 생긴, 처음 보는 음식이었다. 콩알만 하게 썬 감자와 당근이 들어 있고 간간이 돼지고기도 보였다.

"이게 뭡니꺼?"

"가래라더라."

"가래예?"

"아이고, 가래."라고 가에 액센트를 줘서 다시 말씀하시던 할머니가 대접에 담은 밥 위에 커다란 국자로 2번을 퍼주셔서 나는 숟가락으로 밥과 섞었다. 처음 먹어보는 음식이니 비교할 맛도 없었고, 맛있는 죽이라 생각되었다.

나는 그 음식이 '카레라이스'라는 것을 고등학교 때 친구 집에 가서 먹어보고 알게 됐는데, 내가 초등학교 4~5학년 때의 일이니 한국에는 카레가 없었고, 아마 일본 카레를 누구에게서 얻어 만들어 주셨던 것 같다. 할머니가 '카' 발음을 못하셔서 그랬는지, 전해주는 분이 잘못 말했는지는 확인할 길이 없고, 오랜 기간 '카레'만 보면 '가래'가 떠올라 피식피식 웃곤 했다.

카레를 잘 먹으니 할머니는 반찬 걱정을 덜고, 큰 냄비에 가득 끓여 두시면 석유풍로에 데워 며칠씩 먹었는데, 2~3일 연속으로 먹으면 물려서 냄비를 열고 얼마나 남았는지 확인을 해볼 정도였다.

며칠 전 초등학생 형제가 라면을 끓여 먹으려다 화상을 입었다는 뉴스를 보면서 카레를 데우려고 동생과 성냥불을 켜서 돌돌 만 신문지에 불을 붙여 용수철처럼 생긴 석유풍로의 손잡이를 들고 심지에 불을 붙이던 기억이 나서 안타깝고 씁쓸했다.

군대를 갔는데 군에서도 한 달에 한두 번 카레 메뉴가 있었다. 나는 주특기가 일반 행정이라 인사과 서무계였는데 취사병들이 배식구로 날 쳐다보고, 아예 국물은 없이 고기와 건더기만 식판에 가득 담아줘서 그것만 먹어도 배가 불렀다. 시쳇말로 끗발(?) 있는 병사로 보였기 때문일까? 인사과 서무계는 휴가, 출장 등을 담당하는 병사인데, 요즘 어느 장관 아들의 휴가 문제가 떠들썩한 걸 보며 웃음이 나온다.

정기휴가라도 휴가를 가려면 휴가명령서를 기안하여 인사과 선임하사, 인사과장 결재를 차례로 거쳐 대대장까지 결재가 나야 하는데, 어디 상급부대 대위가 와서 전화로도 연장이 가능하다고? 우스운 얘기다. 여기가 어디 당나라 군대인가? 카투사는 어떤지 몰라도, 요즘 군대가 어떻게 바뀌었는지 몰라도 말이 안 된다. 매일 아침저녁으로 점호를 하며 인원 보고를 하는데, 병사가 내무반에 없는데도 그 이유를 부대가 모른다면 어떻게 조직이 운영되겠는가? 인사과 사무실에서 야근을 해도 야근신청서를 본부중대에 미리 제출해야 점호를 빠질 수 있었다.

할머니는 나를 끔찍이도 좋아하셨다.

'아이구 내 새끼'라고 부르시며, 겨울이 되면 인삼을 썰어 유리병에 담아 꿀을 부어 부뚜막에 두고는 하루에 두 번 그것을 떠주셨다. 그런데 꿀을 많이 퍼주시면 좋으련만, 인삼을 위주로 꿀은 가에 약간 묻을 정도로 떠주셨는데, 어떻게 그런 기술이 있으셨는지 모르겠다.

6학년이 되었다. 우리 때는 중학교도 시험 치러서 갈 때라 저녁 먹고 난 후 밤 11시까지 공부를 했던 기억이 난다. 그러던 어느 날 밤 10시쯤 됐는데 할머니가 뭘 하나 주시며 마시라고 했다. "이게 피로회복에 좋단다." 하시기에, 병 라벨을 보니 박카스였다. 누구에게서 그런 말을 들으셨는지 모르지만 할머니는 속바지 주머니에 꽁꽁 숨겨두었던 용돈으로 박카스를 한 박스씩 사서 어디에 숨겨 두고 매일 한 병씩 주셨던 것이다. 나는 박카스가 음료수인 줄 알았다. 맛은 있는데 양이 적어 좀 많았으면 좋겠다는 생각을 했고, 밤 9시가 넘으면 은근히 기다리는 버릇도 생겼다.

오늘이 본격적인 가을이 시작된다는 추분인데, 한참을 할머니 생각에 잠기다 보니 초등학교 시절까지 돌아간 듯하다.

결혼을 하고 나서 어느 주말, 아내가 카레라이스를 만들어 줬다. 밥상을 보고 피식 웃으니 아내가 물었다.

"왜 맛이 없습니까?"

"아니."

"그러면 왜 웃습니까?"

나는 할머니의 카레라이스 얘기는 하지 않았다.

경상도 해안가에서는 제사 때 생선을 많이 쓴다.

고등어, 갈치 같은 비늘 없는 생선은 쓰지 않는다. 명절이 가까이 오면 미리 생선을 사서 빨랫줄에 걸어 며칠 말렸다가 쪄서 제상에 올리는데, 그 중 최고의 맛은 가자미였다. 젓가락으로 가운데 줄을 벌리면 두 쪽으로 길게 발려 나오는 하얀 속살, 할머니는 가자미를 한 마리만 할아버지 드리고 나머지는 모두 나에게만 주셨다. 며칠 지나서는 찐 생선을 프라이팬에 한 번 더 구워서 주셨는데, 아~ 그 맛!

그것뿐만 아니었다. 우리 집이 좀 사는 편이었지만 쇠고기는 정말 귀했다. 문어, 상어 등과 섞인 산적 접시가 상에 올라오면 동생과 나는 몇 점 없는 쇠고기 산적을 찾느라 젓가락으로 보물찾기하듯 했는데, 할머니는 쇠고기 산적만 담은 작은 접시를 슬그머니 올려 주셨다.

고등학교 입시 날, 주먹밥을 싸들고 오셔서 하루 종일 추운 날씨에 기다리시던 할머니, 할머니는 내가 사회생활을 시작하는 것도 보지 못하고 돌아가셨다.

나는 임종을 지켰고, 할머니 은혜에 보답할 방법을 찾다가 묘지 비석을 쓰기로 작정하여 연습을 시작했고, 한글 고체를 변형한 한글 비문을 완성하여 부산 기장군 대정공원 사무실로 찾아가 비석을 그 글씨로 해줄 것을 요청하여, 전부 한자로 된 비석 중 할아버지와 할머니 단 2기의 비석만 한글로 된 글씨라 멀리서도 금방 찾을 수 있었다.

곧 추석인데 가자미도, 쇠고기 산적도 챙겨줄 사람이 없다. 세월이 흘러 공원묘지의 임차 기간도 30년으로 끝나서 화장을 했다.

'할머니, 편히 영면하소서. 거기는 카레라이스 없죠?'

갈라먹으면 감사 되고, 얻어먹으면 어사 된다

돌아가신 할머니께서 밥상머리에서 자주 하시던 말씀이다.

이 말을 처음 들었을 때 할머니께 물어보았다.

"감사가 뭐에요?"

"평양감사라 캤지 아마?"

(사실은 평안감사가 맞는 말이다.)

"어사는요?"

"그거 안 있나, 암행어사!"

"남의 것 얻어먹는데 암행어사가 되다니요?"

"아이다, 우째 남의 거고? 먹는 음식이 니 꺼 내 꺼가 어디 있노?"

이 말이 할머니가 만든 말은 아닌 것 같은데 조선시대부터 있었을까? 나이가 들면서 자주 할머니 생각이 난다. 나를 가장 사랑해 주셨던 분이다. 내가 가장 사랑한 사람은 누구일까? 선뜻 답이 떠오르지 않는 것은 무슨 까닭일까?

국어사전에 보면 거지란 '남에게 빌어먹고 사는 사람'이라고 나온다. 내가 어릴 적 우리 동네에는 거지라고 불리는 사람이 몇 명 있었다. 그들은 밥을 얻으러 다녔다. 주로 저녁에 해가 지면 집집마다 돌며 밥이며 김치를 얻어 갔다. 어떤 사람은 "밥 좀 주슈~" 하는 구성진(?) 소리를 하기도 했다. 그 중의 한 명, 40대로 보이는 아주머니였는데 그녀는 아무 말 없이 소쿠리를 들고 우리 집으로 들어와 마당을 가로질러 부엌문(정지문) 앞에 선다. 할머니는 그녀의 소쿠리에 밥과 김치, 다른 반찬도 조금 담아주셨다.

그녀는 목례만 하고 종종걸음으로 사라졌다. 어디로 가는 것일까? 가족들은 있었을까? 겨울의 그 추운 날씨에 밥을 어디서 데워 먹었을까? 그냥 보기엔 그녀가 거지같지 않았다. 차림새가 좀 남루하기는 했지만. 할머니는 한 번도 거지라는 말씀을 하지 않으셨다. 그녀를 귀찮게 여기거나 그 어떤 말씀도 않으시고 때가 되면 찾아오는 손님처럼 대하셨다. 어떤 때는 식구의 밥 외에 별도로 한 그릇 담아 두셨다가 주기도 했다. 그녀는 어사가 되었을까?

50년이 넘은 이야기니 확률적으로 돌아가셨겠지만, 어떤 인생을 살았을지? 요즘은 거지가 없다. 아니 밥을 얻으러 다니는 거지는 없다는 게 맞는 말일 듯하다. 음식을 얻어먹는 게 구걸일까 하는 생각을 해본다.

원시인류는 수렵과 채취로 살았다. 그 후 사냥하던 동물은 가축으로 사육하고 채취하던 야생의 식물은 재배하여 인류의 양식이 되었다.

수렵과 채취를 통해 얻은 음식물은 공동체가 골고루 나눠 먹었다. 아프리카나 아직 원시생활을 하는 사람들도 똑같은 생활을 하는 모습을 우리는 텔레비전을 를 통해서 본다.

신이 있다고 가정할 때 음식물은 신이 주신 공동의 선물이지 어느 개인의 전유물이 아닐 것이고, 능력이 모자라거나 기회를 놓쳐 남에게 얻어먹더라도 그건 구걸이 아니라 나눔의 권리가 아닐까? 예를 들어 공기가 지구에 생존하는 모든 인류와 동식물의 공동재산이지 어느 힘 있는 자의 전유물이 될 수는 없지 않을까? 신이, 자연이 준 선물을 나눠야 한다는 생각, 그것이 인류가 지녀야 할 소명이 아닐까?

고시레와 까치밥

고시레(고수레)라는 풍습이 있다. 음식을 먹기 전에 일부러 떼어 버리면서 "고시레."라고 말하는 것인데, 들녘에서 일할 때 고씨 성의 노파가 나타나서 그녀에게 주려는 것이었다거나, 굿을 할 때 액운을 쫓기 위한 것이라는 등의 유래가 있으나 정확한 의미는 모르겠다. 이것이 미신이든 민간신앙이든 음식을 먹기 전에 누구와 나누려는(사람이든 귀신이든) 의도가 있었던 것으로 보인다.

까치밥도 날짐승인 까치가 먹으라고 남겨둔 것인지, 이듬해에는 더 많이 열리라는 기원의 의미인지, 둘의 의미가 같이 있다 하더라도 자연에서 얻은 음식을 자연과 나누려는 의미는 확실한 듯하다.

이런 일도 있었다. 제사가 있는 날, 제사가 끝나면 제상을 파할 때 할머니는 도화지 한 장에 밥과 떡, 전 한두 개, 나물 조금, 생선머리 하나, 이렇게 흰 종이에 차려 대문밖에 가져다 놓으라고 하셨다. 대문 바로 옆이 아니라 조금 떨어진 담벼락에.

나는 영문도 모르고 시키는 대로 하면서 이런 생각이 들었다. '조상님이 와서 잡수시라고?' '거지가 가져가라고?' '길고양이나 강아지 먹으라고?' 이런 생각을 했으나 물어보지는 않았다

이 글을 쓰면서 검색해보니 찾을 수가 없었다. 이런 행위를 뭐라고 하는지, 다른 곳에서도 이런 풍습이 있었는지? 하여간 우리 조상들은 음식에 대해 영양 섭취 외에 어떤 철학을 가지고 있었던 것은 분명하게 느껴진다. 요즘도 이사를 했거나, 개업을 했을 때 이웃집에 떡을 돌리지 않는가?

기독교인들이 음식을 앞에 놓고 기도하듯이, 불교인들이 합장을 하며 고마움을 표하듯이 생명을 지켜주고 병을 예방하거나 고쳐주는 음식을 먹을 때도 잠시 생각을 해보자. 신의 섭리와 농부, 어부, 축산인들의 노고에 대해, 그리고 어려운 이웃에 대해, 동물과 자연에 대해.

요즘은 거지도 없고, 코로나로 누구와 밥 먹기도 망설여지는 시절이지만, 추운 겨울에 따뜻한 음식을 놓고 나눔과 배려를 생각해보는 계기가 됐으면 좋겠다.

서럽도록 착한 이웃

필자의 고향은 부산이다. 해운대, 광안리, 송도, 태종대, 금정산 등 명소가 많지만 가장 그립고 추억이 많은 곳은 자갈치시장이다. 자갈치는 자갈 해변이었단다. 성곽의 '치'처럼 약간 튀어 나온 지형. 자갈치 해변을 매립하여 해안도로를 만들고, 이 도로를 따라 자갈치시장이 형성되었다. 비릿한 냄새와 질척거리는 길, 갈매기가 날고, 길 양편으로는 노점상이 즐비하다.

곰장어와 고래 고기, 전복 회 정식 등을 처음 먹어본 곳이다. 연탄불에 구멍 난 철판을 올리고 산 곰장어와 양파 대파를 고추장 양념에 버무려 올려놓으면 산 곰장어의 마지막 발악이 시작되고, 곰장어의 발악이 잠잠해지면 소주 파티가 시작된다. 고래 고기는 삼괭이라는 고래 비슷한 고기와 돌고래를 섞어 주는데, 진짜 고래 고기는 맛있다. 쇠고기 맛이 나는 살코기와 아삭아삭한 비계, 껍질은 검고 쫄깃하며 꼬들꼬들하다.

자갈치시장은 충무동 공동어시장에서 영도다리까지 이어지는데, 언제나 활기 넘치고, 삶의 애환이 느껴지며 비릿한 갯내음과 이를 내려다보며 유유히 나는 갈매기가 어우러진다. 찬바람 불기 시작하면 소주 한 잔에 곰장어, 캬~! 그립다.

공판장에서 경매가 끝나면 리어카로, 지게로 생선을 날라 해변 쪽 노점상에 차려진다. 하루 종일 생선을 다듬고 손님들과 흥정하는 장면, 활어는 활어배로 실어와 시장 가운데의 건물 수족관에서 손님을 기다린다.

절친 류주형과 자주 찾았던 곳이 자갈치시장이다. 친구들과 약속이 잡히면 오후에 충무동 공동어시장으로 가서 이런 풍경을 보며 낮게 나는 갈매기들의 환영 속에 영도다리까지 걷고 돌아오면 해가 기울고, 담벼락 노천 곰장어 가게는 아주머니들의 분주한 움직임으로 노천식당이 차려지는 것이다.

자갈치에 나가면 자주 마주치는 사람이 있었다. 허름한 점퍼 차림에 오래된 골동품 같은 카메라를 메고 사진을 찍는 중년의 아저씨. 자갈치에 두 번 가면 한 번은 마주치는 그는 늘 무표정했고, 열심히 사진을 찍고 있었다. 좌판의 생선과 지게꾼, 볕을 쬐는 노인, 흥정하는 광경 등 나는 의아하게 생각했다.

'부산에 경치 좋은 곳이 많은데, 왜 하필 이런 곳에서 사진을 찍지?'

여러 번 마주쳤지만 모르는 사이였고, 인사도 없었다.

시간이 흘러 가을이 왔고 내 서예 스승님의 전시회 일정이 잡혔다. 당시 부산의 최고 화랑은 광복동 한복한의 구(舊)미화당백화점 자리에 신축한 건물의 로타리화랑. 부산은 화랑의 숫자도 적었거니와 화랑다운 곳은 로타리화랑밖에 없었던 시절이었다. 나는 서예학원 총무여서 화랑을 찾아가 대관 계약을 했고, 전시회가 오픈하는 날이 되었다.

로타리화랑의 대표는 60대의 화가로 말 그림에 일가견이 있는 분이었다. 활기차게 뛰는 역동적인 말 그림, 또 생각나는 게 그분의 둘째 아들이 나와 비슷한 연배였는데 사업한다고 아버지를 졸라 햄버거 자판기를 만들었는데, 한국에 맥도날드도 들어오기 전이라 보기 좋게 망했다. 후일 그 아들이 탤런트 정애리와 결혼했다고 신문에 났는데 이후 어찌됐는지 모르겠다.

화랑 입구에 〈묵해 김용옥 서도전〉이란 타이틀을 걸고 전시회를 시작하는 날, 반대편 기둥에 〈최민식 사진전-서럽도록 착한 이웃〉이란 글씨가 붙어 있었다. 화랑 전시실 입구에 도착하니 그 사진전이 열리는 곳이 서예전 전시실 바로 옆의 홀이었고, 자갈치에서 자주 봤던 그 중년의 아저씨가 양복을 입고 손님을 맞고 있었다.

사진전을 둘러보았다. 거의가 흑백 사진이고, 상당 부분이 자갈치시장 풍경이었다. 좌판에 진열된 생선, 지게꾼 아저씨, 흥정하는 주인과 손님, 담벼락에서 햇볕을 쬐는 할머니……다들 깊이 주름이 팬 얼굴에 검게 탄 피부, 듬성듬성한 반백의 머리, 야위었고 힘이 없어 보이는 멍한 표정들. '아~이런 모습들도 사진이 되는구나.' 하는 느낌이 들었다.

그 아저씨는 사진작가 최민식 선생이었다. 고물로 보였던 그 카메라는 최고의 명품 카메라 독일제 '라이카'였고, 그가 문화훈장과 부산문화대상을 받은 유명한 사진작가임을 알게 된 것은 한참 세월이 흐른 뒤였다. 이 글을 쓰려고 검색해보니 선생은 2013년 돌아가신 걸로 나온다. 명복을 빌어 드리고, 그 후로도 광복동 남포동 길에서 자주 마주친 선생께 인사드리지 못한 게 아쉽고 부끄럽다.

서럽도록 착한 이웃, 얼마나 정겨운 말인가?

그의 작품 속에 있는 인물들의 표정, 분위기, 애환, 고달픔, 서러움이 느껴진다. 그런데 그 사진 속에서 보았던 얼굴들이 지금의 나의 모습과 닮은 듯싶어 씁쓸하다.

서럽도록 착한 이웃이 아니라 '서럽지만 별로 착하지 않게 살아오다 늙어가는 어느 이웃'이라 표현하면 될 것 같은 지금의 내 모습이랄까? 아주 딴 세상의 사람들로 보였던 사진 속의 인물들이 지금의 나의 모습, 이런 사실이 서러운 것은 아닐까? 세월은 그런 것이다.

어릴 적 집에 대사가 있으면 꼭 참석하는 사람이 있었다. 깡마른 체격에 검은 피부, 소아마비를 앓아 몸이 불편한 분이었다. 할머니가 돌아가셨을 때 그분이 또 오셨다. 그런데 늘 조용히 있다가 가시던 그분이 그날은 "형님들, 이건 그렇게 하는 게 아니고요, 이렇게~ 이렇게 하는 겁니다." 하면서 큰소리를 질렀다. 아버님 형제들보다 연하인 분이 소리를 지르기에 의아했는데, 그분이 가시고 난 후 어머니께 물었다.

"그 아저씨 누굽니까?"

"너그 할머니 언니의 아들이다. 그러니까 이모 장례식에 온 거지."

"뭐하는 분입니까?"

"어릴 때 소아마비가 걸려 엄마가 업고 국민학교 5학년까진가 다녔다던데 똑똑해서 신문사 다닌다던가?"

그러던 중 한 번은 집에 찾아와서, 자신의 딸이 이번에 여상을 졸업하는데 내가 다니는 회사에 원서를 넣었으니 되면 잘 부탁한다는 말씀을 하셨다. 그렇게 아저씨의 딸 동화가 우리 회사에 입사하고, 나는 같은 건물의 부서로 오게 하여 자주 만나는 사이가 됐다.

아저씨가 포장마차를 열었다. 부산의 용두산 아래 광복동 길이 있고, 그 다음이 남포동길, 해변 쪽이 자갈치길이다. 퇴근하면 남포동을 거쳐 집으로 가야 하기에, 참새가 방앗간 앞을 그냥 지나치지 못하듯 자주 아저씨 내외가 하는 포장마차 '양산박'에 들렀다. 하루는 '양산박'에 들러 아주머니가 데쳐주신 오징어를 초고추장에 찍어 먹으며 소주를 마시고 있는데 누가 와서 인사를 했다.

"아이쿠 형님, 오랜만입니다. 잘 계셨습니까? 건강하시지예?"

인사를 받은 아저씨가 내게 말했다.

"한 소장, 인사해라. 소설 쓰는 이문열 선생이다."

그렇게 이문열 작가와 만났다. 술을 한 잔씩 하다가 서로 합석을 하게 됐고, 밤 11시쯤 우리는 이문열 작가의 제안에 따라 인근 건물의 술집으로 2차를 가게 됐다. 이문열 작가는 해박한 분이었다. 어떤 분야든 말이 나오면 즉시 줄~줄 해설과 견해를 표명했다. 후덕한 인상에 해박한 지식, 대화의 매너까지, 30대 중반의 이문열 작가는 그런 인상으로 기억된다.

집안 아저씨의 존함은 윤진상. 〈막힌 곳을 뚫습니다〉, 〈영혼의 나신〉 등을 발표한 소설가다. 1980년대에는 작가 김주영과 같이 신문에 소개되기도 했는데, 작가로서의 위상은 잘 모르겠고, 부산시 문화상을 받았으며 팔순이 넘은 지금도 활동하시는 듯하다. 오래오래 건강하게 사시기를 빌어드린다.

나는 경남 통영에서 유치원을 다녔다. 문화유치원, 우리 때 유치원을 다니는 건 드문 일이었는데, 농협에 입사한 삼촌이 진급하여 지방 근무를 하게 되자 할머니가 아들 밥해주러 가시면서 나를 데리고 가셨던 것이다. 요즘은 이런 일이 없으니 생소한 느낌이다.

통영은 유치원을 다니면서 정이 들어 제 2의 고향처럼 느껴지는 아름다운 고장이다. 해안선이 아름답고, 많은 예술인들의 고향이며, 임진왜란 때 12공방이 있었던 관계로 나전칠기, 소목, 갓… 장석 등 전통 공예품 장인들도 많았다.

사업을 하던 중 쉬게 된 시절이 있었는데, 어릴 적 지냈던 통영 생각이 났다. 두어 권 책을 넣은 가방을 메고 다시 찾은 통영의 시가지는 별로 변하지 않은 모습이었다. 가는 날이 하필 충무비치호텔 개관하는 날이라 첫 손님으로 하룻밤을 자고 길을 나섰다. 제법 긴 시간을 있어야 하는데 그냥 허송세월할 수는 없다고 판단하여 할 일을 찾기 위해서였다.

통영 시내 한복판 항남동에 등나무 가구점이 있어서 들어가 구경하다가, 가게 기둥에 붙어 있는 '판화연구소'라는 글씨를 발견하고 뭐하는 곳이냐고 물었더니 2층에 올라가 보라고 했다. 거기서 만난 전영근이라는 젊은 친구, 도수 높은 안경에 선량하게 생긴 인상이었는데, 등나무 가구점에서 나무계단을 통해 2층으로 올라가니 그는 벽을 보고 열심히 작업 중이었다.

동판화를 위해 구리판을 잘라 모서리를 줄로 다듬은 후 밑그림을 그리고 파라핀을 발라 염산에 넣으면 나머지 부분이 부식되고, 그림이 나타나면 롤러로 물감을 바르고 찍어내는 작업이었다. 사업을 쉬게 되었으니 데생이나 좀 배워볼까 하는 생각으로 찾아갔는데, 작업을 마친 그는 나에게 물었다.

"저~기 선생님, 통영에 좀 계실 겁니까?"

"네~ 당분간 여기서 좀 지내려고요."

"초면에 실례지만 제가 부탁 하나 드려도 될까요?"

"무슨 부탁인지?"

"보시다시피 판화 작업은 힘이 듭니다. 동판 손질하는 데 힘을 쓰고 나면 그림 그리고 다른 작업할 때 손이 떨려서…그동안 조수를 한 명 썼는데 지금은 그럴 형편이 안 돼서 말입니다."

그는 나에게 조수가 하던 일을 좀 해달라고 부탁하는 것이었다. 데생은 무료로 가르쳐 주고 점심 제공과 약간의 수고비도 주겠다면서~. 잠시 생각하다가 할 일도 없는데 잘 됐다 싶어 그의 제안을 수락하고, 나는 다음 날부터 화실에 출근하여 조수 일을 하고 데생 연습도 했다.

그는 어렵게 조수 일을 해달라고 부탁했고, 나는 타지에서 할 일을 찾아야 했으니 서로의 욕구가 맞아 떨어진 셈이었다.

얘기가 끝나고, 그는 밥을 사겠다고 했다. 그를 따라간 곳, 통영 한복판의 성광호텔 뒷골목 간판도 없는 어느 가게, 문을 열고 들어가니 주인이 반긴다. 단골집인 듯, 뭘 시킬 건지 묻지도 않고 소주 마실 건가만 물었다.

얼마 후 차려진 밥상, 뚝배기였다. 식당에서 돌솥밥으로 쓰는 것보다 조금 큰 뚝배기에는 해물이 수북이 들어 있었다. 꽃게, 고둥, 조개, 홍합, 오징어 등 정확한 가짓수는 기억나지 않는다. 된장을 베이스로 한 것 같은데 당시만 해도 나의 음식에 대한 상식이 모자라 정확한 재료의 구분이 불가능했다. 맛있고, 특별했다. 통영의 해산물이 싱싱하니 특별히 양념하지 않아도 맛이 있는 건 당연한 일.

뚝배기 해물탕집 맞은편에는 백반집이 서너 곳 줄지어 있었는데 거기도 특이했다. 예를 들어 우럭을 시키면 회 한 접시, 구이 한 마리, 매운탕 한 냄비를 준다. 생선회와 구이와 매운탕을 한꺼번에 맛볼 수 있는 곳이었다. 통영을 생각하면 아름다운 해안선과 이 두 곳의 음식이 떠오른다.

그리하여 생각지도 못한 통영 생활이 시작됐는데, 내가 서예를 제법 오래 한 것을 알고, 그는 나에게 서예를 배울 학생들을 보내주었다. 학교 선생, 군청 공무원 등 6~7명이 저녁마다 나의 자취방으로 왔고, 나는 판화가의 조수로, 서예 가르치는 강사로, 문화인들의 사랑방처럼 화실에 모여드는 사람들과의 소주 파티로 1년여의 재미있는 생활을 하다가 큰 아이가 입학한다는 소식을 듣고 부산으로 돌아갔다.

통영에서 서예를 가르치던 중 배우러 온 전영근의 친구로부터 그의 아버지가 유명한 서양화가 전혁림 화백이라는 말을 들었다. 전영근은 그런 내색조차 하지 않았던 것이다.

몇 달이 흐른 어느 날 전영근이 자기네 집에 같이 가자고 말했고 따라 나섰다.

주택가 골목길을 따라 언덕으로 조금 올라가자 푸른색 철 대문이 나왔고, 대문을 여니 시멘트 바닥의 마당, 집은 조용했다. 본채가 있었고, 왼쪽으로 아래채가 있었는데, 아래채 가운데의 창고로 보이는 문을 열자 한 노인이 그림을 그리고 있었다. 서쪽 창문으로 들어온 햇살이 비치고, 한쪽에는 완성된 작품들이 놓여 있었는데 다들 엄청 큰 작품들이었다.

노인이 그리고 있는 그림을 본 첫 느낌은 루오의 그림 같은 강렬한 터치, 오방색을 닮은 전통 문양의 색채, 이 두 가지의 기억으로 남아 있다. 전혁림 화백은 일제 때 통영수전을 다니다가 그의 재주를 알아본 일본인 교수의 제안으로 화가가 된 걸로 알고 있다. 1회 국전 국무총리상, 은관문화훈장 등을 받았고 2010년 타계하신 걸로 나온다. 내가 본 우리나라 서양화 중에서는 가장 강렬한 인상을 받은 대작이었고, 오랫동안 여운이 남는 작품이었다. 선생이 돌아가신 후 통영에 전혁림미술관이 세워졌다는데 아직 가보지는 못했다.

우리는 살아가면서 이웃을 만난다.

우연히 만나든, 찾아가든. 이사를 가서든 만나게 되는데, 부산의 자갈치시장에서 만났던 사진작가 최민식, 집안 아저씨를 찾아와서 만났던 소설가 이문열, 사업을 쉬면서 찾아간 통영에서 만난 전영근의 아버지 전혁림 화백, 세 분은 모두 일생에 한 번 직접 만나기도 어려운 분들인데, 내가 운이 좋았던 모양이다.

사람을 만나면 대부분 음식이 함께 기억된다.

그만큼 사람과 음식은 밀접한 관계를 가진 것이리라. 자갈치시장의 곰장어, 남포동 포장마차 '양산박'의 삶은 오징어, 통영의 해물뚝배기… 이 중에서 지금 계절로 봐서 가장 기억에 남는 것은 해물뚝배기다.

해물탕 먹으려면 몇 만 원 드는데, 미리 뚝배기에 끓여 두었다가 홍합이나 오징어 등 빨리 익는 것들만 나중에 넣어 끓여 내면 충분히 사업성도 있을 아이템이다. 단 신선한 해산물을 공급받을 수 있는 조건이 돼야 가능할 것이다.

젊은 시절 활기찬 삶의 모습을 찾아다니다가 서럽도록 착한 이웃들의 사진을 보았고, 이문열 작가의 〈사람의 아들〉을 읽고, 한국소설을 한 번 읽고 이해가 잘 안 되어 번민하던 차에 이문열 작가를 만났고, 통영에서 데생을 배우려고 갔다가 전혁림 화백의 아들을 만났다.

인생은 참으로 의외성이 많다. 늘 사람을 만날 때 최대한의 성의와 예우를 갖춰야 할 것이다.

오늘 소개한 세 분과의 만남은 그분들이 해당 분야 국내 최고의 경지에 있었음에도 나는 제대로 알아보지 못했고, 자갈치 시장에서 만난 햇볕 쬐는 노인들은 나와 관계없는 타인처럼 생각하고 관심이 없었던 것이다.

이웃은 소중하다. 이웃의 모습은 음식과도 겹쳐진다.

나와 별 관계가 없어 보여도 달리 생각하면 우리의 모습이고, 나이 들어 늙으면 우리도 그렇게 된다. 이웃과의 관계에서 삶이 이루어지는데, 코로나로 사람을 만나기 어렵고, 날씨가 추워지니 '서럽도록 착한 이웃들'이 생각난다.

이웃을 배려하고, 어려운 이웃이 있으면 기꺼이 도와야 한다. 종교적인 의미를 떠나서라도 그들은 우리의 또 다른 모습이며, 다들 지금의 세상이 있게 한 보이지 않는 공로가 있을 것이다. 오늘 소개한 세 분 중 타계하신 두 분의 명복을 빌어

드리고, 이문열 작가와 소설가 윤진상 아저씨, 건강하게 오래 오래 사시기를 기원한다.

바다가 그립다. 부산과 통영의 남해 바다. 곰장어와 삶은 오징어와 해물탕에 소주 한 잔 생각난다. 뚝배기 해물탕집이 서울에 생기면 대박이 날 텐데…오늘도 음식의 신세계를 꿈꾸며 겨울옷을 꺼내다가 내가 아는 모든 이웃들의 건강을 기원한다.

나만의 음식을 그리다

새벽 5시면 고양이 세수를 하고 집을 나선다. 벌써 5개월째 승냥이 아줌마를 만나기 위해서다. 새벽부터 무슨 데이트냐고? 아니다. 아침밥을 먹기 위해서다.

행인들도 없고 차들만 쌩쌩 달리는 어둑어둑한 길, 골목으로 들어서면 길 바닥에 '여성 안심 귀갓길'이라 씌어 있고 20미터쯤 가면 승냥분식이 나온다. 승냥이 아줌마가 기다리는 곳이다. 새벽 4시면 나와서 아침밥 준비를 마치고.

승냥이 아줌마를 찾아오는 사람들은 대부분 근처 공사장에서 일하는 사람들이다. 나는 글을 쓰면서 밤을 새거나 2~3시쯤 잠들었다가 깨어난 상태다. 쌀밥 한 공기에 간고등어 구이 한 토막, 계란 후라이 1개, 중국산 김치…이 셋은 고정이다.

국은 미역국, 무국. 우거지된장국이 번갈아 나온다. 똑같은 메뉴를 5개월 동안 먹고 있으니 물릴 만도 한데 그렇지 않다. 새벽이 오면 가서 먹고 싶다. 그녀가 음식을 잘해서일까? 꼭 그런 것도 아니고, 간이 일정하게 딱 맞는 음식이라는 게 옳은 표현이겠다.

며칠 전의 일이다. 그날따라 자리가 없어 계단 3개를 올라가서 앉았는데, 옆자리에 웬 젊은 남녀가 밥을 먹으며 소주를 2병째 시키는 것이었다. 새벽부터 술을 마시는 게 의아하여 곁눈질로 보는데 둘은 한창 얘기 중이었다. 제빵 동아리를 같이 하는지, 주로 케이크 이야기를 하고 있었다. 여자는 대학 2~3학년쯤, 남자는 2~3살 많아 보였다.

어떤 케이크가 맛있더라, 바나나를 갈아 넣은 게 좋았다, 시나몬 가루를 뿌린 게 더 나았다는 등의 얘기를 하더니 남자가 말했다.

"나 서른네 살에 결혼할 거다."

"누구랑?"

"공무원 하는 여자랑."

"왜?"

"내가 좋은 기업에 취직한다 해도 정년까지는 못 있을 테니까."

"그래서 나중에 여자 덕 보려고?"

"ㅎㅎ~."

갑자기 여학생이 시무룩해졌고, 나는 밥을 먹고 식당을 나왔다. 여학생은 선배로 보이는 그 남성을 좋아하는 눈치였는데, 공무원과 결혼하겠다는 의외의 말에 실망한 듯했다.

집으로 돌아와 나는 생각에 잠겼다.

'요즘 젊은이들의 사고가 왜 그럴까?'

대화의 주제는 전부 맛있는 것, 재미있는 것뿐이고, 결혼하기도 전에 아내의 도움을 받겠다는 것, 인생의 도전정신은 어디로 가고 젊어서부터 안정된 것만 찾으며, 실패를 두려워하는 그런 모습일까?

어쩌면 대다수 젊은이들의 생각이 그렇고, 이런 사회를 만든 기성세대의 일원으로서 부끄러움도 있었지만 모든 젊은이들이 이런 생각으로 살고 있다면 국가의 장래를 떠나서라도 문제가 있다고 판단되는 건 나 혼자만의 기우일까?

나는 여기서 "자신만의 음식을 그려라.", "자신만의 개성을 그려라."라는 말을 하고 싶다. 학창시절 절친이었던 친구 생각이 난다. 이름은 방기혁. 중학교 1학년 때 문예반에 들어갔을 때 만났던 친구다. 1, 2학년 때는 1주일에 한 번 특활시간에만 만났는데, 3학년 때 한 반이 되었다. 둘 다 키가 작아 맨 앞줄과 그 다음 줄에 앉게 됐다.

3학년 첫 점심시간. 왁자지껄하게 도시락 여는 소리가 들리고, 밥을 먹으려 하는데, 이 친구가 슬그머니 교실을 나갔다. 뭔 일이 있는가 여겼는데 다음날도 마찬가지였다. 사흘째, 나는 그 친구 뒤를 밟았다.

점심시간 종이 울리자 그는 책(참고서) 한 권을 들고 밖으로 나가더니 긴 복도를 지나 교사 동쪽 끝 울타리 아래의 수돗가로 가서 몇 번에 걸쳐 물을 실컷 마시더니 벤치에 앉아 공부를 하고 점심시간이 끝날 무렵 교실로 돌아왔다. 나는 도시락을 싸올 형편이 안 되는구나 생각하고, 집에 가서 다음날부터 2개의 도시락을 싸달라고 했다.

다음날 점심시간, 나는 일어서려는 그의 팔을 붙잡고 도시락을 내밀었다. 거절하면 어쩌나 하고 내심 걱정했는데, 씩 웃더니 맛있게 밥을 먹고는 고맙다는 인사를 했다.

도시락을 싸오지 못할 정도로 가난하다는 건 이해가 되지 않았다. 그러나 그의 집은 정말 가난했다. 한 번 놀러간 적이 있었는데, 부산의 5부두(컨테이너 부두) 맞은편에 매축지라는 동네가 있었다. 지금도 있는지 모르겠다. 원래 바다였는데 매립하여 주택가가 된 이곳은 단층짜리 슬레이트집이 어깨를 맞대고 늘어섰고, 골목이 복잡한 동네였다. 도로 포장도 안 돼 있어 비가 오면 질퍽거렸다.

그의 집은 그 골목 한가운데였다. 미닫이문을 열고 들어서자 맨땅의 두 평정도 땅이 있고 작은방이 한 칸뿐이었다. 아버지가 일찍 돌아가시고, 어머니가 온갖 궂은일을 하시며 4남매를 키우는 중이었다. 그의 어머니는 부산의 남성여고 회장 출신이란다. 책상도 공부할 곳도 없었다. 어디서 공부하느냐고 물었더니 방문 옆의 사다리를 가리켰다.

계단이 있는 게 아니라 방문 옆의 벽에 사다리를 세워 놓고 수직으로 다락방에 오르내리는 것이었다. 위험해 보였다. 다락방에 올라가봤다. 앉은뱅이책상 하나뿐, 가운데 지붕 아래 앉아야지 조금만 움직여도 머리가 슬레이트 지붕에 닿았다. 졸다가 옆으로 움직이면 지붕과 헤딩할 지경이었다.

그의 어머니는 대단한 분이셨다. 공부하는 데 방해가 될까 봐 TV도 보지 않고 아무리 피곤해도 먼저 주무시는 일도 없단다. 그런데 양계장 하시던 할아버지 덕으로 계란 후라이 하나 덮은 도시락을 매일 갖다 줬으니 그에게 도움이 됐으리라.

그런데 이 친구가 얼마나 악바리인지, 한 반이 되고 나서 3학년 내내 나는 우리 반 1등을 한 번도 하지 못했다. 혹시 그 친구가 1등을 놓치면 내가 아닌 다른 아이가 하고….

한 번은 기말시험 때 같이 독서실을 갔는데 나는 12시쯤 잠이 와서 엎드려 자고 좀 깨워 달라고 했는데, 흔들어서 일어나 보니 어디서 구했는지 호떡을 가져왔다. 덥석 깨물다가 입천장이 다 벗겨지고…그 친구는 꼬박 밤을 샌 다음 등교시간이 돼서 다시 깨워줬다.

그는 언제나 부지런했고, 매사 악을 쓰고 매달리는 친구였다. 그는 부산고에 진학했고, 서울대 경제학과에 합격했다. 어머니와 부둥켜안고 펑펑 울었단다. 대학 4학년 때 그가 행정고시에 합격했다는 연락이 왔다.

1980년 초 어느 날, 우리는 서울 서초동에서 오랜만에 만났다. 삼겹살집에서 처음으로 소주도 한 잔 하면서 한참 이런저런 얘기로 시간을 보내던 중 그가 진지하게 얘기를 꺼냈다. 사법고시와 외무고시가 남아 있지만 너무 힘들어서 시험을 그만두겠다는 말에 나는 잘 생각했다고 말했다. 그런데 그 다음 얘기가 관심을 끌었다.

고시 붙고 나니 여러 군데서 중매가 들어온다더라. 고시가 되더라도 정책을 입안할 정도의 계급까지 올라가려면 빽이 있어야 하고 그러기 위해서는 결혼을 잘하는 방법뿐이라는 것. 그는 대학시절 서울교대에 다니는 한 여학생과 연애를 했다는 것인데, 두 번째 이야기의 결론은 그 여학생과 결혼하지 않겠다는 뜻이었고, 나도 이해해줬으면 하는 눈치였다.

나는 출세와 결혼이 꼭 그렇게 연결되는 건 아니지 않느냐고 말했다. 몇 차례 다른 의견을 주고받다가 갑자기 그 친구가 '니가 이런 상황을 이해하겠냐?'는 식의 말을 했고, 나는 화가 나서 소리를 질렀다.

"야, 임마. 그 여자 친구는 너를 믿고 대학 시절 3년을 기다린 거 아니냐?"

"그게 아니라……."

"아니긴 뭐가 아니란 말이고?"

나는 결국 그 친구를 향해 상을 엎어 버렸다. 불판이 나뒹굴고 새로 맞춘 듯싶은 그의 양복에 삼겹살 조각과 반찬이 달라붙어 아수라장이 됐다.

이 일을 계기로 연락이 두절되고 결혼하여 반포의 13평짜리 아파트에 세 들어 산다는 것을 소문으로만 들었다. 그는 수산청 사무관으로 공직생활을 시작했는데 통 연락이 없었다. 서울역 앞의 대우빌딩에 수산청이 있을 때 한 번 찾아간 적이 있었지만 의례적인 인사만 했다.

그런데 세월이 십 수 년 흐른 90년 대 중반 어느 날, 이 친구에게서 연락이 왔다. 부산 기장군에 있는 국립수산과학원에서 근무한다고 한 번 만나자는 것이었다. 해운대에서 만나기로 하고 약속장소로 나갔는데, 50대 중반쯤으로 보이는 어떤 사람이 같이 나와서는 그분이 나에게 깍듯이 인사를 했다.

"영감님(?) 학교 동기시라고요."

그분의 손에는 고급 양주가 한 병 들려 있었고, 삼촌뻘쯤 되는 사람이 너무 깍듯이 얘기를 하니까 불편했다.

친구는 어느 룸살롱으로 나를 데려갔고, 비로소 중학교 때 도시락 싸다 주던 일이 고마웠다고, 그렇게 해운대 룸살롱에서 거나하게 한 잔 하는 걸로 옛날의 고마움을 표현한 듯했다.

친구는 그때 중앙부처 과장으로 부이사관이었는데, 그 후로도 계속 공부를 하여 5개 국어가 능통하고, 러시아 일본과의 어업협정 체결 실무 책임자로 있다면서 자랑 겸 그 길의 생활을 얘기했는데, 그 여자 분과 결혼을 했는지 아이가 몇인지 등 가정사에 대한 얘기는 없었다.

장관이나 차관이 되었다면 뉴스에 나왔을 텐데, 못 본 거 같다. 정년퇴직을 했을 텐데 어떻게 지내는지 궁금하다. 그 서울교대 출신 여성과 결혼을 했는지, 어디 중매로 대단한 집안과 결혼했는지도 궁금하다.

그의 실력과 끈기는 충분히 인정하지만 인생이란 워낙 가변적이고, 운명적 요소도 있지 않은가? 돌이켜 보면, 친구와의 추억은 도시락 싸다준 것과 술 한 잔 대접받은 걸로 끝났지만, 그 마음이 아름다웠고, 인생은 자신만의 가치관으로 그린 그림처럼 살아야 한다는 생각이다.

어떻게 살 것인가, 무엇을 목표로 살 것인가 하는 문제를 젊은 시절 충분히 성찰해서 의지를 가지고 실천해야 할 것이다. 누구의 도움으로, 안정된 미래를 위하여? 우리가 상상하는 미래는 그리 순탄하지도, 한두 가지 요인으로 죽을 때까지 안정된 삶이 이어지지도 않는다.

토인비가 말했듯이, 인류의 역사가 끊임없는 도전과 응전으로 발전해 왔듯이 우리의 삶도 수많은 시련과 역경 속에서 탈피하려는 노력으로 이루어진다는 것. 그래도 자신만의 그림을 그리고 살아가는 것과 그렇지 않은 삶은 확연히 다를 것이라는 점은 확실하다.

음식도 마찬가지다. 어떤 음식을 만들 것인가 하는 그림 없이 어느 레시피를 보고 따라하거나 누가하는 것을 보고 그대로 하면 되겠지 하는 식으로는 곤란할 것이다. 음식을 먹을 사람의 취향과 건강상태, 준비할 재료와 부재료, 조리방법 등 전반적인 그림을 먼저 그리고, 그에 따라 다른 것을 참조하여 독창적인 음식을 만들어가는 과정이 중요하지 않겠는가?

가장 많이 만드는 음식 중 하나인 된장찌개를 예로 들어 이야기해보자.

우선 어떤 된장을 쓸 것인가? 집 된장? 해찬들? 순창? 집 된장은 전통방식으로 만든 된장을 말하지만 집집마다 조금씩 미세한 맛의 차이가 있고, 염도도 다르다. 나머지 2가지는 우리나라 마트를 점령한 2개 업체 제품인데, 어느 정도의 양을 넣어야 간이 맞을지도 판단해야 하고, 다음은 물을 쓰느냐, 멸치 육수를 쓰느냐, 쌀뜨물을 쓰느냐에 따라서도 맛이 달라질 것이다. 두부를 넣는 양이나 더할 채소를 무엇으로 할 것인가? 호박? 양파? 무? 팽이버섯? 국물의 양을 어느 정도로 할 것인가? 이와 같이 된장찌개 하나 끓이는 데도 이렇게 많은 경우의 수가 존재한다.

인생이든 음식이든 미리 생각하여 자신만의 그림을 그린 후 시작해야 한다는 뜻이다. 음식은 간만 잘 맞추면 맛 없다는 평가를 받지는 않는다. 우리의 인생도 사리에 맞고 시대 조류에 맞는 목표를 설정하면 얼마나 끈질기게 노력하느냐에 따라 승패가 결정될 것이다.

부모가 도와주겠지, 누구와 결혼하면 처가의 도움으로 이룰 수 있겠지 하는 식으로 인생을 생각하거나 검색하여 레시피를 보고 하면 되겠지, 친정 엄마나 선배나 친구에게 물어보고 하면 되겠지, 해놓고 뭔가 부족하면 MSG 조금 넣으면 된다던데 하는 식으로 음식을 만들 수는 없지 않겠는가?

인생이든 음식이든 자신의 가슴에 와 닿을 수 있도록 자신만의 그림을 미리 그리고, 진행하면서 미세한 변화를 줘서 완성해 나가는 지혜를 쌓아 가기를 바라마지 않는다. 새벽에 만난 젊은이들이 사랑하는 사이라면 가을의 전설처럼 사랑이 깊어져서 서로 도우며 극복해가는 삶으로 승화시키기를 빌고, 오랜 친구의 노년이 건강하고 보람되기를 바란다.

우리는 먹기 위해서 사는가?

필자가 어릴 때 부산의 변두리에는 고아원이 여럿 있었다. 우리 동네에도 몇 군데 있었는데 6.25 이후 고아가 된 아이들을 위한 것으로 생각된다. 한 곳은 신작로에서 내려다보면 고아원 마당이 보여 빙 둘러앉아 게임을 하는 모습이나 아이들이 뛰노는 광경도 볼 수 있었다. 그러던 중 초등학교 3학년이 되어 반이 새롭게 편성됐는데 처음 보는 아이가 하나 있었다. 담임 선생님과 급장이었던 나는 같이 가정방문을 다녔는데 걔네 집은 건너뛰는 것으로 보아 고아원에 있는 줄 알게 되었다.

지금도 이름을 기억한다. 우리나라 재벌그룹 회장 이름인 이병철과 같았다. 깡마른 체격에 머리엔 부스럼이 몇 개 있고 늘 힘이 없어 보였다. 학교는 매일 왔다. 그런데 말은 한 마디도 안 했다. 뒤를 돌아보면 수업시간에 언제나 엎드려 잔다. 깨어나는 시간은 4교시 종료 후였다. 당시 4교시가 끝나면 아이들 2~3명을 데리고 급식을 받으러 갔다. 대나무를 엮어 만든 광주리에 옥수수 가루로 시루떡처럼 만든 빵을 반 인원수만큼 주었다. 미국의 원조로 들어온 옥수수 가루를 쪄서 만든 것이다. 그걸 받아와서 하나씩 나눠주는데, 잠시 먹는다고 조용하다가 그는 사라진다.

어디서 구했는지 옥양목에 검정 색 물들인 교복을 윗도리만 입고 힘없는 얼굴로 책상에 엎드려 자던 모습으로만 기억되는 이병철, 어쩌다 누가 결석하면 남는 빵을 나는 그에게 주었다. 그는 빵을 받아들고 빙그레 웃을 뿐 말은 없었다. 그렇게 한두 달이 흘러갔는데. 어느 날 빵을 나눠주는데 교실 유리창에 낯

익은 얼굴이 보였다. 내년이면 입학할 나의 동생. 얘가 어디서 빵을 맛보고 나눠 주는 시간을 알아낸 것이다.

다음날부터 내 몫의 빵과 결석자의 몫을 합쳐 이병철과 동생에게 주었다. 이렇게 두 달쯤 지난 어느 날, 쉬는 시간에 누가 옆구리를 찔렀다. 돌아보니 이병철이었다.

복도로 따라 나갔더니 그는 안주머니에서 뭔가를 꺼내 나에게 주고는 교실로 들어갔다.

지금의 작은 참치캔 만한 국방색 통조림 하나. 씨레이션이었다. 스팸과는 달리 양념된 쇠고기 통조림이었는데 맛있었다. 이렇게 1년이 흘러 병철이는 반이 바뀌었고, 동생은 입학하여 옥수수 빵 배분 사건은 끝이 났다.

지금 생각해도 병철이를 우리 집으로 데려가서 밥 한 끼 먹여주지 못한 것이 아쉽고 후회스럽다.

얼마나 배가 고팠을까? 병철이는 살기 위해서 먹어야 했던 것이리라. 그가 아들딸 낳고 잘 살았기를! 그리고 남은 인생은 굶지 않고, 건강하게 살다 가기를!

그 시절 우리 반에는 옥희라는 이름의 예쁜 여학생이 있었다. 임옥희. 하루는 쉬는 시간에 여러 명의 아이들이 옥희 자리에 몰려가서 에워싸고 있었다. 뭘 얻어서 맛을 보고는 좀 더 달라고 하다가 수업 시작종이 치니까 쩝쩝 입맛을 다시면서 아쉽게 돌아서는 아이들.

다음 쉬는 시간, 옥희가 내 자리로 왔다. 내 손을 잡더니 조그만 비닐봉지를 꺼내 손바닥에 웬 붉은 가루를 뿌려 주고는 먹어보라고 했다. 생전 처음 보는 것인데 맛은 뭐랄까, 짭조름하고 매콤하면서 묘하게 당기는 맛이었다.

옥희네 아버님은 화력발전소 직원이라 몇 년 전 우리 동네로 이사를 왔는데, 옥희는 옷차림이며 하는 행동이 도회적인 아이였다. 키도 크고 노래도 잘했다. 아이들이 며칠 동안 쉬는 시간에 옥희를 졸졸 따라다녔는데, 그 빨간 가루의 정체는 라면스프였다. 요즘 아이들이 들으면 웃겠지만 우리 시절에는 이랬다. 내가 라면스프를 처음 본 사건이었다.

또 하나의 잊지 못할 추억이 있다. 우리 동네에 새 부잣집이라고 소문난 집이 있었다. 사실은 할머니의 남동생 집이었는데, 못 살던 집이 갑자기 부자가 됐다는 것이었다. 나에게는 진외가 댁인데, 할머니 동생 분은 6.25 후 한국주철관이라는 회사의 창립멤버로 입사하여 열심히 일했으나 수도나 가스용 강관의 수요가 없어 월급을 3년 동안 받지 못했단다. 그러던 중 5.16이 일어나고 박정희 시대 개발 붐이 일면서 어느 날 3년치 월급과 보너스 특별 상여금까지 받아 2층 양옥집을 짓고 살기가 어려워 부인과 누님까지 행상을 하다가 귀부인처럼 살게 되니 동네 사람들이 그 집을 새 부잣집이라 불렀는데, 주말이면 누님인 할머니를 초대하였다.

할머니를 따라 방문한 진외가 댁, 거기엔 항상 파티가 마련돼 있었다. 쇠고기 불고기도 선보였다. 그 시절 브루스타를 처음 봤는데, 상 한가운데 브루스타를 놓고 빙 둘러 앉아 양푼째로 가져다 둔 불고기를 프라이팬에 올려 실컷 먹었다. 주말이면 찾아오는 잔치 같았다. 불고기를 상추쌈에 싸서 고기로만 배를 채우던 기억은 행복했다.

그런데 호사다마라 했던가?

할머니 동생 분은 얼마 지나지 않아 돌아가셨다. 그 집에는 내 키만 한 스피커의 산수이 전축과 월남에 파병되었던 사위가 보내준 일제 텔레비전도 있어 저녁이면 연속극 보러 오는 동네 사람들로 방 하나는 언제나 만원이었다.

좀 채소도 많이 드시라고 할 걸, 육류를 그렇게 많이 먹는 게 건강에 해롭다고 말씀드릴 걸~ 그때는 몰랐고, 그런 개념도 없었다. 오래 사셨으면 좋았을 텐데, 명복을 빌어드린다.

1960년대에 실제 있었던 얘기다.

긴 세월이 흘렀다고 볼 수도 있지만, 우리나라 역사로 보면 순간인 50년 만에 세상은 개벽을 했고, 음식이 넘쳐나는 시대를 살고 있다.

그 시절이 살기 위해서 먹어야 했다면, 지금은 음식 먹는 걸 즐기면서 먹기 위해서 산다고 해도 과언이 아닐 것이다.

학창시절 나에겐 원초적인 질문이 있었다. 일과 사랑 중 어떤 것이 중요할까? 살기 위해서 먹느냐, 먹기 위해서 사느냐? 개체유지 본능과 종족유지 본능은 어느 것이 우선할까?

부끄러운 얘기지만 나는 환갑이 지난 나이임에도 아직 답을 얻지 못했다. 이런 문제들이 워낙 큰 담론(談論)이기도 하거니와 내가 정말로 치열하게 살지 못해서, 아니면 깊이 성찰하지 못해서 답을 얻지 못했음을 고백한다.

세상의 어떤 가치 있는 일보다 더 가치 있는 사랑, 먹지 않으면 죽지만 먹는 행위를 죽음보다 먼저 즐기고 가치를 부여할 수 있는 모습, 어쩌면 병철이는 고아원에서 살면서 이런 걸 느꼈는지 모른다.

섹스가 자손을 두기 위한 행위라면 평생 열 번 정도만 하면 될 거라는 말을 들은 적이 있다. 세월이 흐르고 세상이 변하여 음식은 넘쳐나고 어떤 행위의 목적보다는 과정이나 그 자체의 즐거움이 사고를 지배하는 시대가 되었다.

불가에서는 생명 유지를 위한 최소한의 음식을, 그것도 자신이 손수 재배해서 먹기를 가르치고, 유교에서는 섹스를 자손의 잉태를 목표로 삼는 행위로 해야 한다고 하지만, 요즘처럼 아이를 갖는 것이 고통이고 회피하는 시대에는 입에 담기도 민망한 실정이다.

오늘 점심 먹으러 갔더니 마스크를 끼고 오라고 했다. 커피숍은 테이크아웃만 한단다. 장마에 폭염에 태풍에 코로나19까지 우리는 힘겨운 시절을 살고 있다. 음식을 먹는다는 것은 자동차에 기름을 넣는 것과는 다를 것이다. 자연의 섭리로 얻어진 식재료를 정성들여 상대방의 건강까지 생각하며 사랑으로 만들어내는 음식, 정유공장에서 정유한 휘발유처럼 식품공장에서 만들어진 에너지 물질을 먹는 것이 아니라는 뜻이다.

이런 힘든 과정을 딛고 찾아오는 가을에는 살기 위해 먹어야 하지만, 자연과 만들어준 사람의 사랑까지 기억하면서 먹기 위해, 먹으며 삶과 음식의 가치를 생각할 여유를 가진, 그런 건강한 가을이 되기를 기원하면서~!

음식에 손맛이 존재할까?

음식 맛은 손맛이라는 말이 있다. 과연 그럴까?

오뚜기식품에 간부로 있는 후배가 있었다. 벌써 20년이나 된 얘기다. 부산에서 사업을 하던 나는 서울에 올 때면 간혹 이 후배를 만나 식품업계 소식을 듣곤 했는데, 서울 출장 때 연락을 했더니 마중을 나왔다. 그런데 차도 새로 뽑고, 또 새로운 명함을 주는데 '네오피시'라는 회사의 상무라는 직책이었다.

"오랜만이네. 근데 직장 옮겼나? 뭐하는 회산데? 네오피시, 새로운 물고기?"

"노르웨이 고등어 아세요?"

"아니, 우리나라에도 고등어 많이 나잖아?"

사실 나는 그때 노르웨이 고등어를 몰랐다. 빙하가 바다로 흘러내리면서 만들어진 피오르 해안이라 수심이 깊고 청정한 해역이어서 수산업이 발달됐다는 정도는 알았지만. 후배는 노르웨이 고등어로 시작해서 저간의 사정을 설명했다.

GS칼텍스 허동수 회장(GS그룹 허창수 회장의 형)이 추석에 생선 선물세트를 받았는데, 그것이 노르웨이 고등어였고, 맛이 있었단다. 얼마 후 그분의 아들이 미국 유학에서 돌아왔는데 뭘 하고 싶으냐고 물으니 사업을 하고 싶다고 해서, 허동수 회장이 노르웨이 고등어 얘기를 하면서 이거 맛있던데 이런 사업을 해보든지 하셨단다. 그리하여 노르웨이 고등어를 국내 최초로 수입하게 되었다고 한다.

추석 선물을 보내주었던 같은 여수의 금산산업이란 곳에 가공을 맡기고, 'Neofish'라는 브랜드로 냉동한 생선을 진공 포장하여 유통하는 회사를 만들었고, 후배가 그 회사의 영업상무로 갔다는 것이다.

고등어를 수입해서 휠렛(생선을 양쪽으로 포를 떠서 살을 발라내는 작업)하여 소금 간을 하고 냉동 상태로 진공 포장한 제품인데 디자인도 깔끔하고 한 팩씩 뜯어 조리하기 편하게 만든 제품이었다.

여기서 할 얘기는 소금 간하는 방법에 대해서다.

소금 간은 안동 간 고등어처럼 간잽이(소금을 뿌려 간을 하는 기술자)가 생선 위에 소금을 뿌리는 방법과 물에 소금을 녹여 생선을 일정 시간 담가서 간을 하는 방법이 있다. 염도가 같다고 할 때 이 2가지 방법의 맛이 같을까?

긴잽이는 10~20년 경험을 가진 노련한 장인이다. 뼈를 바른 생선을 죽 깔아놓고 소금을 한 움큼씩 쥐어 쓱싹 뿌리면 구석구석 일정한 양의 소금이 뿌려지는 고난도의 일을 하는 장인이다. 그런데 간잽이의 생선은 확실히 맛이 틀렸다. '아, 손맛이란 게 있구나. 이런 게 손맛이구나.' 하는 생각을 했다

김치공장에 자주 다닐 때의 일이다. 예전 일이 생각나 다시 한 번 손맛의 정체를 알아보고 싶은 생각에 깍두기 담그는 작업을 할 때 실험을 해봤다. 김치공장에서는 무를 기계로 썰어 깍두기를 담는데, 일부러 일부를 따로 떼어내 일하는 아주머니들에게 칼로 썰게 했다.

다음날 점심시간, 나는 2종류의 깍두기(기계로 썬 것과 손으로 썬 것)를 직원들에게 맛보게 했다. 물론 아무 말도 하지 않았다. 그런데 십여 명의 직원들이 이구동성으로 손으로 썬 깍

두기가 맛있다고 했다. 이유를 물으니 모르겠다는 대답. 두 가지를 거래처에 납품했을 때도 마찬가지 반응이었다.

과학이란 무엇일까? 둘 다 칼로 썬 것이고, 동력이 기계였느냐 사람의 힘이었느냐의 차이밖에 없는데 그런 결과에 대해 이해가 되질 않았다.

나의 아버님 동기간은 3남 1녀다. 아버님이 장남이고 남동생인 숙부가 두 분, 여동생인 고모가 한 분이다. 옛날에는 나의 고향 행정구역이 경상남도 동래군 사하면이었는데 나중에 부산시로, 다시 부산직할시로, 지금은 부산광역시가 되었다.

아버님과 바로 아래 작은아버지는 같이 서울대 출신인데, 사하면에서는 형제가 서울대에 다니는 집이 유일하여 동네 사람들은 부러워했고, 할아버지는 자랑 삼아 자주 이야기하셨으나 나에게는 스트레스였다.

두 분은 함께 자취를 하셨단다. 자취생활의 가사 일을 두 분이 분담하면서 아침밥은 격일로 번갈아 맡기로 하셨다는데, 겨울에 작은아버지가 밥을 짓는 모습을 곁눈질로 보니 쌀에 물을 붓고 젓가락으로 쌀을 휘휘 저어 밥을 하더라는 것. 밥맛이 영 아니어서 다음날부터 아버님이 아침밥을 도맡아 하셨단다. 이렇게 손맛은 분명히 존재하며 음식을 하는 사람의 정성까지 더해져서 음식에 맛이 결정된다는 사실은 분명한 듯하다.

이밖에도 칼국수 집에서 기계로 면을 뽑는 것과, 홍두깨로 반죽을 밀어 손으로 썬 칼국수의 맛이 다르다거나 중국집에서도 수타면과 아닌 기계면의 맛이 차이가 난다는 것은 여러 사람이 느꼈을 것이다.

이렇게 분명히 손맛은 존재하지만 과학적으로 설명할 자신은 없다. 그러면 우리가 느끼는 맛의 본질은 무엇이고, 근원은 무엇일까?

필자의 소견은 이렇다. 식재료 본연의 맛+적당만 소금 간+조리하는 사람의 손맛과 정성. 써 놓고 보니 맞는 말 같다.

음식의 맛은 우선 식재료가 신선하고 맛있어야 하며, 모든 음식의 맛의 근원인 소금 간이 적당해야 하고, 만드는 사람이 기계나 기구를 쓰는 것보다 가능하면 직접 손으로 정성을 더해 조리했을 때 느껴지는 현상이라고 생각한다.

우리가 어머니의 집 밥을 그리워하는 것도 그보다 맛있는 음식이 없어서가 아니라 어머니의 이런 노력과 정성을 기억하기 때문이 아닐까?

요즘 손 편지 얘기를 가끔 듣는다. 대단히 정성스럽다고 느끼며 받은 사람은 감동하는 듯하다. 아니, 편지를 손으로 쓰지, 발로 쓰는가? 그런 말이 아니라, 머릿속의 생각과 가슴의 정을 손으로 써서 상대방에게 전달하니까 손 편지 아닌가?

음식을 할 때 어머니는 채소를 사서 하나씩 다듬고 씻어서 조리를 했다. 그런데 요즘은 전부 다듬어진 것, 손 하나 대지 않고 바로 냄비로 들어간다. 과연 음식 맛이 제대로 날까?

학교급식 재료를 납품하는 업체들 중 김치나 채소를 납품하는 업체들은 난감하다. 친환경이나 유기농 채소를 재배하여 납품하지만 학생들이 먹지 않아 상당 부분이 버려진다. 학교에서 조리를 하는 분들도 다듬고 씻은 재료만 쓰지 다듬고 손질하는 일은 꺼린단다.

나이든 어머니가 연세 들면 음식 맛이 예전 같지 않다며 손맛이 변했느냐고 생각한다. 나이가 들면 감각이 무디어져서 간을 맞추는 미세한 조절이 안 돼서 그런데도 말이다.

필자는 소금과 쌀밥 예찬론자다. 소금은 맛의 근원이고 미네랄 공급원이며, 알곡을 그대로 먹는 쌀밥의 우수성을 믿기 때문이다. 요리프로를 보면 갖은양념이니 만능양념이니 하면서 무슨 비법인 것처럼 말하는데, 모든 음식의 맛을 균일화하겠다는 것인지 정말 볼썽사납다.

밀가루 음식 적게 드시기 바란다는 말도 보탠다. 밀이 태평양을 건너오면서 보름이고 한 달 동안 방부제 없이 가능하겠는가? 밀가루의 글루텐 성분도 문제다.

글루텐은 쫄깃한 식감을 위해 그냥 쓰는데 밀가루는 흡수가 빨라 설탕에 못지않게 당(糖)지수를 높이는 성분이다. 글루텐 프리 제품이 나오는데, 어떤 물질을 빼내려면 약품 처리 없이 그냥 빠져나올 수 있겠는가?

한방백숙이라는 말을 들으면 헛웃음이 나온다.

사람들은 더 많은 종류의 한약재를 넣으면 좋다고 생각하는 것일까? 그들이 한의사인가? 어떤 처방으로 그런 한약재를 마음대로 음식에 넣는단 말인가? 어느 한약재 한 가지를 잡내 제거나 연육작용을 위해 넣는 건 몰라도 무슨 근거로 그런 음식을 만든단 말인가? 또 그런 걸 좋다고 찾아가는 사람들이 도무지 이해가 되지 않는다. 그냥 삼계탕 끓이듯이 만들든지, 필자가 소개한 마늘백숙을 만들어 먹는 게 좋다고 생각한다.

오늘 저녁 뉴스에 옵티머스 사태를 일으켜 수천억 원의 피해를 입힌 사기꾼 같은 사람이 미국에서 김치 사업을 벌여 성업중이라는 보도가 있었다. 그런 사람은 식품을 만들 자격이 없다. 수천억 원의 피해를 주고 미국까지 가서 민족의 위대한 유산인 김치마저 흠집 낼 것인가? 내가 만난 사람들 중에도 식품 공장을 하시는 대부분의 분들은 다들 순박하고 부지런하고 좋은 식품을 만들려고 부단한 노력하는 분들이었다.

이야기가 조금 옆으로 갔는데, 우리 민족의 손재주는 가히 세계 일류다. 길을 걸어가면서 스마트폰 자판을 손가락이 보이지 않을 정도로 두드리는 걸 보면 감탄사가 절로 나온다. 가발을 만들고 속눈썹을 만들어 수출하고, IT기술 선진국이 된 것도 젓가락 문화에 익숙한 우리의 손재주 덕분이 아닐까?

자신과 가족과 손님에 대한 애정을 손으로 표현하여 모두가 자신만의 독특한 손맛을 가져 보기를 바라마지 않는다.

요리 프로나 먹방을 자주 보는 편이다. 그런데 재료를 소개하면서 어떤 소금을 쓰는지 이야기하는 사람은 보지 못했다. 소금 종류가 얼마나 많은데, 그냥 '소금 한 큰 술!' 이런 식이다. 나는 가정에서 음식점에서 조리할 때 어떤 소금을 쓰는지 정말 궁금하다.

앞에서 말했듯이 소금은 맛의 근원이다. 간장을 쓰든, 된장을 쓰든 기본은 소금이다. 맛소금을 쓰는 사람들이 있는데 그건 반대한다.

맛소금은 정제염(한주소금)과 조미료(미원)을 섞은 것이고, 간을 맞추기 위해 미원을 그만큼 먹어야 하는 것이다. 미원을 쓰려면 소금으로 간을 하고 미원을 조금 넣으면 될 일이다.

나는 우리나라 식약처가 MSG를 허용한 것에 대해 불만이다. 우리나라 식약처가 미국의 FDA 못지않게 깐깐하게 잘하더니 왜 MSG는 무제한으로 허용했는지 모르겠다. MSG의 유해성 논란 때문이 아니다. 유해성에 대해서도 수십 년의 실태조사를 통해 결론을 내야겠지만, 미각의 상실을 우려하기 때문이다.

인간은 감각이 마비되면 죽는다. 미각도 중요한 감각인데 모든 음식에 미원을 넣어 맛을 획일화하고 미각을 무디게 해서는 안 된다고 생각하기 때문이다.

소금은 장기간 간수를 뺀 천일염을 빻아서 쓰는 게 좋지만 시간이 너무 오래 걸리고 천일염을 요리에 쓰기에는 불합리한 점이 있으므로 재제염을 권한다. 재제염은 다시 제조한 소금이란 뜻인데, 천일염과 정제염을 섞어 다시 제조한 것이다. 마트에서 파는 꽃소금이 재제염인데 표기사항을 보고 천일염 함량이 많은 걸 고르면 되겠다. 어떤 제품은 단가를 낮추려고 천일염을 10%만 섞은 제품도 있다.

조금 흥분한 것 같아 밖에 나갔더니 하늘에 별이 보이지 않는다. 미세먼지 때문인지, 안개 때문인지 모르겠다. 이청준의 소설 『별을 보여 드립니다』가 생각난다. 덴마크의 철학자인 키에르케고르는 그의 저서 『죽음에 이르는 병』에서 절망이 죽음에 이르는 병이라고 말했다.

음식은 단순히 허기를 채우고, 영양을 보충하는 것만이 아니다. 오늘을 계기로 신선한 재료와 절묘한 소금 간, 나와 가족과 손님에 대한 정성을 손맛으로 표현하여 절망을 딛고 별을 보여주는 사람으로 거듭나기를 간절히 기도드리는 마음이다.

이 좋은 계절 가을의 축원이다.

시월의 어느 멋진 날에

눈을 뜨기 힘든
가을보다 높은
저 하늘이 기분 좋아
휴일 아침이면
나를 깨운 전화
오늘은 어디서 무얼 할까
창 밖에 앉은
바람 한 점에도
사랑은 가득한 걸
널 만난 세상
더는 소용없어
바램은 죄가 될 테니까
네가 있는 세상 살아가는 동안
더 좋은 것은 없을 거야
시월의 어느 멋진 날에

이맘때쯤 혼자 떠나는 가을여행은 운치가 있다. 올해는 나의 건강상태와 코로나 등의 이유로 떠나지 못하고, 안타깝지만 예전에 다녔던 늦가을 풍경을 방 안에서 회상해보기로 했다.

여행에서 만나는 풍경, 음식, 인연… 여행은 인간을 겸손하게 만든다. 넓은 세계와 자연과 다른 문화, 다른 음식을 만나게 하고, 사람과의 관계를 깊게 만들거나, 새로운 인연을 만나기도 한다.

내가 여행하는 방법은 조금 특별하다. 연휴가 끝나는 날, 사람들이 돌아올 때 나는 출발한다. 하루에 다녀올 수 있는 곳이라도 1박2일을 잡거나 아예 2박3일이 되더라도 시간에 쫓기거나 복잡한 날은 피한다.

떠나기 하루 전에 준비하는데, 백 팩에 책 한 권(역사책이나 소설, 인문학 책), 다이어리, 긴 팔 티셔츠, 양말, 타올, 그리고 30년을 쓰고 있는 빨간색 파카볼펜, 그립감이 좋고 획이 굵게 나와 맘에 든다. 바닥이 닳지 않은 운동화, 스판 면바지, 니트 스웨터, 모자 달린 바람막이 점퍼, 두꺼운 가죽벨트. 다음날 아침 모자 쓰고 신발 끈 졸라매고 출발이다.

교통편은 무궁화호 열차나 시외버스가 제격이다. 경부선 완행열차를 타면 구포역을 지나 양산 물금역 원동역이 나온다. 원동역에서 내려 해발 6백여 미터의 천태산, 경치가 좋거나 단풍이 아름다운 산은 아니다. 오르기가 적당한 산이랄까? 등산로가 평평하지 않고 돌이 많아 조심조심 올라 주변 경치와 낙동강을 바라보다가 하산하는 길.

오후의 가을 햇살이 어느 산골 농가를 비추는데, 마당의 감나무에 빨갛게 익은 감이 2개 매달려 있었다. 아마 까치밥으로 남겨둔 듯. 홍시를 좋아하셨던 어머니 생각이 났다. 팔짝 뛰면 손에 닿을 것 같은 감이 가까이 와보니 하나는 맨 꼭대기에, 다른 하나는 조금 아래 가지에 매달렸는데 담장 안이라 손이 닿을 수 없는 곳이었다. 잎이 모두 떨어지고 열린 감을 수확하면서 까치 먹으라고, 산새 먹으라고 몇 개 남겨두는 농부의 마음, 내년엔 더 많이 열리기를 바라는 염원도 있었으리라.

농부가 더 많은 수확을 염원하는 것은 당연한 것일 테고 까치밥에 주목한다. 어릴 적 축담에 앉아 마당을 보면 노란 병아리들이 어미닭 뒤를 졸졸 따라다니며 논다. 마당에 있는 뭔가를 쪼면서. 그러다가 먹을 걸 던져주면 여러 마리 병아리가 조르르 모여든다. 노란 병아리가 얼마나 귀엽던지, 쟤들은 커서 어미처럼 알록달록하게 될까?

병아리가 좀 크면 할아버지 농장으로 옮겨졌다. 할아버지 농장은 동물농장이었다. 축사가 2개 있었는데 하나는 양계장, 다른 하나는 돼지우리였다.

할아버지는 늘 말씀하셨다.

"사람이 배신하지, 동물은 절대 배신 안 한다. 보살펴준 만큼 보답한다고."

식품을 공부하면서 많이 느꼈다. 음식을 먹는 것은 맛과 영양 때문이지만, 본질은 나눔이 아니겠느냐고. 가족과 이웃과 어려운 사람들과 동물에게, 새에게도. 이 얼마나 아름다운 일인가? 자연에서 얻은 음식을 동물에게도 나눠주어서 다시 자연으로 돌려보내는 일이.

한국인의 자식 사랑은 유별나다. 교육열도 높고. 강아지나 고양이 키우는 정성도 대단하다. 할아버지가 양계장을 하셨고, 아버지가 수의대 출신이라 어릴 때부터 동물과 가깝게 지내고 좋아하지만, 집안에서 개나 고양이 키우는 것은 별로다.

자식을 그렇게 끔찍하게 사랑하면서 음식점에서 아이들이 식탁 위를 뛰어다녀도 말 한 마디 안 한다. 식당 주인이 뭐라고 하면 당장 싸움이 일어난다. 강아지를 데리고 외출하는 사람들을 자주 본다. 어떤 때는 내 바짓가랑이를 핥고 있으면, 물지도 모르겠고, 탁 차버리고 싶지만 참는다. 싸울까 봐서 그렇다. 자신이 좋아하는 일과 상대방에게 피해를 주는 일, 공중도덕은 구분해야 한다.

중학교 1학년 때, 내가 사람으로 태어나서 남들이 할 수 없는 무엇을 한 가지는 하고 살아야지 하는 생각을 했다. 아무리 생각해도 그때 능력에 뭐 하나 내세울 것이 없어 결심한 것이 길에 휴지나 오물 버리지 않기, 버스 탈 때 줄 서서 새치기 안 하기, 부끄럽지만 이 두 가지를 결심했고, 지금까지 지키고 있다.

40년 넘게 담배를 피웠지만, 담배꽁초 하나도 버린 적 없다. 담배 갑에 넣거나 주머니에 넣어 두었다가 휴지통에 버렸다. 아무리 바쁘고 복잡해도 줄 서서 기다린다. 안 되면 다음 차를 타면 되니까.

한 달에 한 번씩 대구 팔공산에 기도하러 다닐 때, 유치원에 다니던 큰딸이 가게에서 비닐봉지를 얻어와 등산로의 휴지를 주워 담고 있었다.

지나가던 사람들이 휴지를 주워 비닐봉지에 넣어주면서 "착하지 몇 살이고?" 하자 큰애는 그날로 버릇이 됐다.

교육이란 이래야 한다고 생각한다. 필리핀 세부에서 리조트 사업을 하는 큰딸 내외에게 박수를 보내는 한편으로, 세상에서 가장 열성적이라면서 이런 공중도덕 하나 가르치지 않는 한국의 부모들 반성해 봐야 한다고 생각한다.

클라리넷 배울 때 음악학원에 애완견이 있었는데 열네 살인가 되니까 강아지가 노안이 왔는지 눈동자가 희게 변하고 눈곱이 끼어 애처로웠다.

며칠 사이 박정희 대통령 41주기와 삼성 이건희 회장의 타계 소식을 들었다. 이건희 회장이 어느 날 임원들에게 개고기를 먹느냐고 물었단다. 다들 개고기 먹는다 하면 야만인이라고 혼날까 봐 안 먹는다고 했는데, 용기 있게 먹는다고 대답한 임원들에게는 며칠 후 개를 한 마리씩 사줬다나?

소문인지 사실인지는 모르겠으나, 개고기 식용 문제로 가끔 시끄럽다. 나는 개고기를 안 먹지만 우리의 오랜 문화라면 당당하게 외치고, 먹으면 된다고 생각한다. 자기네들도 개는 아니지만 다른 나라에서 먹지 않는 동물 먹는 나라 많지 않은가?

오히려 토종닭 도축 등이 문제다. 소위 닭 공장에서 대량으로 사육한 닭은 닭 공장에서 기계로 도축하여 컨베이어를 타고 대량으로 유통되는데, 토종닭은 시장에서 잡아 팔지도 못하게 하고, 닭을 지정된 도계장으로 데려가서 비용을 주고 다시 찾아와 유통하는 것으로 아는데, 법은 최소한의 양심이고, 국민의 삶에 유익한 방향으로 제정, 시행돼야 옳다고 생각한다.

감을 보고 느낀 또 한 가지.

청도에서 만난 홍시 주스 이야기다. 홍시를 냉동시켜 보관했다가 시럽 약간 넣고 믹서에 갈면 훌륭한 주스가 된다. 청도 감이 씨가 없어 유리하겠지만, 다른 지방 감이라도 가능할 것이다. 온갖 과일을 수입하여 설탕 듬뿍 넣어 주스라고 파는 과일주스 프랜차이즈는 많은데, 홍시주스 파는 곳은 못 봤다.

과일이 자연식이고 비타민도 많이 들어있다고 좋아하지만, 과일도 포도당이고 당이다. 설탕이랑 별반 다르지 않다. 더 달게 만들려고 품종 개량한 과일, 단맛만 나는 과일, 거기다 설탕까지 넣어서 만든 과일주스나 잼, 이런 거 먹을 때 조심해야 한다. 좀 떫은맛이 나거나 시큼한 맛이 나는 과일이 좋다. 요즘 사과는 부사로 통일? 옛날에 먹던 새콤한 홍옥이나 인도 사과는 어디로 간 것일까?

이야기가 너무 샛길로 갔다. 다음 여행지로 출발하자.

창원에서 잠시 지낸 적이 있었다. 개척교회 목사님을 도와 견과류 강정을 만들어 명절에 재래시장에서 팔기도 하고, 어느 날 창원에서 개척교회 목사님(창원 예향교회 전차열 목사님의 건승을 빌어드리며) 소개로 알게 된 지인이 벤츠를 뽑았다고 드라이브를 가자고 했다.

별 생각 없이 따라 나섰는데, 새로 뽑았다는 흰색 벤츠가 나를 싣고 달리기 시작했다. 남해고속도로를 달리는데 차 주인은 연신 차 자랑이었다. 어떤 기능이 어떻고, 몇 초 만에 백 킬로미터로 가속이 되더라, 최고속도가 얼마나 나오더라, 안전도가 어떻더라 하는 등.

사실 20년 전에 벤츠 S클래스를 타본 나로서는 이제 E클래스를 처음 산 그의 말에 대꾸하기도 그래서 한 쪽 귀로 들으며 창밖만 바라보고 있었다. '잘 가다가 삼천포로 빠진다.'는 말이 있는데, 남해고속도로로 죽 가다가 삼천포로 가려면 바닷가 쪽으로 좌회전을 해야 하므로 생긴 말이 아닐까?

고속도로를 달리던 차가 좌회전을 하여 국도로 10분쯤 달리더니, 우회전하여 바닷가 마을(무지개 마을) 언덕길을 몇 구비 돌아, 어느 가게 앞에 섰다.

"자, 내리이소, 객지에서 고생 많으신데 차도 빼고 해서 회나 한 접시 하려고 이리 왔십니다. 이 집 잘합니다." 하면서 문을 열어준다.

식당이었다. 종업원이 물었다.

"어디서 드실랍니까? 안에서예? 밖에서예?"

나를 데려온 사람이 턱짓으로 밖을 가리키자 밖으로 안내하는데, 유리문을 여니까 바로 바닷가였다. 커다란 시골집 마당처럼 넓은 모래밭이 보였다.

종업원은 쟁반을 들고 계속 바다 쪽으로 간다. 모래밭 가운데 지어진 정자, 뜻밖이었다. 진흙이 약간 섞인 모래밭에 원두막처럼 원목으로 정자를 지어 놓았던 것이다.

신발을 벗어 들고 계단을 통해 정자 위로 올라갔다. 지붕과 기둥만 있고 사방이 뚫린 마룻바닥에 흰 모조지가 덮인 커다란 상이 놓여 있었다. 시월의 시원한 바람, 앞은 잔잔한 호수 같은 남해 바다, 뒤쪽은 단풍이 물든 야트막한 산이다. 하늘은 맑고, 정자 아래는 물결이 일렁이고, 마치 신선이 된 듯싶은 기분…자연산 생선회가 차려지고, 숯불 화로에 석쇠를 얹고 제철 전어가 올려졌다. '봄 도다리, 가을 전어'라고, 집 나간 며느리도 돌아온다는 전어 굽는 냄새가 구미를 자극했다.

마산어시장 옆에 생선국 잘하는 식당이 몇 군데 있다. 도다리 쑥국이 많이 알려졌지만, 거기서는 싱싱한 도다리에 미나리 넣고 끓인다, 땡초 약간 썰어 넣고 소금과 식초로만 간을 한 시원하고 깔끔한 맛이 일품이다. 여행을 가지 않으면 만나기 힘든 맛이다. 마산 가는 길이 있으면 한 번 맛보라고 추천한다. 식재료가 신선하면 약간의 간만 하더라도 음식 맛이 다르다.

술이 몇 순배 돌고, 전어는 노릇노릇 익고, 서쪽 하늘이 붉게 물들기 시작했다. 시간이 얼마나 흘렀을까? 바람이 서늘하게 느껴져 윗도리를 입고 다시 하늘을 보니, 아~~! 붉은 노을이 절정이다. 해 넘어가기 전 온 힘을 다해 자신을 불사르는 노을! 정자 아래 바닷물이 들어와 신발을 들고 걸어 나오면서 생뚱맞게 옛날에 봤던 〈황야는 통곡한다〉라는 영화가 생각났다.

황야에 노을이 지는데 말을 타고 달려온 주인공 프랑코 네로, 집시 여인 카르멘과 격렬한 키스를 하는데, 얼마 후 여인의 고개가 떨구어지고~ 화면이 아래로 내려가자 여인이 칼에 찔렸다.

서로의 입술이 떨어지고 침이 길게 늘어지며 햇빛에 반짝이던 장면. 침이 끊어지면서 여인이 쓰러지고 영화는 끝난다.

무엇 때문이었을까?

사랑의 집착 때문이었을까?
여인의 배신 때문이었을까?
너무 오래 되어, 그때는 사랑을 잘 몰랐기에 정확한 표현이 어렵다.

오늘 글의 제목을 〈시월의 어느 멋진 날에〉라는 노래의 제목으로 시작한 것은 노래도 좋지만 가사 중 '널 만난 세상 더는 소용없어/ 바램은 죄가 될 테니까' 이 대목에서 사랑하는 사람을 만났으니 뭐가 더 필요하겠는가?
더 이상의 바램은 죄가 된다는 말, 그러나 우리는 그리 살지 못하는 듯. 그건 사랑을 잘못 판단하였거나 욕심으로 죄를 짓고 살아온 게 아닐까? 다시 생뚱맞게, '음식도 배불리 먹었으면 더는 필요 없어, 바램은 죄가 될 테니까'이다.
음식에 집착하면 살이 찌고 병이 들고 하는 것이 아닐까? 사랑도 음식도 돈도 적당할 때가 가장 행복하고 건강하다. 지나치게 집착하면 사랑은 배신을, 음식은 질병을, 돈은 불행을 초래한다는 사실! 이 멋진 계절 만추에 반추해보기를 바라며~!
경남 사천의 실안마을 낙조의 풍경은 전국 어디와 비교해도 손색없을 듯하다, 일부러라도 한 번 가볼 만한 곳으로 추천한다.

글을 쓰는 동안 시월의 마지막 날이 돼버렸다. 여행과 음식에 대해 한 편 더 쓰기로 한다. 비가 온다는 예보다. 자연은 비를 뿌려 계절의 변화를 예고하니까 겨울이 오나 보다. 코로나에 독감에 경제난에 올 겨울은 유난히 춥게 느껴질 듯하다. 모든 일에 너무 집착하지 말고 절정의 단풍을 즐기면서, 가을 햇볕에 몸을 맡겨 비타민D 생성도 돕고, 여행이라도 한 번 떠나보기를 권한다.

맛과 멋의 기준

사람들은 모든 사물에 대해 판단할 때 은연 중 어떤 기준을 떠올리게 된다. 예를 들어 어떤 음식을 먹을 때 그 음식의 맛집이나 어머니가 해주시던 맛을 떠올린다든지, 어느 책을 읽을 때 전에 읽고 감명 받았던 작품을 연상한다든지 하는 식이다.

중학교에 입학한 지 며칠 후 5교시 첫 국어시간이었다. 점심시간이 되자 아이들의 양은 도시락 여는 소리가 요란했다. 금방 도시락을 까먹은 아이들이 웅성거리며 술렁이기 시작했다. 그 이유는 국어 선생님이 처녀 선생이라는 것, 서울대 출신에 미모도 출중하다는, 뭐 이런 미확인 소문 때문이었다.

드디어 수업종이 울리고 선생님이 들어오셨다. 그런데, 아……! 금방 교실 안이 조용해지고, 다들 넋이 빠진 모습으로 선생님을 쳐다보는데, 마치 영화 〈해바라기〉에 나오는 '소피아 로렌' 같은 분위기랄까? 가장 먼저 눈에 들어오는 건 빨간 미니스커트, 영국의 근위병 스커트처럼 까만 격자무늬인데 주름진 체크무늬의 짧은 미니스커트 주름치마, 까만 스타킹에 회색 폴라 티셔츠, 까만 재킷! 눈이 크고, 머리는 약간 웨이브로 단발머리보다 조금 긴 편인, 난생 처음 보는 미인이셨고, 차림새만으로도 충격이었다.

선생님의 자기소개가 끝나자 다시 웅성거리며 시시콜콜한 질문들을 쏟아냈고, 나는 부끄러워 얼굴을 들지도 못했다. 한 시간이 어떻게 지나갔는지 모르게 흘러가고. 수업을 마칠 무렵 갑자기 선생님이 내 이름을 불렀다.

깜짝 놀라 주변을 두리번거렸으나 분명히 나를 부른 것이었다. 방과 후 교무실로 오라는 말이 이어졌고.

궁금했다. 무슨 일일까? 마지막 수업을 마치고 교무실로 갔다. 거기에는 7~8명의 아이들이 와 있었다. 다들 1학년이고, 한 반에 한 명씩이었다. 모두가 무엇 때문에 불려 왔는지 모르겠다고 한다. 선생님이 아이들을 모아놓고 말씀하셨다.

"너희들이 문예반을 했으면 좋겠다 싶어서 불렀는데, 하기 싫은 사람은 가도 좋다."

아무도 가지 않고 쭈뼛거리자 다시 말씀하셨다.

"그러면 다들 문예반을 하는 것으로 알고 매주 금요일 방과 후 도서관에 모이도록."

그리하여 나는 문예반이 되었고, 매주 금요일 방과 후 도서관에 가게 됐다. 첫날은 선생님께서 "이제 중학생이 됐으니 삶의 목표를 정하라. 책을 많이 읽어라." 이런 원론적인 이야기를 하신 것으로 기억한다.

그런데 선생님은 나에게 토요일 방과 후에 교무실로 오라고 하셨다. 다음날 토요일이라 오전 수업을 마친 후 교무실로 가니 책을 한 권 주셨다. 『한국단편문학전집』 5권 중 1권이었다. 주말에 읽고 월요일 등교할 때 독후감을 써오라는 말씀과 함께.

덕분에 나는 중학교 1학년 때 한국 단편소설을 거의 다 읽었지만 독후감을 어떻게 쓰는지도 모르면서, 원고지를 사서 매주 몇 장씩 써서 선생님께 드렸는데 쓰윽 몇 장인가 읽어보시고는 그대로 돌려주셨다.

중학교 가면 친구들과 실컷 놀겠다던 나의 소망은 물거품이 됐고, 매주 주말마다 숙제처럼 독후감을 썼는데, 단편문학 전집은 한 달 만에 끝나고 그 다음은 한국문학 장편소설이었다. 선생님은 황순원을 좋아하셨는지 황순원, 오영수 등등 두툼한 소설 한 권씩을 매주 주셨다. 한 번은 황순원의 『카인의 후예』

를 주셨는데, 평상시처럼 읽고 독후감을 썼다. 그런데 부끄럽지만 나는 그때 카인이 누구인지도 몰랐다.

지금처럼 스마트폰이 있는 것도 아니고, 왠지 카인이 외국어라 국어사전에 나오지 않을 거라는 추측 때문에 국어사전도 찾아보지 않고, 독후감에 뭐라고 썼는지도 모르겠다.

그 후 고등학교에 입학하여, 불교도지만 성경은 읽어야겠다 싶어 성경을 읽던 중 카인과 아벨의 이야기를 알게 되었는데, 선생님은 이런 나의 무식을 눈치 채셨을까? 하여간 중1 때 이런 시간을 보내며 책을 읽었고, 이런 글을 쓰게 된 것도 선생님 덕이 아니었나 생각한다.

시간이 흘러 중1 겨울방학이 될 무렵 선생님이 다시 부르셨다. 당시 우리 학교에는 국어 선생님 한 분이 전근을 가셔서 공석이라 이 선생님이 오셨는데, 전근 가신 선생님이 교지 발간을 책임지셨던 분이라 자동적으로 이 선생님이 업무를 이어받게 됐고, 겨울방학이 끝나면 신학기 되기 전 2월에 교지 발간을 해야 하기 때문에 겨울방학 기간 중 작업을 마쳐야 했다.

선생님은 집 약도를 그려주시며 어느 날 찾아오라고 하셨다. 약도를 보니 매일 등하교 때 버스가 지나다니는 길이라 바로 알 수 있었는데, 부산 좌천동의 '김내과의원'이었다. 김양자 선생님은 그 병원 원장님의 둘째딸이었던 것이다.

약속한 날 찾아갔더니, 1층은 병원 진료실이었다. 안내에 따라 복도 끝 계단으로 2층에 올라가서 노크를 했다.

"네~문 열고 들어오세요."

유리로 된 미닫이문을 열자 조그만 방에 피아노가 있었고, 선생님은 피아노 앞에 앉아 계셨다. 인사를 드리니 피아노 위에 놓여 있던 조그만 접시를 줬는데 거기엔 음식이 담겨 있었다.

"앉아서 이거 먹어라. 너 주려고 내가 만든 거란다."

오래 되었고, 그때는 음식에 대해 잘 모를 때라 기억이 불분명하지만, 약과가 아니었나 싶다. 맛있었다. 내가 그걸 먹는 동안 선생님은 피아노를 쳐주셨는데 모르는 곡이었다. 중학교 1학년 꼬맹이 제자를 위해 음식을 만들고 피아노를 쳐주신 미인 처녀 선생님의 호의에 얼떨떨하여 박수 치는 것도 잊고 말았는데, 다시 미닫이문을 열더니 들어오라고 하셨다.

처음 보는 선생님의 방. 침대가 있고, 화장대가 있으려니 했더니 전혀 아니었다. 방은 직사각형이었는데 한쪽 벽면은 장롱이고 반대편은 책장인데 문갑 높이, 가운데는 문갑. 여성인데 화장대도 침대도 없었다. 선생님은 문갑 위에 놓인 그림 2장을 가리키며 물으셨다.

"둘 중에 어느 것이 좋아 보이냐?"

"오른쪽이요."

"그렇지? 그래서 어제 내가 밤을 꼬박 샜단다."

무슨 말씀인지 몰라 우두커니 방안을 두리번거리는데, 왼쪽 그림을 가리키며 "이 그림이 우리 학교 미술 선생님 작품인데 마음에 들지 않아서, 오른쪽과 비교하느라 밤을 샜단다."

교지의 표지 그림이었던 것이다.

"우리 학교 교지 표지 그림에 우리 미술 선생님 걸 안 쓰려니까 그렇고."

선생님은 일과 책임감에 대한 열정이 대단한 분이셨다. 교지의 표지 그림을 두고 밤을 새며, 여백의 컷을 위해 세계미술전집(일본판)의 그림을 오려 그 자리에 앉혔던 것이다.

중학교 1학년인 나는 평소에는 주말마다 독후감 쓰고, 방학이 되자 선생님 댁으로 등교하는 생활로 1년을 보냈는데 문학, 미술, 음악, 출판 등의 여러 방면에서 소중한 경험을 한 시기였고, 향후의 삶에 지대한 영향을 받은 것이다.

며찰 후 선생님 나에게 심부름을 시키셨다. 서류 봉투를 하나 주시면서 부산 대신동에 있는 중앙여중에 가서 어느 선생님께 전해주라는 것이었는데, 난생 처음 가보는 여학교였다. 수위실에서 용건을 말했더니 들어가라고 했다. 간혹 보이는 여학생들이 힐끗힐끗 쳐다보는 눈길을 느끼면서 찾아간 교무실에 미술 선생님이셨던 안세홍 선생님이 계셨다.

사람의 인연은 기묘하다. 나는 안세홍 선생님이 어떤 분인지 몰랐는데, 한참 세월이 흐른 후 서예를 할 때 부산시 미전에 연달아 특선하는 안세홍 선생님을 발견할 수 있었고, 그때 이미 부산 미술계에서 꽤 유명한 분이셨다.

열흘 정도 원고 정리를 했다. 학생들의 원고와 청탁한 원고를 받아와서 교정보고, 실을 순서를 정하는 등의 일이었다. 정리된 원고를 들고 선생님을 따라 나선 날, 부산 초량 뒷길의 연문인쇄사, 출판사도 처음 가보는 경험이었다. 지금 생각하면 우스운 얘기지만, 당시는 컴퓨터도 없었고, 돋보기 쓴 출판사 직원 아저씨가 원고를 들고 벽면의 나무장에서 활자를 일일이 찾아내어 그걸로 짠 활자조판에 납을 녹여 부어서 인쇄판을 만들고 그 판에 잉크를 묻혀 돌아가며 한 장씩 인쇄를 한 다음 접어서 제본을 하고 잘라내는 활판인쇄였다. 지금도 그런 방법을 쓰는지는 모르겠으나 원시적인 인쇄 방법이었다.

8페이지쯤(전지 한 장 크기) 되는 인쇄된 용지 한 장이 나오면 교정을 보고, 틀린 글자는 다시 활자를 뽑아 같은 방식으로 두세 차례 교정을 반복했다. 불과 50년 전 우리나라 출판사는 그런 수준이었다. 나도 막내삼촌이 구경시켜준 아산 현충사 기행문 〈현충사를 찾아서〉라는 최초의 글을 교지에 실었다.

이렇게 1학년을 보내고 2학년이 됐을 때 선생님은 형을 한 분 소개해주셨는데, 당시 경남고에 다니던 이훈이란 형이었다.

그는 부산의 국제신문 편집국장의 아들이었고, 서울대 철학과로 진학했는데 그 후의 소식을 모르고 수십 년이 흘러갔다. 형과 나는 어느 가을날 부산 오륜대에서 만나 호숫가에서 해질녘까지 많은 이야기를 했던 기억이 난다. 선생님은 2학년 때 다른 학교로 전근을 가셨고.

고2 때 할아버지 양계장 하시던 자리에 집을 새로 지어 이사했는데 대문에 우체통이 달려 있었다. 매일 학교 다녀와서 열어봐도 편지 오는 데가 없었는데, 어느 날 편지가 한 통 와 있었다. 김양자 선생님의 반가운 편지. 선생님의 글씨는 딱 보면 아는 게 ㄴ자를 V자처럼 쓰시기에 금방 알 수 있었다.

결혼한다는 소식이었다. '누~군지 행복할 거야. 무척이나 행복하겠지~' 이런 노래 가사가 떠오르며 마음속으로 다함없는 축하를 보냈지만 결혼식을 서울에서 했기에 가보지는 못했다. 선생님은 결혼 후에도 1년에 한두 번 편지와 예쁜 크리스마스 카드를 보내주셨다.

'사랑하는(보고 싶은) 두 훈에게'

이 훈 형과 나의 이름 끝 글자가 같아 이렇게 보내신 듯하다. 편지에는 안부와 선생님의 일상을 적으셨는데, 아이도 낳고, 보람 있는 생활이라는 소식도 받았다. 드디어 서울 갈 일이 생겨 편지를 드려서 만나게 됐고, 나는 선물을 준비했다. 서예를 배울 때라, 서예 스승님께 부탁하여 족자를 만들어 들고 갔던 것이다. 애화화안(愛話和顔), 사랑스런 말과 온화한 얼굴. 이 두 가지만 있으면 가정의 평화를 지킬 수 있지 않을까?

우리는 서울 미도파 백화점 내 커피숍에서 만났다. 선생님은 결혼하고 출산을 했어도 여전한 미모와 건강한 모습으로 나오셨는데, 나의 족자 선물을 매우 고맙게 받으셨다.

그날 지금까지 잊을 수 없는 말씀을 하셨는데, 역시 선생님

답다는 생각이 든다.

책을 읽다가 결정적인 순간에 아이가 울면 책장을 넘겨야 할지, 아이에게 우유를 주러 가야할지가 망설여지는 게 부끄럽다는 말씀이었다. 지적 욕구와 자녀에 대한 사랑의 우선순위는 어떤 것이 먼저일까? 이후로 나는 선생님의 소식을 모른다. 여러 번 수소문을 했지만.

다시 세월이 흘러 보험회사 소장으로 근무하던 시절, 어느 가을날 오후 햇살이 비스듬히 사무실 창문으로 비칠 때였다. 문이 열리더니 중년의 남자 손님이 찾아오셨다. 안내하여 소파에 마주 앉았는데, 손님의 방문 목적은 가정 형편상 보험을 해약하러 왔다는 것. 한참 동안 얘기를 하던 중, 안면이 있는 느낌이 들었다.

"손님, 혹시 안세홍 선생님 아니십니까?"

"아~니, 어떻게 제 이름을?"

"네~ 맞으시군요."

나는 다시 정중한 인사를 드리고, 오래 전 중앙여중으로 김양자 선생님 심부름 갔던 누구입니다 했더니 반갑다고 다시 악수를 했다. 그날 오후 담당 직원을 불렀다.

"그 안세홍이란 계약자 분, 왜 해약을 하려고 하나요?"

"그 고객님 참 좋은 분이고, 미술학원 하여 수입도 괜찮은데요…."

"그런데요?"

"그 선생님이 대학시절 사귀던 여성이 있었나 봐요. 그런데 그 여성을 못 잊어서 자주 얘기를 하고 지금의 부인과 비교하는 모습을 보이면서 가끔 다투나 봅니다. 그래서 의견이 맞지 않아~~."

"네~그렇군요."
"그런데 소장님이 그분을 아세요?"
"아, 아닙니다. 3년 넘게 불입했는데 해약하려고 오셨기에."

인연이란 기묘한 것이다. 대학시절 연애하다가 집안의 반대로 결혼하지 못한 은사님의 옛사랑을 이렇게 또 만날 줄이야?

김양자 선생님을 뵙고 싶다. 팔순이 되셨을 텐데~ 젊은 시절의 미모는 아니겠지만, 어떤 매력을 지니고 계실까? 그 치명적인 미소는 지금도 갖고 계실까? 교지 표지에 쓸 그림 2장을 놓고 밤을 새시던 열정은? 교지 여백의 컷을 위해 그 비싼 일본판 세계미술전집을 가위로 오려내시던 용기는?

서울상대 출신의 어느 석유회사 상무와 결혼하셨는데, 화가인 안세홍 선생님과 결혼하셨으면 더 행복하셨을까? 지금도 ㄴ자를 v자처럼 쓰실까? 중학교 첫 국어시간에 소개해주신 윤동주의 서시(序詩)는 지금도 애송하고 있습니다.

이런 생각들로 2020년 12월의 밤이 깊어간다.

이렇게 옛날이야기를 길게 쓰는 데는 까닭이 있다. "삶의 진리는 이야기 속에 있다."는 말을 믿기 때문이고, 글로 쓰면서 인연의 소중함과 사물에 대한 판단기준을 확립할 수 있다고 생각하기 때문이다.

길이를 잴 때는 자를, 무게를 잴 때는 저울을 사용한다. 이런 기구들이 없었을 때는 어떻게 했을까? 아마 자신이 보았던 어떤 물건을 연상하여 비교하는 방법으로 표현했을 것이다.

오늘의 주제인 맛과 멋의 기준도 길이나 무게처럼 수치로 표현할 수 없는 분야이기에, 살면서 만난 어떤 사람이나 누가 만들었던 음식, 어디서 먹어본 음식의 기억을 기준으로 하여 뇌가 판단하는 것이 아닐까?

나에게 은사님이신 김양자 선생님은 50년 넘게 나의 삶 거의 전부를 통해 여성을 보는 기준으로, 멋의 상징으로 자리하였기에 이런 이야기를 글로 남기고 싶은 것이리라.

필자의 또 다른 기준은 이렇다. 외국소설로는 헝가리 작가 산도르 마라이의 『열정』을 꼽는데, 특별한 연유 없이 서점에서 고른 소설이다. 한국소설로는 이문열 작가의 『사람의 아들』을 꼽는데, 한국소설 중 한 번 읽고 선뜻 이해가 되지 않았던 점과, 이문열 작가를 만났을 때 그의 해박한 지식과 세상을 보는 관점에 감명을 받았기 때문이다.

음악(현악)으로 슈베르트의 〈아르페지오네 소나타〉의 경우 아르페지오네라는 악기를 본 적이 없다. 음악(관악)으로 모차르트의 〈클라리넷 협주곡〉은 클라리넷을 배울 때 알았던 곡이다. 동양화의 청전 이상범과 의제 허백련, 시의 신동엽과 황동규도 하나의 기준이다.

멘토가 있다는 것은 행복한 일이다. 자신이 누구의 멘토가 돼 줄 수 있다는 것은 얼마나 고무적인 일이겠는가.

형제보다 가까운 절친이었던 친구가 자신의 아내를 사랑하는 걸 알았을 때, 그 친구가 사냥 가서 총으로 자신을 겨누는 것을 느꼈을 때, 아내가 죽었을 때 그 일기장을 끝내 펼쳐보지 않고, 그런 친구가 41년 만에 돌아온다고 잔치를 준비하는 주인공의 마음은 어땠을까?

이미 동구권 작가의 최고봉이라고 재조명되고 있다는 산도르 마라이! 그의 소설에서 나는 감명을 받았다. 인간과 종교의 문제를 다룬 『사람의 아들』. 나는 작가 이문열을 만나 장시간 얘기하면서 그의 해박한 지식과 이야기를 풀어나가는 솜씨에 감탄했다. 그리운 그의 모습 다시 찾을 수 없어도 울고 간 그의 영혼, 들에 언덕에 피어날지라.

신동엽의 시는 나에게 큰 울림이었다. 〈산에 언덕에〉라는 현대시를 붓으로 쓰면서 곱씹으며 느낀 시의 아름다움. 〈아웃 오브 아프리카〉라는 영화를 보며 테마음악으로 나오는 클라리넷 선율, 클라리넷을 배우지 않았다면 그토록 가슴에 와 닿지는 않았을 것이다. 미샤 마이스키의 첼로 연주로 들은 슈베르트의 〈아르페지오네 소나타〉는 〈겨울 나그네〉와 함께 슈베르트의 매력을 느낄 수 있는 곡이었다.

이런 모든 감각이 오늘 얘기한 나의 은사 김양자 선생님을 만나 시작되었고, 평생을 어떤 기준이 되어 사물을 바라보게 되었기에 선생님을 존경하고 그리워하는 것이리라.

맛에 대한 기준은 어떻게 형성되었을까?

필자의 경우는 할머니께서 만들어주셨던 음식 맛과 전라도 여행에서 맛본 음식 맛에서 기준이 세워졌다고 생각한다.

지금도 무를 크게 썰어 아래에 깔고 약간 말린 코다리를 얹어 졸인 할머니의 코다리무조림은 언제나 먹고 싶은 그리운 음식이다.

광주에서 만나 30년 이상 호형호제하는 사이인, 화순이 고향인 고종일 동생은 내가 광주에 갈 때마다 나를 싣고 전라도 구석구석을 다니며 음식을 맛보여 주었다. 백양사에서 처음 먹어본 홍어, 무안의 낙지, 담양의 토종닭 고추장불고기 등등.

음식도 근원을 따져 돌이켜 보면 어느 지방 또는 사람과의 인연이 나온다. 이렇게 나는 김양자 선생님을 통해 지적인 토대를 쌓았고, 여성에 대한 기준을 만들었으며, 할머니와 광주의 동생 고종일을 통해 맛의 기준을 가지게 됐다고 생각한다.

더 늦기 전에 김양자 선생님을 찾아뵙고 싶고, 이 글에 언급된 화가 안세홍 선생님과 작가 이문열 선생님, 이 훈 형님, 광주의 고종일 동생 등 모든 분들이 건강하게 오래오래 사시면서 누군가의 멘토가 되어 주시기를 간절히 기원한다.

재첩국 사이소

어릴 적 동이 틀 무렵 아줌마들이 외치고 다니던 소리다. 사실은 "재치국 사이소."라고 하는데 경상도 발음은 왜 그런지 모르겠다. 바닷물과 강물이 만나는 강 하구의 모래밭에서 잡히는 재첩이란 백합과의 조개가 재료다.

양동이에 재첩을 끓인 원액을 머리에 이고 새벽마다 팔러 다니는 것인데, 이걸 사서 적당히 물을 더 붓고 부추 썰어 넣은 다음 고춧가루 조금 뿌리면 훌륭한 해장국이다. 재첩은 메티오닌 성분이 많아 간 해독에 좋고 빈혈에도 효과가 있단다.

하동 쌍계사로 떠난다. 쌍계사 들어가는 길은 아름다운 벚꽃이 가로수다. 봄에 가면 오래된 벚꽃나무가 벚꽃터널을 만들고 흩날리는 벚꽃이 장관이다. 차의 고향이라고 말하듯 차나무가 많고 하동 녹차는 유명하다. 내가 묵은 여관에도 별도로 다실을 만들어 녹차를 끓여 마실 수 있게 해둔 것이 인상에 남는다.

절에 참배하고, 등산 겸 불일폭포를 보려고 출발했다. 산을 오르면 김수로왕의 일곱 아들이 출가하여 스님이 되었다는 칠불암이 나온다. 절의 기와가 동(銅)기와다. 지붕이 구리 빛으로 햇빛을 받아 빛나는데, 그런 기와는 처음 봤다. 절 마당 왼편에는 우리 온돌의 원형인 아자방이 발견된 곳으로, 버금아자 형태의 구들이 남아 있었다.

좀 더 올라가 불일폭포를 구경하고, 재첩의 본고장에 왔으니 재첩 식당으로 갔다. 재첩 회와 재첩 국을 시켰다. 재첩 회는 생 재첩이 아니고 재첩을 삶아 알맹이만 골라낸 것으로 초고추장에 찍어 먹는데 씹는 식감이 좋다.

하동은 섬진강 하류로 화개장터도 있고 매실마을, 박경리 소설 토지의 배경이 된 평사리 최참판댁 등 볼거리가 많은 고장이다. 섬진강은 아직 자연 그대로의 모습이 살아있어 좋다.

가을이 되면 잊지 못할 곳이 또 있다. 영남 알프스의 억새평원. 직장 선배 중에 언양 출신인 분이 계서서 알게 됐지만 입소문을 타고 널리 알려지기에 경부고속도로를 건설할 무렵 태어난 언양불고기 원조집을 찾아가 볼 겸 길을 나섰다.

지금은 울산광역시가 되었지만, 울산시 왼쪽의 울주군에 있는 언양과 양산 북쪽이 만나는 곳에 신불산이 있다.

갈대와 억새는 같은 과의 식물이지만 다르다. 낙동강 하구의 섬 철새도래지 을숙도는 갈대밭이다. 하단에서 통통배를 타고 건너가면 온통 갈대밭, 철새들이 날아다니고, 철새들의 알도 보인다. 초가집의 지붕을 볏짚으로 하지만, 갈대가 있는 강가에서는 갈대로 지붕을 인다. 훨씬 튼튼하고 오래 가는 재료다. 볏짚으로 이은 지붕은 1년마다 간다면 갈대로는 3년에 한번 정도 간다. 지붕 잇는 날은 동네 잔칫날이었다.

갈대로 어떻게 지붕을 이는지 유심히 보았는데, 동네마다 다니며 지붕을 이는 기술자들이 있었다. 몇 명이 팀을 이뤄 다니는데, 일단 마당 한켠에 쌓인 갈대로 길게 지네가 기어가는 모양의 '용마름'을 만들어 지붕 꼭대기에 올리고, 그 밑으로 편편하게 펼친 갈대를 넣고, 다시 그 아래에 갈대를 넣어 빗물이 새지 않게 하는 것이다. 마지막으로 새끼줄을 격자로 묶어 지붕을 고정시키는 작업, 신기했다. 갈대가 말라 부러지면 주전자에 물을 담아 놓고 입으로 물을 뿌려 휘게 하기도 하면서 작업하는데, 지금은 볼 수 없는 우리 농촌의 특별한 기억이다.

지붕 이는 날, 어머니는 수육을 삶고, 도가(양조장)에서 막걸리를 배달시켜 일하는 분들과 동네 사람들을 대접하였다.

영남 알프스는 경남과 경북, 울산광역시의 경계에 있는 1천미터 급의 산들이 모인 곳으로 경북 청도와 경남 양산, 울산광역시 울주의 경계를 이루는 곳이다. 설레는 마음으로 산을 오르는데, 이미 내려오는 사람들은 다들 "멋집니다, 이제 다 왔습니다."라고 한 마디씩 건넨다.

내가 힘들어 하니 젊은이들이 가방도 받아주고 하여 올라갔는데, 땅만 보고 발을 내딛다가 갑자기 앞이 훤해지는 느낌이 들었다. 신불산 정상에 못 미쳐 고원처럼 평지가 나타나고 간월재 은빛 물결이 일렁인다. 장관이었다. 다른 곳에서 본 적이 없는 황홀한(?) 풍경이랄까?

바람이 불면 억새꽃이 눈이 오듯 날리면서, 억새는 바람의 방향에 따라 이리 저리로 물결친다. 을숙도에서 봤던 갈대숲과는 사뭇 다른 풍경이다. 갈대가 나무에 가깝다면 억새는 키가 큰 풀이었다. 유럽의 알프스에 억새평원이 있을까? 왜 영남 알프스라고 이름을 지었을까?

우리는 여행에서 특별한 경치를 볼 때 감탄한다. 우리나라는 어디를 가나 비슷비슷한 풍경인데 정말 놀라운 풍경이었다. 늦가을 맑은 하늘에, 시원한 바람, 바람에 일렁이는 억새의 군무? 억새평원은 한 폭의 그림으로 내 머릿속에 자리 잡았다.

'금강산도 식후경'이라 했던가? 배가 고프기 시작했다. 언양읍내로 내려와 언양불고기 식당을 찾아 나섰다. 읍내 도로변에 언양불고기 식당이 몇 군데 있는데 원조집은 모르겠고 그 중의 한 군데를 들어가니, 숯이 담긴 화로가 오고, 석쇠에 언양불고기를 얹어 가져다준다. 얼핏 보기에는 떡갈비처럼 생겼다.

언양불고기는 경부고속도로 공사 때, 공사하는 사랑들에게 불고기를 바로 양념하여 구울 수 있도록 만들어진 것이니 1960년대 말에 만들어진 음식이다. 사실 나는 1980년대 부산 광안리 언양불고기 골목에서 처음 맛보았다. 맛이 있어서 본고장의 맛을 봐야지 하고 생각했는데, 고기의 신선함은 본고장 언양이, 맛은 광안리가 더 낫게 느껴졌다.

불고기는 어떻게 만들어진 음식일까? 필자는 맥적에서 발전된 것이라고 생각한다. 우리 음식 중 가장 오랜 역사를 가졌다고 볼 수 있는 맥적! 고구려 이전 시대부터 소괴기(쇠고기)를 된장 양념하여 구워 먹었다는 맥적, 구워 먹는 고기 요리의 원조일 것이다.

된장에 국간장을 더한 소스를 발라 재웠다가 굽는데, 우리의 재래된장과 조선간장을 써서 만들면 어떨까? 너무 짜면 물을 섞어 희석하면 될 것이다

검색해보니, 돼지 목살에 국 간장… 이런 레시피가 대부분인데 재일동포가 만든 일본의 야끼니쿠처럼 우리만의 소스를 개발하여 특화하는 방법도 좋겠다. 양념에 하루 이틀 재워 굽기도 하고, 일본의 타래소스 마냥 고기를 구워 소스에 찍어 먹을 수도 있는 음식이다.

시판되는 간장은 전부 일본간장(옛날엔 왜간장이라고 불러 우리 고유의 조선간장과 구별했음)인데, 전통 간장으로 맛을 내는 연구가 필요할 듯하다. 시판 간장에는 MSG도 들어 있어 맛이 좋게 느껴지지만 우리 고유의 것이 더 깊은 맛을 내지 않을까?

현대 불고기의 맛은 요즘 말로 '단짠'이다. 간장과 설탕을 2대 1로 하고 다진 마늘, 참기름, 깨소금 정도만 넣어도 어지간한 맛이 된다. 설탕을 조금만 넣고, 배를 갈아 넣든지, 매실청을 넣는 방법도 좋겠다.

언양불고기는 일반 불고기보다 고기를 얇게 썰어야 하는데, 칼등으로 저며 구울 때는 떡갈비처럼 보이다가 구워서 젓가락질 하면 떨어지는 방식이랄까? 아예 고기를 갈아서 하면 떡갈비가 되므로 갈아서 하면 안 된다.

오랜 세월 식품과 함께 살았더라도, 죽기 전에 하나의 역작을 만들어 보고 싶은데, 그 중 하나가 맥적이다. 해가 지기 전 서쪽 하늘을 붉게 물들이는 노을처럼 마지막 불꽃을 태우고 싶다. 우리만의 건강하고 맛있으며, 세계인의 입맛을 사로잡을 수 있는 K-Food라 할까?

우리는 북방 유목민족의 후손이다.

몽골에서 전래된 음식이 소주, 만두, 떡 등인데 몽골 음식에는 향신료가 없다. 식품의 유래를 살펴보면 그 음식이 만들어진 배경과 취향, 발전과 변모 과정, 향후의 예상까지 알 수 있다. 우리 민족은 몽골, 거란, 흉노, 여진족 등 북방 유목민족과 함께 살다가 분파되었으며 그들은 고기(주로 쇠고기를 뜻함)를 불에 구워 먹기를 즐겼다.

부여시대의 맥적과 조선시대 궁중음식인 너비아니(고려시대는 불교의 영향으로 고기를 많이 먹지 않은 듯)는 비슷한 맥락의 음식이고, 불고기는 야채를 섞고 국물 있게 만들어 고기가 귀한 시절 양을 늘리기 위한 방편으로 발전된 게 아닐까?

언양불고기는 개발자가 누군지 확실하지 않고, 이런 맥락을 알고 했는지 모르지만, 둘을 결합한 것 같은 느낌이다. 오래 재워두는 시간을 줄이고, 국물을 없애 구울 때 불향이 첨가되도록 만든 '바싹 불고기' 형태다.

맥적의 쇠고기를 돼지목살로 바꾸고, 전통 된장 대신 지금 시판 중인 일본식 된장에 가까운 장을 바꾸고. 간장도 일본식

간장으로, 숯불에 구워 불향을 더하는 것도 프라이팬에 익혀 마지막 시늉만 내는 방식으로 조리한다. 그래서 어찌 보면 완전히 다른 음식이 된 게 아닐까?

음식은 그 민족의 문화와 기질, 유전자까지 내포한 것이기에 꼭 옛날 방식의 복원이 아니더라도, 원형을 찾고, 발전시킬 필요가 있지 않겠는가? 가장 한국인인 것이 가장 세계적일 것이라 생각한다.

식품을 발전시킨다는 것이 설탕 넣고, 조미료 넣고, 향신료 더하여 맛만 추구하는 쪽으로 가는 것이 좋은 일일까? 음료도 계속 마셔보면 청량음료보다 맹물(생수)이 맛있고 건강에도 좋다는 걸 느끼듯이, 음식도 원형을 공부하며 진정한 맛과 건강을 추구하는 쪽으로 가야 할 것이다. 육류 소비가 늘어나고, 식단이 서구화되면서 육류가 대세인 시대다. 오랜 역사와 더불어 우리 민족의 유전자가 되어 있을 맥적을 재해석하고 발전시킬 계획을 세워 본다.

제3장
먹거리 한류 K-푸드를 위하여

고려취(高麗臭)

고려취는 고구려 민족의 냄새라는 말이다.

중국인들이 된장을 먹는 고구려인들에게서 역한 냄새가 난다고 해서 했던 말인데, 지금의 고린내 역시 고려취에서 비롯된 말이다.

콩의 원산지는 한반도와 만주 지역이다. 문헌의 기록을 종합해보면 된장은 예맥에서 만들어진 식품이다. 예맥이란 예족과 맥족을 말하는데, 한반도 북부와 만주에 살았고, 고조선 이후 부여와 고구려 민족의 근간이 되었다. 된장에서 간장이 나왔으니 중국의 춘장이나 일본의 미소된장 등 모든 장의 근원이 우리 민족이란 뜻이다.

콩에는 식물성 단백질인 이소플라본이 많이 들어 있는데, 골밀도 증강, 암 발병률 감소, 혈관 보호, 관절 염증 억제 등 뛰어난 항산화력을 가진 식품이다. 맥적도 부여에서 탄생하였는데, 맥족이 먹었다고 맥적이라 부르지 않았을까?

고구려인들은 발효 기술이 뛰어나 중국인들도 부러워하여 배우러 왔다고 한다. 초기의 된장은 간장을 분리하지 않고 섞어서 걸쭉한 형태였다고 하는데, 나중에 된장과 간장을 분리하게 된 것으로 보인다.

K-Food

작은 금(소금)이
큰 콩(대두)을 만나

새 생명(된장)이 태어났네
자랑스럽다
구리(구리국)의 후손들이여
맛의 근원이고
멋의 고향이 될지니
콩 한 알도 나누어 먹고
세상의 빛과 소금이 되거라

고려취라고?
괘념치 말거라
본질은 건강한 생명의 맛이니.
그들이 배우러 오거든
가르쳐 주거라
취두부든, 낫토든

먼 훗날
어지러운 시대가 오거든 말하거라
구리(구리국)의 조상이
전해줬다고
맛이 어디서 오고
멋이 어떻게 시작됐는지를
그리하여 코리아는
맛의 고향으로
멋의 근원지로
찬란하게 빛날 것이고
그리하여
코리아는 영원할지다

이 대목에서 사흘을 허비했다.

과연 무엇을 전달하여 식품에 대한 이해를 높이고, 진정한 K-Food의 길을 제시할 것인가? 이 문제에 대한 고민의 시간이었다고나 할까? 왜 우리의 전통식품이 건강에 좋고, 맛있고, 우리가 계승 발전시켜야 하는가를 조명해 보이고 싶은 것이다. 냄새와 맛의 관계, 맛과 건강의 관계, 이런 것들을 명쾌하게 서술하기에는 새삼 능력이 부족함을 느낀다.

이 지역이 콩의 원산지인 것은 행운이지만, 야생의 콩을 옮겨 심어 작물화한 것은 우리의 조상들이 콩의 성분이나 효능을 알았기 때문일까? 아니면 맛 때문일까?

식품을 오래 보존하는 방법은 첫째 말리는 것이다. 그러나 말린다고 맛이 좋아지는 것은 아닐 테니 조미료를 찾게 되었을 것으로 보인다.

인류 최초의 조미료는 소금이다. 콩을 삶아 소금과 결합하는 방식은 어떻게 알아냈을까?

하여간 콩과 소금이 만나 한민족 최초의 조미료이자 세계 최초의 장이 탄생하였으니, 그게 바로 된장이다.

최초의 소금은 암염(巖鹽)이다.

세계 최초의 소금 광산인 오스트리아의 할슈타드 소금 광산이 1만 2천 년이나 되었다니 인류 역사 1만 년과 비슷하고, 소금의 역사는 인류의 역사와 비슷하다.

그런데 콩은 원산지니까 야생의 콩을 옮겨 심어 재배했을 텐데, 소금은 어디서 났을까?

한반도와 만주 지역에 암염 생산 기록이 없는 것으로 보아 처음에는 중국에서 들여온 듯하다. 그러면 우리가 계속 중국의 소금을 들여와서 된장을 만들었을까?

아니다! 우리 민족은 전통적으로 소금 만드는 방법을 알고 있었다. 자염이라는 것이다. 자염은 밀물 때 바닷물을 써레질하여 바닷가 갯벌 쪽으로 끌고 와서 여과된 바닷물을 웅덩이를 파고 퍼내어 끓이면 남게 되는 소금이다. 우리 민족은 자염을 만들어 썼던 것이다. 자염의 기록이 삼국시대 이전부터 나오니 한민족의 소금 역사도 2천 년이 넘은 듯하다.

이렇게 자염과 콩으로 장을 만들 줄 알았던 우리 민족은 가히 식품의 원조국이라 말할 수 있겠다. 자염 생산지역은 서해안과 남해안, 경상도 지역 동해안까지 널리 분포하였는데 1907년 일제 강점기에 지금의 염전이 일본으로부터 도입되던 시점까지 이어지고 있다.

자염과 천일염은 바닷물을 끓여서 소금을 얻느냐, 햇볕과 바람으로 바닷물을 증발시켜 소금을 얻느냐의 차이라고 하겠다. 우리의 전통방식이라고 더 좋은 소금인 양 자염을 평가할 이유가 있을까? 물론 바닷물이 일정 기간 갯벌을 통과하면서 여과되어 불순물이 걸러지거나 약간의 염도가 낮아질 수는 있겠다.

여기서 쓰고자 하는 내용은 된장이 어떻게 만들어졌으며 고려취라는 냄새를 어떻게 봐야 하느냐이다. 야생의 콩을 발견하고, 그것을 옮겨 심어 작물로 재배했으며, 소금과 콩을 결합하여 된장과 간장을 만들고 맥적을 개발했던 조상들의 지혜와 감각에 경의를 표한다. 얼마나 장구한 세월이 걸렸고, 얼마나 많은 사람들의 지혜를 모아야 했을까? 절로 고개가 숙여진다.

된장은 우리 장류문화의 시작이며 소금과 식초를 제외하면 최초의 식품이 아닌가 생각한다. 우리 조상들은 곰팡이의 존재를 알았을까? 메주곰팡이(황국균)의 역할이 있어야 발효가 잘 되는데 그걸 어떻게 알았을까?

고려취(高麗臭)라는 말이 발효기술이 뛰어난 고구려인의 재능을 표현한 것인지, 냄새 나는 민족이라고 비하한 표현인지는 모르겠으나, 옛날에 시골에서 메주 띄우던 방문을 열면 확 밀려오던 곰팡이 냄새, 우리의 냄새가 아니었을까? 고려취의 의미가 무엇인지를 생각하느라 벌써 닷새를 보내고 있다.

절에서는 화장실을 해우소(解憂所)라고 한다. 근심과 번뇌를 해결하는 곳이라는 뜻이다. 절에 가서 화장실 가고 싶을 때 난감한 적이 있었는데, 화장실 한쪽 구석에 재를 담아두고 국자처럼 생긴 도구가 있었다. 용변을 본 후 재를 뿌리라는 뜻일텐데, 그 절의 화장실은 역한 냄새가 나지 않았다.

고려취(高麗臭) 문제를 어떻게 볼 것인가?

과학을 동원하여 냄새를 없애는 방법이 좋을까? 냄새는 좀 역하지만 맛은 구수하게 좋다면 이 문제를 어떻게 봐야 할까?

필자가 먹어본 음식 중 견디기 어려운 냄새가 나는 것은 홍어였다. 전남 장성의 백양사 부근이었는데, 코가 찡하고 눈물이 핑 도는 느낌이었다. 그런데 시간이 좀 흐르자 다시 먹고 싶은 묘한 충동이 생겼다. 홍어의 본고장이라는 나주 영산포를 찾아갔고, 지금도 종종 홍어를 먹고 싶은 충동을 느낀다. 중국의 취두부를 먹어보지는 않았지만 홍어보다 더 심한 것 같다.

부패와 발효는 비슷하게 보이지만 전혀 다른 현상이다. 발효는 진행과정에서 유익하고 새로운 물질을 만들어내지만, 부패는 독성물질을 만들어 섭취할 때 식중독을 일으키거나 병을 유발하는 것이다. 우리 민족의 조상들이 상당히 감각이 발달했다고 느끼는 것은 발효와 부패의 경계선을 감각적으로 알아차리는 것 같기 때문이다.

된장이 그렇고, 홍어, 젓갈 등 소금의 양을 얼마나 넣고 얼마 동안 발호시켜야 하는가를 알아차리는 천부적인 능력을 가졌다는 느낌이다. 발효식품뿐만 아니라 나물을 데칠 때, 음식의 간을 할 때, 한복의 선, 추녀의 곡선 등으로 미뤄보건대 시간이나 미터법 단위로는 정확하게 표현할 수 없는 우리만의 감각, 이렇게밖에 설명할 수 없는 유전적 감각이라고나 할까.

서양 음식에도 전통 치즈는 역한 냄새가 난다. 그러나 그 냄새 때문에 치즈를 안 먹는 사람이 없듯이, 된장 냄새(고려취) 때문에 된장을 먹지 않는 한국인이 있을까? 치즈가 냄새는 나지만 세계인이 먹고 있다. 스시가 생선을 안 먹는 나라에서도, 고추냉이의 톡 쏘는 맛에도 세계인의 음식이 되었듯이 우리의 된장 요리가 세계화될 수는 없을까?

고구려의 건국 연대가 BC 37년인지 BC 277년인지 학설이 분분하지만 2천 년 이상이라는 사실은 분명하다. 어떤 음식이 만들어져 2천 년 이상 존속한다는 것은 고무적인 일이며, 자랑스러운 유산일 것이다.

어쩌면 고려취는 인간의 원초적인 냄새가 아닐까? 냄새는 조금 역해도 맛이 있지 않은가? 그렇게 오랜 세월을 이어 오면서 맛의 근원이 되고, 영양 공급원이 됐던 된장! 시대가 변했다고, 냄새를 없애려고, 염도를 줄이려고만 하지 말고, 다른 방법을 발전시키고 세계화에 힘써야 하리라고 본다.

김치는 침채라는 원형에서 지금의 고춧가루를 넣은 모습이 되기까지 거의 2천 년 동안 변화를 거쳐 완성되었다. 지혜로운 우리의 조상들이 된장을 그대로 유지한 걸 보면 우리가 모르는 더 깊은 뜻이 있지 않을까 생각해 본다.

이 글을 쓰는 사이 마지막일지 모르는 가을비가 내리고, 은행잎이 떨어져 뒹굴다가 비에 젖은 채 도로에 달라붙어 있다. 이제 본격적인 겨울이 시작될 듯하다.

王孫去後無消息(왕손거후무소식)
風雨山中日日秋(풍우산중일일추)

'왕손이란 사람은 떠난 후 소식 없는데, 비바람 치는 산중에는 날마다 가을이 깊어가네.'라는 한시(漢詩)의 구절이다. 사람은 떠나고 없어도 그가(그들이) 한 일은 남겨지는 것이다.

조상들이 남겨주신 된장과 맥적 같은 오래된 음식의 의미를 되새기고. 지금처럼 K-푸드가 초코파이나 신라면, 새우깡에 그칠 것이 아니라 된장, 김치, 맥적 같은 자랑스러운 우리 고유의 음식이 K-푸드 대표로 자리를 잡아 세계인에게 회자(膾炙)되기를 바라는 마음이다.

세계 5대 건강식품과 한국 음식

2006년 미국의 건강전문잡지 헬스는 전문가들의 의견을 종합하여 세계 5대 건강식품을 선정하여 발표하였다.

세계 5대 건강식품은 스페인의 올리브유(식물성 기름 스페인 남부 안달루시아 지방), 그리스의 요거트(유가공 식품, 염소젖을 발효하여 시작), 인도의 렌틸콩(모양이 볼록 렌즈를 닮아 렌즈콩이라고도 함), 일본의 낫토와 콩 식품(두부 등), 한국의 김치다.

이 내용을 분석해보면 발효식품이 3가지, 아시아 식품이 3가지다. 요거트를 빼면 모두 식물성이다. 요약하면 식물성 발효식품이 건강에 이롭다는 뜻이다.

이 중에서 김치는 좀 특별하다. 다들 한 가지 재료인데 김치는 여러 가지 식재료를 섞어서 발효시킨 음식이다. 음식은 어떤 지역에서 생산되는 식재료를 바탕으로 오랜 세월을 거쳐 자연발생적으로 탄생하는데 김치는 그렇지 않다.

채소(무, 오이 등)를 소금에 절이는 절임 식품에서 출발하여 젓갈이 더해지고, 임진왜란 후 고춧가루를 더하고, 19세기 초 배추를 찾아내 지금과 같은 김치가 되기까지 위대한 발명의 연속이었다. 필자는 여기서 우리 한국 음식이 전 세계 건강식품의 보고일지도 모른다는 발상을 시작한다.

신의 선물이라는 지중해의 올리브유는 불포화 지방산인 오메가3가 많이 함유되어 있어 콜레스테롤 수치를 낮추고 고혈압, 심근경색, 뇌졸중 등에 효과가 있다고 알려져 있다. 우리 음식 들기름은 어떨까? 수치의 비교는 모르겠지만 똑같은 오메가3의 효능을 가지고 있다.

유산균의 보고라는 그리스의 요거트, 우리의 김치 국물과 비교해보자. 10여 년 전 부산대학교 김치연구소 관계자와 토론할 기회가 있었다. 발효된 김치 1g에 들어 있는 유산균은 1억 마리 수준으로 요거트에 뒤지지 않는다. 유산균의 종류도 지금까지 밝혀진 것만 2천여 종, 요거트가 유산균의 보고라면 김치 국물은 유산균 폭탄일 것이다. 김치 국물을 버리지 말고, 김치 국물을 이용한 식품 개발을 서두를 때다. 국가적인 사업으로도 해볼 만한 일이라 생각한다.

나머지 3가지는 모두 콩으로 만든 식품인데, 일본의 콩 식품은 우리와 비슷하고, 인도의 렌틸 콩도 우리의 대두처럼 먹는 콩이다. 5대 건강식품을 선정할 때 일본에서 로비를 했다느니, 일본의 낫토가 우리의 청국장보다 못하다느니 이런 말을 하는 사람들이 있는데 부적절한 얘기다. 나는 개인적으로 일본의 낫토가 우리의 청국장보다 낫다고 생각한다.

일본이 낫토를 얼마나 연구하고 상품화하기 위해 노력했으며 낫토에서 나토키나제라는 성분을 추출하여 제약 분야에도 활용했는지 타산지석으로 참고할 필요가 있다. 우리는 청국장을 그런 식으로 연구 발전시키지는 못했다. 이제 겨우 청국장으로 가루나 환을 만드는 정도다.

세계 5대 건강식품이 주는 메시지 2가지

발효식품의 중요성과 콩 식품에 대한 재인식이다. 발효는 원래의 식재료에 없던, 새로운 유익한 물질을 만들어 내는 과정이다. 콩은 단백질이 풍부하고 이소플라본 같은 식물성 에스트로겐도 들어 있어 남녀 모두에게 유익한 식품이다.

우리 음식을 하나만 꼽으라면 당연히 김치일 테고, 2개를 꼽으라면 김치와 된장이라고 생각한다. 둘 다 발효식품이고 된장의 메주는 고추장의 원료이기도 하니 두말할 나위가 없겠다. 순창고추장도 고추장 메주를 따로 만들어 담근다.

일부러 우리 음식의 우수성을 과대 포장하려는 것은 아니다. 지구상의 조그만 나라 한국, 어떻게 이 땅에서 이렇게 뛰어난 여러 가지 음식이 생겨났느냐 하는 것이다. 음식에 관심을 가진 사람으로서 경이롭고 자랑스럽다.

김치와 된장

채소와 콩, 물과 소금, 자연과 시간과 정성이 준 산물이다. 세상에 수많은 음식이 있지만 결국 자연과 인간의 정성, 시간이 건강한 식품을 탄생시킨다는 말이다.

과유불급을 되새겨봐야 할 시대다. 지나친 것은 모자람만 못하다. 현대인들은 너무 많이 먹어서 탈이 난다. 그것도 기름진 음식과 조미료로 맛을 낸 음식을 너무 많이 먹는다. 병원에 가보면 아마 반 이상이 이런 문제로 생긴 병이라고 하면 지나친 표현일까?

1980년대 초 5년간 보험회사 소장을 한 적이 있었다. 항상 정장 바지에 재킷을 단정하게 입고 다니는 여성이 있었는데, 자신의 집에 초대하겠단다. 그분의 집이 부산 영도라 갈 기회가 없었는데, 어느 날 그쪽으로 동행할 일이 생겨 갔다가 들르게 됐다. 동네의 다른 여성 한 분과 마루에서 한참 동안 뭘 다듬더니 밥을 차려 왔다.

나는 순간 좀 놀랐다. 소반에 차린 밥상에는 밥과 된장국, 김치, 멸치볶음이 전부였다. 속으로 '이래 놓고 식사 초대를?' 하는 생각이 들었다.

잠시 후 금방 했다면서 아까 다듬던 채소 나물 한 접시를 더 가져왔다. 밥을 먹는 도중 그 집 아이가 학교에서 돌아왔는데 밥을 먹으라고 하자 "와, 오늘 웬일이야?" 한다.

이유를 물으니 나물 한 가지가 더 있어서 그렇단다. 365일 밥과 된장국, 김치, 멸치볶음뿐이란다. 그 아이는 어디 고깃집에 외식 한 번 가는 게 소원이라고도 했다.

올리브유는 올리브 열매를 압착하여(눌러서) 짠 식물성 기름(샐러드유 튀김용이 아님)이다. 흔히 쓰는 정제시킨 식용유(대두유 콩기름, 옥배유 옥수수기름)는 건강에 이롭지 못하다. 이 집 식단은 김치에 된장국의 콩에 멸치볶음의 칼슘에 나물을 소금과 들기름으로 무쳤으니 기본 영양소는 충분하다. 조미료도 쓰지 않았다. 매일 같은 식단이라 식상하고, 기름진 음식에 대한 욕구 때문이지 그 집 아이들 건강하고 공부도 잘했는데 그 후로 어떻게 되었을지…….

올리브유는 엑스트라버진, 버진, 퓨어 등 몇 단계로 구분되는데 첫 번째 두 번째 짠 것, 섞은 것 등 등급과 용도의 분류이며 불포화 지방산의 함량이 많을수록 높은 등급이다.

우리 국민은 뭐가 좋다는 소문이 나면, 어느 연예인이 먹고 효과를 봤다고 하면 거기에 꽂힌다. 또 방송에서 어느 식품의 나쁜 점이 보도되면 하루아침에 등을 돌려 외면한다.

엑스트라버진 올리브유의 판매 비율이 우리나라처럼 높은 나라가 또 있을까?

국산 참기름은 너무 비싸서 잘 못 사먹는다. 그런데 엑스트라버진의 판매 비율은 압도적이다. 올리브유, 참기름, 들기름 등은 압착유라서 발화점이 낮아 샐러드용이나 무침용으로 쓰인다. 어느 치킨 프랜차이즈에서 올리브유로 튀긴 치킨을 개발했다면서 나오던데 나는 이해가 가지 않았다. 가맹점주들이 비싼 기름값 때문에 손해를 보거나 망하기도 했고.

유산균은 장내 유해 세균을 없애고 장(腸)운동을 활성화하며 비만과 배변을 도와주는 유익한 균이기에 요거트(요구르트)는 좋은 식품이다. 직접 우유를 발효시켜 요구르트를 만들어 먹는 것도 좋은 방법이다.

제품을 고를 때 당분이 적게 들어 있는 제품, 요구르트 이외의 과일 등 다른 재료가 섞이지 않은 것(섞을 때 첨가물이 필수적으로 들어감) 플레인 요구르트를 선택하는 것이 좋겠다.

콩은 밭에서 나는 쇠고기라 불릴 정도로 영양이 풍부한 식재료다. 렌틸콩은 쇠고기를 먹지 않는 수 억 명의 인도인들에게 영양분을 공급했을 것이고, 한국과 일본, 중국에도 필수적인 식재료가 되었다. 청국장은 최고의 음식 중 하나이니 자주 식단에 올리고, 우리도 일본의 낫토처럼 그대로 먹을 수 있는 제품 개발이 필요해 보인다.

김치는 다른 장에서 몇 번 설명했으니 여기서는 생략하고 앞에서 말했듯이 유산균 폭탄(?)인 김치 국물을 이용한 제품이 나왔으면 좋겠다는 말만 덧붙이고 싶다.

살펴본 바와 같이 한국 음식은 세계 5대 건강식품에 속하거나 다른 건강식품에 견주어도 전혀 손색없는 음식이 많다. 올리브유를 뿌린 샐러드와 소금 간으로 들기름에 무친 나물, 유산균의 보고인 요거트와 유산균의 폭탄인 김치, 렌틸콩과 낫토와 우리의 청국장, 이런 건강식품만 먹는다고 건강해질까?

행(行), 식(食), 약(藥)이라고 했다.

먹는 것보다 행(운동)이 먼저다. 행(行) 다음이 음식이고,그래도 아프면 약을 먹으라는 뜻이다.

입추가 지났다. 다음 주 말복이 지나면 여름은 이제 물러날 것이다. 코로나로, 또 장마로 인해 움츠렸던 몸을 움직여 깨어나게 하고, 좋은 음식 찾아 직접 요리해서 먹으며 건강한 가을을 맞이하여 드높은 푸른 하늘을 보며 꿈을 키워야 할 계절이 눈앞에 왔다.

'한국의 가을하늘은 고와서 지랄이다.'

최인훈 작가의 소설『광장』에 나오는 말이다.

우리 토종닭 이야기

'식약동원(食藥同原)'이란 말이 있다. 음식과 약은 그 뿌리(근원)가 같다는 뜻이다. 그래서 음식으로 치료하지 못하는 병은 약으로도 치료가 안 된다는 말이 나왔다.

오늘은 우리 토종닭(한닭) 얘기다. 어제 지인이랑 오리탕을 먹으러 갔다. 코로나 사태가 무색하게 그 집은 앉을 자리가 없었다. 예약을 왜 하는가 싶더니 이해가 되었다.

뚝배기에 오리고기를 넣고 푹 끓여 들깨를 듬뿍 넣은 양념장에 찍어 먹고, 그 육수에 미나리를 삶아 먹는 음식이다. 육류와 채소의 궁합도 맞고, 맛있는 음식이다.

요즘 토종닭 산업 발전에 빠져 있는 중이라 닭에 대한 생각이 났다. 야생에서 살던 닭은 언제부터 가금류(家禽類)로 우리 곁에 있었을까?

삼국지 위지동이전에 보면 이 땅에는 긴꼬리닭이 있었다는 기록이 있다. 꼬리 길이가 1.5m 이상 되는 닭이라고 했다.

그 후로 동남아에서 유입된 여러 종류의 재래 닭이 뒤섞여 있었는데, 1990년대 이후 우리의 토종닭을 복원하는 사업이 진행 중이다. 상당히 의미 있고 고무적인 일이다. 역사가 오래된 지역에는 그 지역의 기후와 풍토에 맞는 토종(土種) 동식물이 존재하는데, 토종닭도 그 중의 하나이며 우리의 체질과 식성에 맞는 것이리라.

토종을 사람에 비유하면 '토박이'다. 서울 토박이, 전라도 토박이, 경상도 토박이 등… 다들 뒤섞여 살고 있지만 토박이들은 뚜렷한 특성을 가지고 있는 것이다.

한국의 토종닭 산업 발전 방향

닭고기 산업을 보자. 절대적인 선두주자는 프라이드치킨이다. 한국도 프라이드치킨이 없다면 닭고기 소비가 얼마 되지 않을 것이다.

프라이드치킨은 어떻게 생겨났을까? 미국에는 토종닭이 없었던 듯한데, 우리의 재래 닭처럼 플로리다로 유입된 닭은 널리 퍼지지 못했다. 영국인들이 닭을 대량으로 배에 싣고 와서 퍼졌는데, 백인들은 닭고기를 다리나 가슴살 등 살코기가 많은 부위만 오븐에 구워서 먹고 날개나 목 따위는 버렸다고 한다. 그런데 흑인들이 이걸 주워 기름에 튀겨 먹으니 맛이 있어서 유행하게 되었고, 갈수록 다양한 양념의 튀김옷을 입혀 발전시킨 것이 프라이드치킨이다.

한국의 토종닭 산업 발전 방향은 무엇일까?

식품은 맛이 있으면 수요가 늘어나고, 수요가 늘어나면 산업이 된다. 수요를 획기적으로 늘리는 방법은 성공한 케이스를 따라가거나 새로운 메뉴를 개발하는 일일 것이다. 그런데 문제가 있다. 프라이드치킨을 따라가려니 토종닭은 일단 가격이 비싸다. 사육기간이 길고 출하시기, 사육 정도에 따라 조절해야 하므로 생산량이 적다.

토종닭은 백숙과 닭볶음탕으로 거의 메뉴가 한정되어 있는데 새로운 조리법을 개발하는 것도 쉬운 일이 아니며 오랜 시간이 걸릴 것이다. 그러면 어떻게 해야 할까?

첫째, 발골(뼈 바르기)과 부분육 시장 진출을 생각해 볼 수 있다. 토종닭은 살에 결이 있어 발골하기 어렵고, 잘게 썰거나 갈기도 어렵고 육질이 질기다. 업체를 지정하여 대량으로 발골하여 순살을 이용할 수 있는 수요를 늘리고 부분육 시장을 육성하여 구입단가를 낮추는 일이 시급하다.

둘째, 온라인 시장 진출이 필요하다. 지금도 그렇지만 향후에는 온라인 판매 활성화 없이는 모든 사업이 어려울 것이다.

셋째, 야끼도리와 야마짱을 벤치마킹할 필요가 있다. 닭을 발골하여 석쇠나 팬에 구워먹는 야끼도리와닭 날개 요리 전문점인 야마짱이 일본에서 성업 중인데, 이런 음식점을 벤치마킹하여 닭고기의 수요를 늘릴 필요가 있다. 특히 부위별 구이 전문점은 균형 잡힌 소비를 위해서도 필요하고, 프라이드치킨에 식상한 소비자들의 입맛도 사로잡는 인기 식품이 될 것이다.

넷째, 산란계 품종 개발도 필요하다. 닭고기 못지않게 수요가 많은 산란계의 품종 개발도 시급하다. 현재 계란을 생산하는 산란계에 비해 산란율이 40~45% 수준인 토종닭의 생산성으로는 계란시장 진출이 어렵고, 닭의 개체 수 증가에도 턱 없이 모자라는 실정이다.

다섯째, 가격과 품질의 차별화에 대한 논의가 필요하다. 개체 수를 늘려 육계(肉鷄)와의 가격 격차를 줄일 것인지 아예 고품질 고가격정책으로 나아갈 것인지 농가와 관계자들의 합의가 있어야 한다.

여섯째, 완전식품으로 인기 있는 계란은 어떤 것이 좋을까? 유기농도 아니고(×), 유정란도 미심쩍고(×), 목초 먹인 계란(♡)이라면 어떨까?

결론은 방사(放飼)하여 키우면서 목초와 벌레를 잡아먹고 일부 사료를 보충하는 방식으로 사육하는 것이 품질에서 차별화가 되고 고가 정책도 가능할 것이다. 일본의 '고베 소'처럼 독보적인 브랜드를 가진 한국 토종닭을 기대해본다.

불가사의한 2개의 음식 조합

아무리 생각해도 이해가 안 되는 경우는 치킨과 햄버거와 콜라의 조합이다. 건강에 해로운 음식 1위로 꼽는 튀긴 음식과 탄산이 들어 있는 맥주의 조합인 치맥, 그리고 정크 푸드(쓰레기 음식)라 불리는 햄버거와 탄산음료인 콜라의 조합, 다 아는 사실인데 사람들이 열광하는 이유는 무엇일까? 그처럼 불가사의한 엉터리 음식조합에서 배울 점은 없을까?

맛이다, 상쾌함이다, 간편함이다.

기름을 끓이면 트랜스지방이 생기고 그 폐해를 알면서도 고소하고 바싹한 맛의 유혹을 뿌리치지 못한다. 햄버거의 간편함, 콜라의 상쾌함이 주는 매력 때문에 햄버거를 찾는다. 비만과 치아 손상, 각종 성인병의 원인이 되는 줄 알면서도 찾게 되는 것이다.

그러나 세상은 변하고, 인류는 자각할 줄 아는 두뇌를 가지고 있다. 맥도날드는 하루 7천만 개의 매출을 정점으로 하향곡선을 그리고 있으며, 우리나라의 프라이드치킨은 배달문화의 장점으로 해외진출이 활발하다가 주춤한 상태다.

이제 우리의 토종닭이 새로운 길을 열 차례다.

미국산, 브라질산 싸구려 닭 공장의 고기가 아니라 방사하여 풀을 뜯어먹고 벌레를 잡아먹으며, 동물복지로 키운 건강하고 맛있는 토종닭이 새로운 조리법으로 세계인의 입맛을 사로잡을 기회가 올 것이다.

어느 건장한 젊은이가 토종닭 한 마리를 튀겨놓고 '먹방'하는 걸 본 적이 있다. 언뜻 보기에도 양이 무척 많았다. 그 친구가 밝힌 느낌이 토종닭의 현주소일 것이다.

"첫째, 확실히 맛있다. 둘째, 양이 많다. 셋째, 다리 등의 살이 많은 부위를 빼고는 좀 질기다. 넷째, 현재 치킨 한 마리 가격이 2만 원대인데 그보다 비싸면 시키기가 부담스럽다."

정확한 표현인 듯하다.

이런 현실이 토종닭이 넘어야 할 산이다.

식약동원

다시 처음으로 돌아가 식약동원(食藥同原)을 떠올려보자.

성인병으로 고생하는 사람들이 너무 많다. 나이 들어 기저질환으로 고생하는 사람들도 많고, 잘 낫지도 않는다. 그렇게 병마와 싸우다가 저 세상으로 간다. 병의 원인을 추적해보면 음식과 운동 부족일 것이다.

사람이든 동물이든 체질에 맞는 음식을 먹고 적당히 운동해야 건강하다는 것은 철칙이다. 몸에 나쁜 걸 왜 먹었느냐고 후회하면 이미 늦고, 맛만 좋으면 습관적으로, 열광적으로 먹는다. 수십 년을 그렇게 먹고, 수십 년간 체내에 쌓여 건강을 악화시킨다. 음식에 대해 새롭게 인식해야 한다. 운동도 선택이 아닌 필수라는 사실 명심해야 한다.

앞으로도 여러 가지 식품에 대한 이야기를 하겠지만 독자님들께 강력하게 한마디 하고 싶다. 건강을 생각한다면 몸에 좋다는 음식을 찾아다닐 것이 아니라 몸에 나쁜 음식을 먹지 않아야 한다는 것! 기름에 튀긴 음식, 햄 소시지 등 육가공식품, 햄버거 등 패스트푸드, 탄산음료… 이런 음식들을 절대로 먹지 않겠다는 맹세(?)가 절실히 필요하다.

음식을 천천히 곱씹어보면 튀긴 것보다는 삶은 고기, 육가공제품보다는 고기 자체의 맛, 탄산음료보다는 시원한 맹물이 더 맛있다는 사실을 알게 될 것이다.

우리 민족은 닭과 깊은 인연을 갖고 있다. 신라의 시조인 박혁거세, 경주김씨의 시조인 김알지, 가야의 시조인 김수로왕…이런 이야기가 그저 신화나 전설로만 이어져 오는 것은 아닐 것이다. 우리 민족과 2천 년의 시간을 함께 살아온 닭, 토종닭! 이 위대한 유산을 어떻게 산업으로 꽃피울 것인가?

토종닭협회와 관계기관, 축산농가 등의 합의와 부단한 노력에 박수를 보내며 미력하나마 필자의 도움이 필요하면 기꺼이 도울 생각이다.

구운 닭고기와 샐러드(케이준 샐러드 같은), 닭다리와 날개를 이용한 프라이드치킨과 탕(오리탕 같은), 고급화된 포장의 토종닭 계란 선물세트, 닭고기를 이용한 햄버거 패티, 꿩고기 만두처럼 만든 토종닭 만두……이런 음식들의 출현과 더불어 생명산업으로 우뚝 서는 토종닭의 미래를 꿈꾸면서~.

조선의 노랑 막사발 이야기

차는 찻잎을 따서 말리고 가마솥에 덖어 물을 가하지 않고 덖어서 만들어진다. 이때 찻잎이 새의 혓바닥처럼 동그랗게 말려 들어간 모습이라 작설차라고도 부른다. 이 찻잎을 더운 물에 우려 마시는 게 일반적인 차인데, 말차라는 것이 있다.

분말차라는 뜻으로 가공한 차를 가루로 만들어 다완(차 사발)에 떠서 차선(차솔)이라는 대나무로 만든 솔로 저어 마시는 것인데 맛이 진하고 강렬하다. 중국이나 한국은 말차가 있었으나 거의 사라지고 일본은 당나라 시대에 전래된 말창순화를 발전시켜 다도라고 부르는 문화를 유지하고 있다.

말차는 다완(茶碗, 차 사발)이라는 우리의 공기보다 조금 큰 국사발 정도의 자기를 쓴다. 일본의 보물이라는 이도다완은 한국인만 모르는 보물 자기다. 이도다완은 놀랍게도 조선의 백성들이 쓰던 막사발이다. 밥그릇이나 국그릇으로도 쓰고, 막걸리 잔으로도 쓰이던 조선 막사발, 부잣집에서는 개나 고양이의 밥그릇으로도 썼던 물건이다.

이야기는 1976년으로 거슬러 올라간다. 돌이켜 보니 세월이 많이 흘렀다. 당시 필자는 부산 대청동에서 서예를 배우고 있었는데, 서예학원이 2층이고, 3층엔 동양화 화실이 있었다. 화실의 주인은 우헌 최덕인 선생이었고, 동양화 근대 5대 화가로 꼽히는 의제 허백련 선생의 제자다. 당시 우헌 선생은 30대 초반의 젊은 작가였는데, 필자와는 매일 만나 차를 마시고 그림도 그리고 술도 마시는 친한 사이였다. 나보다 열 살쯤 나이가 많았지만 우헌 선생도 늘 나를 선생이라 불렀다.

그렇게 지내던 어느 날, 선생은 나에게 재미있는 얘기를 하셨다. 다도를 하는 찻잔이 초기에는 소의 뿔처럼 끝이 뾰족했다는 것이다. 내가 못 믿겠다는 표정을 보이자 조만간 확인을 시켜 주겠다면서 자신 있게 말씀하셨다.

어느 날 점심을 먹고 3층 화실에 차 한 잔 하려고 들렀더니 같이 어디를 가자고 하셨다.

부산 광복동의 고려 민예사. 부산의 가장 번화한 거리에 있는, 민예품 관광 상품 매장이었다. 주로 일본인 관광객이 찾는 집이었다. 고려 민예사를 둘러보고 2층의 회장님 방으로 갔다. 우헌 선생이 나를 소개하자, 회장님은 금고에서 오동나무 상자 2개를 꺼내셨다.

오동나무 상자를 열자 또 하나의 작은 상자가 나오고, 붉은 비단으로 싸인 물건이 들어 있었다. 비단 3겹을 풀자 청자 잔이 나왔다. 물 컵처럼 생긴 잔은 아래가 좁은 소뿔 형태였다.

"이게 초창기 찻잔이지. 이후 바닥이 평평하게 되었고, 굽이 만들어져 요즘 같은 형태가 됐다네."

회장님의 설명이었다. 신기했다. 이걸 어떻게 세웠을까? 바이킹 영화에서 보았듯이 나무에 둥글게 홈을 판 받침대를 만들어 잔을 끼워 세웠단다.

당시 부산 광복동 초입에는 수입서적 파는 서점이 몇 군데 있었는데, 필자는 유일한 수집 취미로 다완(차 사발. 일본식 발음은 자왕)을 사 모으고 있었기에 서점으로 달려갔다. 수십 권으로 된 컬러판 일본 미술전집이 있었다.

그 중의 한 권 『고려다완』 책을 펼치는 순간 경악했다. 전부가 조선 막사발인데, '이도다완(井戸茶碗)'이란 이름을 붙이고 멋지게 사진 찍어 만들어진 책이었다. 모두가 일본 국보 제0호, 보물 제0호, 이렇게 이름 붙여진 사진들이 실려 있었다.

그 무렵 『고향을 어찌 잊으리까』라는 일본 작가 시바 료타로의 소설이 번역돼 나왔다. 임진왜란 때 일본으로 끌려간 도공들의 이야기, 심수관이라는 도공의 집안 이야기도 나온다. 임진왜란이 도자기 전쟁이라고도 불리듯 일본은 임진왜란 때까지 도자기가 없었고 나무를 엮어 밥이나 음식을 담아 보관하던 상태였으니 도자기를 보고 얼마나 경이로웠을까?

조선의 노랑 막사발은 노란색에 약간의 회색이나 고동색이 느껴지는 그냥 평범한 사발이다. 일본인들이 차사발이니 이도 다완이란 이름을 붙여서 그렇지 그걸 쓰던 사람들은 말차를 마실 그런 여유나 취미를 가지지 못한 일반 서민들이었다.

지금 생각해도 이해가 안 되는 건 일본이란 나라는 어떻게 타국의 작품을 자신들의 국보나 보물로 소개하고 책을 만드느냐 하는 것이다.

시바 료타로의 소설 『고향을 어찌 잊으리까』는 10년 후인 1986년 KBS에서 드라마로 만들어 방영하기도 했다.

그런데 필자는 아직도 조선의 노랑 막사발을 보지 못했다. 임진왜란 때는 물론 일제 강점기 때까지 싹쓸이해서 일본으로 가져간 모양이다. 후대에 만들어진 노랑 막사발은 정말 소박하다. 사발 내부는 유약을 바르고, 바깥 부분은 위에서부터 유약을 발라 바닥까지 마무리하지 않고 그대로 흘려 굽 위의 부분에 이슬이 맺히듯 유약 방울이 몇 개 보이는 아주 자연스러운 모양이다. 거기에 차를 마시면 시간이 흐를수록 원래 색깔에 차의 색이 스며들어 매우 자연스럽고 소박한 색상으로 변해 간다.

일본인들이 '한국인만 (가치를) 모르는 보물 자기'라고 했는데, 일본인들의 심미안을 높이 평가해야 할지, 뭐라도 거리만 있으면 호들갑을 떨고 자기네 거라고 우기는 습성으로 치부해야 할지 잘 모르겠다.

하여간 우리 조상들의 소박하고 자연스러움을 소중히 생각하는 미적 감각에 경의를 표하고 싶다. 그런데 그렇게 소중한 물건이 깡그리 없어져버린 것이 못내 아쉽다. 어쩌면 청자나 백자에 밀려 별로 가치 없는 것이라 여겼던 건 아닌지 모르겠다.

그렇게 서예와 동양화, 다도에 빠져 젊은 날을 보내고 있을 때, 동아일보에 놀라운 기사가 실렸다. 〈이도다완 재현〉이라는 제목에 눈이 번쩍 떠졌다. 어느 젊은이가 도요지를 찾아다니며 노력한 결과 이도다완을 재현했다는 기사였다.

경남 하동의 샘문골 가마, 경상남도에서는 관내에서 이루어졌다고 후원을 하는 듯했다. 1981년이었는데, 다음날 나는 바로 길을 떠났다. 하동군 진교읍 샘문골, 남해와 마주보는 위치였다. 일단 시외버스를 타고 하동으로 향했다.

터미널에 내려 진교읍 가는 버스를 갈아타고 진교에 내리니 어둠이 내려 시골 읍내는 다니는 차도 없고 적막한 분위기였다. 저녁밥도 먹어야 하고, 잠 잘 곳도 찾아야 해서 난감했는데 저만치 불 켜진 상점이 보였다.

찾아 가니 호프집이었다. 나무 미닫이문에 유리 창틀을 끼운 문을 열고 들어가니 손님이 하나도 없었다. 50살쯤 돼 보이는 여주인이 반갑게 인사한 다음, 종업원인 30대 후반으로 보이는 아줌마와 맥주를 마시는데, 어디서 무슨 일로 왔는지 꼬치꼬치 물었다. 이도다완 얘기를 하니 금시초문인 듯했고, 하동까지 술 마시러 간 꼴이 됐지만, 시골이라 저녁을 안 먹었다고 하니 서비스라며 부추전을 만들어 주었다. 풋고추도 썰어 넣은 부추전으로 요기를 한 셈이다.

거기서 여관을 가르쳐 줘서 자고 다음날 점심때쯤 택시를 타고 목적지에 도착했다. 대문 위에 아치형 나무 간판, 샘문골 가마라고 한글 예서체로 씌어 있었다. 마당에 들어서서 "계세요?" 했더니 방문을 열고 30대 초중반으로 보이는 남자가 나왔다. C씨에게 나는 찾아온 이유를 말하고 마루에 걸터앉았다. 어떻게 이런 일을 하게 됐느냐, 재현한 작품을 볼 수 있냐고 얘기하는데 별로 반가운 눈치가 아니었다.

잠깐 어색한 분위기가 흐르는데 다시 방문이 열리고 50대로 보이는 여인이 밖으로 나왔다. 나는 작업실을 보고 싶다고 했고, 안채에서 조금 떨어진 작업실로 안내되었다. 가운데 물레와 의자가 있고 양 옆으로 기다란 나무 선반이 있는데 성형한 막사발들이 죽 늘어서 있었다. 가마에 들어갈 순서를 기다리는 듯했다. 나는 조선 막사발의 재현 과정 설명을 듣고 작업과정을 둘러본 후 기념으로 한두 점 구입할 목적으로 방문했는데, C씨는 별로 관심이 없는 듯했다. 어쩌면 잘 모르는 것처럼 느껴지기도 했다.

'얼마나 고생해서 만든 건데, 그런 얘기를 함부로 해줘?' 하는 심정에 말하기 싫었던 건지, '당신 같은 사람이 어떻게 이도다완에 대해 아느냐?'는 식의 못마땅한 표현인지는 몰라도 멀리서 찾아온 손님을 대하는 태도에는 분명히 문제가 느껴졌다. 내가 그의 본명을 적지 않는 이유도 혹시 나의 판단이 틀렸을 경우 상대방의 인격에 피해를 줄까 봐서인데, 한편으로는 마루에서 본 여성의 눈치로 보아 둘의 관계도 신경이 쓰였고, 혹시 돈 안 되는 손님이면 빨리 보내라는 두 사람 간의 무언의 약속이 있었는지도 모를 일이어서 나는 서둘러 거기를 나왔다.

아무런 얻은 것도 없이 1박2일의 하동 여행이 돌아오는 내내 씁쓸하게 느껴졌다. 필자는 문화예술인 여럿을 만나보았고, 통영의 12공방을 찾아다닌 적도 있었는데, 그분들의 반응은 2갈래였다. 대단히 겸손하고 상세히 설명해주는 분들이 있는가 하면, 지금까지 이룬 것이 대단한 훈장이나 되는 것처럼 조금 뻐

기고 상대를 무시하는 분들도 있었다. 그러면서 매스컴에 소개되거나 하면 그렇게 노력했는데 작품이 안 팔려 생계가 어렵다는 등의 푸념(?)이나 늘어놓는 태도는 예술을 하는 자세가 아니라고 본다.

통영에서 만난 나전칠기 장인인 송방웅 선생 생각이 난다. 그는 마당의 맨바닥에 앉아 나전칠기의 끊음질 기법을 필자에게 실연해 보여줬다. 개인적인 생각으로는 이미 45년이 흘렀지만, 그 후로 조선 막사발 얘기가 없는 걸 보면 작가의 이런 태도가 한 원인이 되었을 수도 있었을 성싶다.

도자기는 도기(陶器)와 자기(磁器)를 통칭하는 말이다. 자기는 형태, 색깔, 균열로 평가하는데, 조선 막사발의 형태는 소박하다. 우리가 아는 청자의 운학문매병이나 백자의 달항아리처럼 우아한 형태가 아닌 수수한 시골처녀 같다고 할까? 색상은 노란색에 약간의 회색과 황토 빛깔이 도는 온화한 색상이다. 자기의 균열은 촘촘하고 크기가 비슷한 것이 좋은데, 막사발은 그런 균열미를 보인다.

여기에 차를 부어 마시면 시간이 흐를수록 차의 연둣빛이 스며들어 더욱 온화하고 자연스런 빛깔로 변해가서 오묘한 빛깔을 발산한다. 조선 막사발을 실제로 보지 못한 나로서는 재현한 작품이라도 보고 느끼고 싶었는데 1박2일의 여행에서 소득없이 돌아와야 했다.

필자는 30여 점의 다완을 수집했다. 백자,. 분청사기, 진사(산화철의 녹을 발라 구운 자기. 짙은 붉은 색을 띤다) 등과 현대에 조선 막사발 형태로 만든 것도 있지만 조선시대 것은 없고, 조선 막사발과 같은 기법으로 만들었는지도 모르겠다.

여기서 이런 얘기를 하고 싶다.

우리가 외국 문물은 재빨리 받아들이면서 우리 고유의 것은 별로 소중하게 여기지 않고 사라지는 게 많다는 사실이다. 조선 막사발이 나름 예술성을 가졌지만 사라져 버렸고, 우리의 전통과 정신을 가진 것들을 아무런 생각 없이 사라지게 만드는 것이 너무 안타깝다.

얼마 전 미국에서 우리의 호미가 정원 가꾸는 데 최고의 도구로 인기가 높다고 수요가 늘어난다는 소식을 접했다. 용도가 다양해서 몇 가지 기능을 하고 값도 싸다는 것. 이제 대장간도 거의 사라지고 없다.

우리나라 가정의 밥상은 어떤 형태일까? 음식은 그 종류나 모양에 따라 각기 다른 모양의 자기(사기그릇)에 담아 차려야 맛있고 멋있을 것이다. 요즘 그렇게 밥상 차리는 집이 얼마나 될까? 냉장고와 락앤락이 한국을 점령한 건 아닐까?

반찬을 만들어 락앤락에 담아 냉장고에 넣었다가 끼니 때 꺼내어 뚜껑만 열면 온 가족이 먹고 데울 일 있으면 그대로 전자레인지에 데워먹고, 식사 후에는 뚜껑을 덮어 다시 냉장고로 집어넣는 식생활, 이건 아니지 않을까? 설거지에 비용에 모르는 소리 말라고 할지 모르겠지만, 어쨌건 이건 아니라고 본다.

이 글을 쓰는 이유가 차의 효능이 많으니까 차(茶)문화를 부활시켰으면 좋겠다는 것과 우리의 아름다운 막사발을 소개하는 것이지만, 소중한 음식을 너무 하찮게 여기는 식탁문화를 생각해보자는 의미도 있다.

개항기 선교사들이 와서 촬영한 사진을 보면 20세기 초까지 우리의 밥상은 개다리소반에 고봉으로 담은 밥그릇과 옆의 국그릇, 푸성귀 한두 개가 전부다. 보리밥에 된장국, 풋고추 몇 개나 상추쌈과 된장, 고추장만 먹고 살았던 것이다.

필자는 조선 막사발에 밥과 국이나 찌개를 담은 밥상을 상상해본다. 소박하고 아름다울 것이다. 그것이 락앤락 몇 개 놓인 밥상보다는 훨씬 낫겠다고 생각한다.

요즘 젊은 여성들은 머리를 어깨선까지 기르는 게 트렌드인 모양이다. 우리의 댕기로 머리를 묶으면 어떨까? 고무줄로 묶거나 그냥 철렁이며 걸어 다니던데, 색깔 고운 비단으로 만든 댕기를 묶고 다닌다면 얼마나 아름다울까?

조선 막사발과 비단 댕기, 오래된 물건이지만 지금 유행해도 충분히 어울리고 멋스러울 것이라 생각한다.

이밥에 고깃국

밥과 국 그 이상의 의미

태조 이성계가 조선을 건국할 무렵(1392년) 백성들의 환심을 사기 위해 쌀을 나눠주었는데, 이 쌀로 지은 밥을 이밥이라 불렀다. 이 씨가 나눠준 쌀밥이란 뜻이고, 이후 쌀밥을 일컫는 말이 되었다.

한반도 남부지방에 서식하는 이팝나무는 꽃이 하얀 눈꽃처럼 피는 물푸레나무과의 나무인데 하얀 눈꽃처럼 생긴 꽃이 하얀 쌀밥처럼 보였던지 쌀밥나무, 이밥나무로 불리다가 이팝나무가 됐다는 이야기도 있다.

조선의 건국이 6백여 년 전의 일이니 얼마나 힘들게 살았고, 쌀밥 먹기가 얼마나 어려웠을지 짐작이 간다.

인류의 3대 주식은 쌀, 밀, 옥수수다.

요즘 쌀밥을 탄수화물 덩어리니 비만의 원인이니 해서 멀리하는 듯싶은 인상을 받는데, 그렇지 않다.

쌀에는 80%의 탄수화물과 약 7%의 단백질, 약간의 지방과 미네랄 등이 들어 있는데 현미가 좋다는 게 알려지면서 쌀은 상대적으로 저평가되고 있다.

쌀농사가 2천~2천 5백 년 전에 시작되었으니 우리나라 삼국시대 초기부터 우리의 주식이었던 셈이다. 2천 년 이상을 먹어 왔고 6백 년 전에도 가장 인기 있는 음식이었던 쌀은 우리 민족에게는 그만큼 체질에 맞고 필요한 영양소가 있었으며, 식에도 맞았기 때문일 것이다.

현미가 좋다지만 맛이 없고 소화가 잘 안 된다.

앞에서 설명했듯이 발아현미를 먹으면 도움이 될 것이고, 요즘은 도정기술이 발달되어 쌀눈 쌀이라고 쌀눈을 살리고 도정한 쌀도 있다. 그런데 장기 보관이 어렵고, 씻을 때 쌀눈이 떨어져 나가는 경우가 많다.

오랜 세월 곁에 있어온 것을 탓하기보다는 그냥 쌀밥을 먹으면서 모자라는 영양소를 다른 식품에서 보충하여 보완하는 방법이 더 좋을 듯하다. 잡곡밥 등이 대안이 될 수 있다.

3대 주식 곡물 중에서는 어느 것이 가장 좋을까?

밀에는 글루텐이란 성분이 들어 있다. 밀가루를 쫀득하게 하는 이 성분은 불용성 단백질로 장내 염증, 소화 장애, 천식 등을 일으키는 물질인데 밀가루의 찰기를 원하면 먹어야 하고, 건강의 측면에서는 망설여진다.

요즘은 글루텐 프리 밀가루도 많이 나와 있다. 글루텐을 뽑아내기 위한 방법이 문제가 되기는 하지만.

옥수수도 생산량 증대를 위해 슈퍼 옥수수를 개발하여 재배하고 역시 소화가 잘 안 된다.

쌀은 곡식의 알갱이를 그대로 먹는데, 이는 밀이나 옥수수처럼 가루로 만들어 먹는 것보다 많은 장점을 가지고 있다. 영양소 파괴가 없고 첨가물이 필요 없다는 말이다. 특히 우리나라처럼 죽을 끓여 먹는 것은 말할 것도 없고, 밥도 진밥, 된밥, 고두밥 등 물의 양을 조절하여 다양한 종류로 만들어내는 재주를 가졌기에 용도에 맞게 음식 만들면서도 영양가 손실 없이 쌀을 이용할 줄 아니까 최적의 선택이라 할 수 있겠다.

이밥은 이렇고, 고깃국은 무엇을 원했을까?

기록에는 없지만 쇠고기 국이 아니었을까 생각한다. 쇠고기는 맛이 있으면서도 서민들이 구경하기 힘들었던 식재료였다. 우리 식문화의 기본인 탕반 문화의 측면에서도 쇠고깃국이 아니었을까 싶다.

이성계는 쇠고기까지 나눠줄 형편은 아니었던가 보다.

이성계는 뛰어난 무장이기도 했지만 민심을 제대로 읽을 줄 알았던 모양이다. 쌀 대신 그 만큼의 돈을 줬다면 이런 식으로 기억할까? 다른 먹거리를 줬다면 반응이 어땠을까? 최근 코로나로 인한 긴급재난지원금을 정부에서 줬는데 국민 전체를 주지 않고 일부 계층 만 줬다면 반응이 어땠을까?

북한에도 쌀을 지원하면 동포들이 좋아할 것이다. 그걸 돈으로 환산하여 지원한다면 실제 동포들에게 돌아가겠는가? 다른 음식을 보내도 쌀처럼 고맙게 생각할까? 쌀은 한민족에게 음식 그 이상의 상징적인 존재가 아닐까?

고깃국은 어떻게 설명해야 할까? 지금도 그렇지만 어렵게 살면 항상 단백질에 대한 욕구가 있을 것이다.

우리 음식의 3종류는 전, 적, 탕인데 탕이 변천하여 국이 되었다. 지금의 찌개와 국의 중간쯤 되는 국물 음식이 탕이다. 전통의 탕을 현재 음식에 적용하여 찌개보다 덜 맵고 덜 짜게, 국보다는 국물이 적게 음식을 조리하면 좋겠다. 식사 때 많은 국물을 섭취하는 것은 위에 부담을 주고 소화도 잘 안 된다. 국물이 많으면 소금이나 간장의 양도 늘어날 수밖에 없다.

쌀밥 얘기를 쓰고 있으니 할머니 생각이 난다.

고향집 부엌에 있던 커다란 가마솥은 항상 반질반질하게 윤이 났고, 무거워서 솥뚜껑도 옆으로 밀어서 겨우 열 수 있었지 위로는 들어 올릴 수도 없었다. 할머니는 매일 아궁이에 불을 지펴 이 솥에 밥을 하셨다.

뚜껑 아래로 김이 새어 나오고 몇 줄기 이슬이 흐르면 불을 줄이고 뜸을 들이셨다. 한 번 삶은 보리를 깔고 한켠에 쌀을 씻어 쌀뜨물은 따로 보관해두고 보리와 쌀의 전체 물을 맞춰 가열하기 시작한다.

무거운 가마솥 뚜껑은 압력밥솥 같은 역할을 하여 찰진 밥을 만들고, 뜸 들일 때쯤 계란찜 뚝배기를 올리거나 호박잎이나 양배추 등도 밥 위에 올려 쪄내서 반찬도 함께 만든다.

밥이 다 되면 할머니 표 밥 푸는 기술이 등장한다. 작은 주걱으로 쌀밥만 골라 할아버지 밥 한 그릇을 우선 푸고, 다음은 쌀과 보리의 경계선을 잘 섞어 아버지 밥을 푸고, 이러고 나면 큰 주걱으로 바꿔 보리와 쌀 전체를 휘저어 배식을 완료한다. 한 번씩 고구마나 콩나물, 바닷가에서 주워온 모자반을 넣고 함께 밥을 하여 깨소금 간장에 비벼 먹기도 했다.

쌀뜨물은 국물 요리에 요긴하게 쓰인다.

가마솥 바닥의 누룽지는 전복 껍질로 긁어 말리고, 일부는 물을 부어 숭늉을 만든다.

이렇듯 쌀밥은 지금의 공깃밥 한 그릇 같은 그냥 밥 한 그릇의 의미가 아니다. 한 가족의 건강과 전통, 문화, 여인의 정성과 노력이 총 망라된 생명이었다고나 할까?

이러니 배고프던 시절, 쌀밥이 얼마나 그리웠을까?

나무에 핀 하얀 눈꽃 같은 이팝나무 꽃이 어찌 쌀밥처럼 보이지 않았을까?

쇠고기는 더 귀했다. 지금처럼 소가 고기를 제공하는 동물이 아니라 농사짓는 데 없어서는 안 될 존재였고, 잡아서 먹는 게 아니라 큰 일이 있을 때, 자녀의 등록금을 낼 때 힘이 되어주는 재산목록이었다.

우리 집이 좀 살았는데도 어릴 적 쇠고기를 먹을 기회는 손꼽을 정도였다. 명절에 제상(祭床)에 올리는 쇠고기 산적(고향이 바닷가라 문어, 상어 등을 쇠고기와 함께 꼬챙이에 끼워 간장양념에 졸여서 만든다) 정도가 1년에 한두 번 맛보던 쇠고기의 전부다.

돼지고기는 동네 결혼식이나 장례식 때 한 마리씩 잡아 이웃들이 나눠 먹었다.

옛날에는 결혼식이나 장례식에 가면 흰 모조지에 시루떡 하나, 전 몇 개, 돼지고기 수육 몇 점을 썰어 싸주었다. 요즘의 결혼식 답례품처럼. 할아버지나 아버지께서 출타하셨다가 들고 오시는 그 흰 사각형 꾸러미를 얼마나 기다렸던지?

필자가 어릴 적에 이랬는데 6백 년 전에는 오죽했으랴?

한 번씩 쇠고기 국을 끓여 주었다. 쇠고기를 구워 먹는 건 엄두도 못 내고 국거리를 사서 큰 솥에 끓여 한 이틀, 어떨 땐 사흘씩 같은 메뉴였는데, 그래도 맛있었다. 한 번은 할머니께서 "너무 괴기(남의 고기) 좀 들어가니 맛있제?" 하시며 웃으시던 기억이 난다. 이제는 추억이 됐지만 우리 조상들은 먹을 게 부족하고 단백질 보충할 기회가 드물어 그렇게 살았다.

얼마 후 알루미늄 그릇과 스텐 그릇이 나오고, 명절에 멍석 깔고 둘러앉아 놋그릇 닦던 풍경도 사라졌다.

얼마 후에는 일본제 코끼리밥솥이 들어오고, 가마솥에 밥 짓는 모습도 보기가 어렵게 됐다.

고등학교 2학년 때 새 집을 지어 이사하면서 나는 나보다 나이 많은 할머니의 가마솥과 이별했다.

새 집에는 부엌에 아궁이가 없었고, 할머니는 가마솥을 마당에 비를 맞게 놔두기는 싫으셨던 모양이다.

지금 우리는 옛날의 쌀밥과 전혀 다른 밥을 먹고 있는지 모른다. 우리 토종 쌀이 1960년대 통일벼의 출현으로 사라지고, 전부 압력밥솥이나 전기밥솥을 쓰지 가마솥에다 밥을 하지 않기 때문에 이밥의 진정한 의미를 모를 수도 있겠다.

토종은 보존돼야 하고, 옛 것을 소중히 여겨야 한다고 생각한다. 2000년대 초 세계 쌀 품평회가 열린 적이 있다. 1위는 일본 쌀, 2위는 중국 흑룡강성 쌀, 3위는 미국 캘리포니아 산 쌀, 한국 쌀은 4위였다. 기분이 별로였다. 토종 쌀로 품평을 받았다면 어땠을까?

마트에 가보면 아끼바리나 고시히까리 같은 비싼 일본쌀이 있다. 우리 토종 쌀도 복원되어 한 자리를 차지하기를 바라는 것은 지나친 욕심일까? 수확량을 늘려 보릿고개를 면하게 해준 통일벼나 세계 최고의 기술로 생산하는 국산 압력밥솥의 의미를 축소할 수는 없겠으나, 하여간 토종 동식물이 사라지거나 옛 것이 잊히고 사라져 가는 일은 어떤 이유에서건 안타깝다.

요즘 '저탄고단' 식단이 유행이라는데, 탄수화물 과다 섭취가 뭐 쌀밥 때문인가? 빵, 과자, 떡볶이 등 다른 탄수화물 공급원은 수없이 많다.

이밥에 고깃국, 쇠고깃국에 무나 콩나물 듬뿍 넣어 국물이 좀 적은 탕으로 끓이면 쌀밥의 탄수화물과 쇠고기의 단백질, 채소의 비타민까지 영양소의 조합으로도 좋은 음식인 듯하다. 얼마 지나지 않아 사라질지도 모르는 이런 유행어에 휘둘리지 말고, 쌀밥으로 아침밥 챙겨 먹고 육류는 채소와 함께 국물 요리는 국물을 적게 잡아 탕에 가깝도록 조리하여 6백 년이 지나도 생각나는 그런 한국인의 음식 많이 먹고 건강하기를 바랄 따름이다.

처서가 지난 절기라 새벽 공기를 느끼러 나가 보니 아직은 가을 기운이 느껴지지 않는다. 장마에, 더위에, 코로나에 여전히 삭막한 계절이다. 쌀밥을 정성껏 지어 잘 익은 김치와 함께, 갓 구운 김에 싸서, 곰삭은 젓갈과 함께 먹는다면 가을의 입맛이 우리를 반겨줄 거라는 희망이라도 가져보자.

4천 년의 인연, 사육 중인 2백억 마리의 닭

야생동물을 길들여 사육하게 된 동물을 가축(소, 돼지, 염소)이라 하고, 야생조류를 길들여 사육하게 된 것을 가금류(닭, 오리)라고 한다. 대표적인 가금류인 닭은 4천 년 전부터 인류와 함께 했고, 현재의 사육두수가 200억 마리에 달한다.

우리는 왜 복날 닭고기를 먹을까? 닭고기는 간장, 심장, 비장, 폐장, 신장 등 5장을 안정시키고 단백질이 풍부하며 소화도 잘 되기 때문이다. 현재 육류 중 소비량이 가장 많은 것은 돼지고기인데, 2020년에는 닭고기가 앞지를 것이라는 전망이 나오기도 한다.

우리나라의 닭은 야생 닭에서 가금류가 되면서 토종닭이 탄생했는데, 수요가 많아지자 동남아에서도 닭을 들여와 재래 닭이 되었고, 토종닭과 재래 닭이 공존하다가 토종닭은 점차 소멸하고 얼마 전까지는 수입종인 육계와 산란계가 주를 이루고 있었다. 그러다가 1990년대부터 토종닭 복원사업이 시작되어 현재 일부의 토종닭이 복원된 상태다.

토종 복원과 토속음식

토종을 지키고, 복원하고, 토속음식을 먹는 일의 중요성은 아무리 강조해도 지나침이 없겠다. 수백 년, 수천 년의 세월을 이 땅에 살면서 기후와 풍토에 적응해온 토종 동식물, 거기엔 우리의 유전자와 정체성의 근원이 있을 것이다. 아울러 우리 땅에서 우리 민족이 살고 토종의 음식을 먹는 것, 거기에서 우리 민족의 우수성과 정체성과 문화가 생겨난 것이 아닐까?

IMF 환란을 겪을 때 중앙종묘, 흥농종묘 등 우리나라의 식물 종자를 가진 회사들이 외국계 회사로 넘어갔다. 그래서 이제는 우리 토종 식물의 씨앗을 로열티를 주고 사서 심어야 하는 처지가 되었다.

사람도 마찬가지다. 남미의 어떤 나라들은 원주민이 사라지고, 혼혈인이 인구의 90%를 차지하는 경우도 있다고 한다. 다문화 가정을 편견 없이 대하고 존중해야 하겠지만, 모든 가정이 그렇게 되고 혼혈인이 대부분 사는 나라가 된다면 또 다른 문제라고 생각될 것이다.

이런 의미에서 토종닭 복원사업에 박수를 보내며 더 많은 종이 복원되어 선택의 폭이 넓어지기를 기대해 본다. 세계의 유명한 요리사들은 타국으로 진출할 때 먼저 그 지역의 특징 있는 식재료를 찾아 나선다. 그래야 그 나라만의 독창적인 요리를 만들 수 있을 것이라는 얘기다. 우리 토종닭도 그런 식재료의 하나가 되어 세계적인 메뉴가 될 수는 없을까?

4천 년이라는 인류의 역사와 함께 살았고, 인류 전체 인구의 3배에 달하는 200억 마리라는 숫자를 가진 닭은 분명 인류에게 최고의 식재료 중 하나다. 추세로 보면 2020년 올해 전 세계 돼지고기 매출을 닭고기가 추월할 수 있을 거라는데 아직은 결과가 나오지 않았다.

필자는 닭에 관심이 많다. 할아버지가 양계장을 하셨고, 아버지는 수의대 출신이라 직접 만드신 기계에서 병아리가 부화하는 걸 보면서 자랐다. 올 가을 이 책이 완성될 무렵 튀기거나 삶는 방식으로 획일화된 요즘, 토종닭을 이용하여 다른 방식으로 조리한 신제품을 선보일 작정이다.

조선의 위대한 왕 세종대왕은 24명의 자녀를 두었다는데 흰 토종닭의 고환을 장복(長服)했단다. 그것이 자녀를 많이 두게 된 직접적인 원인인지는 모르겠지만 토종닭이 건강에 유익한 것은 확실한 듯하다. 정력에 좋은 음식이 비단 남성에게만 국한되지는 않는다는 생각도 든다.

토종닭은 방사하여 길러야

케이지에 갇힌 닭을 보면 얼마나 애처로운지?

굳이 동물복지를 말하지 않더라도 자유로이 움직이면서 풀을 뜯고 벌레를 잡아먹고 성장하는 닭이 건강에 좋은 식재료임은 오메가3의 함유량에서 과학적으로 증명되었다. 계란도 목초(식물의 줄기와 잎)를 먹고 자란 닭이 낳은 알이니 어떻겠는가?

같은 양의 육류를 얻기 위해 소와 돼지를 방사하여 키우려면 10배의 면적(중국과 인도를 합친 면적)이 필요하다니 닭은 인류의 환경에도 유익한 동물일 성싶다.

토종닭에 대해 '질기다.', '값이 비싸다.' 하고 평가하는 사람들도 있는데, 운동을 많이 하여 육질이 쫄깃한 것을 질기다고 표현하는 것은 아닐까?

우리는 닭을 주로 백숙이나 삼계탕으로 먹었다. 이런 조리법은 양을 늘려서 여럿이 먹을 수 있도록 하기 위한 방법이었을 것이다. 1950년대 미국에서 프라이드치킨이 개발되자 이를 들여와 기름에 닭 한 마리를 통째로 튀긴 옛날통닭이 유행하다가, 치킨 프랜차이즈가 등장하면서 닭을 토막 내어 튀김옷을 입힌 다음 튀기는 지금의 방법을 앞 다투어 개발하여 프라이드치킨 전성시대를 이루고 있다.

조선시대 3대 음식은 평양의 냉면, 개성의 탕반, 전주의 비빔밥이었다. 탕반은 국과 밥이란 뜻으로 지금의 국밥과 가까운 음식이었던 것 같다.

어려운 시절 음식의 양을 늘리려고 물을 붓고 찹쌀을 넣어 푹 끓여내는 탕반을 만들어 먹었던 게 아닐까?

토종, 우리 체질에 맞는 식재료

토종 동식물을 보존하고, 사라진 것은 제대로 복원해야 한다. 토종에는 이 땅의 기후와 풍토에 맞게 진화한 인자가 보존되어 있을 것이며, 우리 체질에 맞는 식재료를 제공할 것이다. 토종닭은 일본에도 있고, 대만에도 있다. 특히 일본에는 각 지방별로 토종닭이 존재한다.

필자는 프라이드치킨이 튀긴 음식이라 별로 좋아하지 않지만, 튀김옷의 양념을 연구하여 맛있는 메뉴를 개발하고 배달문화까지 접목하여 중국과 유럽에도 진출하는 성공을 거두었듯이 우리 토종닭으로 프라이드치킨이 아닌 독특한 메뉴를 개발하여 세계인이 즐기는 음식으로 태어나기를 기대하고, 그렇게 되기를 기원한다.

된장에서 라면까지

한국인 최초의 음식은 무엇일까?

인류는 수렵과 채취를 통해 얻은 음식물을 생식하였다. 약 1만 년 전 신석기시대에 불을 발견하고 화식을 하게 되었는데, 이와 비슷한 역사를 가진 식품은 소금과 식초였다. 소금은 지각변동으로 바다가 융기하면서 바닷물이 소금으로 변한 암염이 먼저였고, 식초는 포도가 발효하여 술이 되었다가 다시 발효하여 생성된 식품이었다.

오늘 다루고자 하는 식품은 최초의 인위적인 식품이 무엇이었는가 하는 문제다. 필자는 된장이라고 생각한다. 만주와 한반도가 원산지인 콩과 소금이 결합한 된장 말이다.

이 글을 쓰기 위해 알아보니 중국 문헌에 최초의 장인 두장(콩으로 만든 장, 향후 지금의 두반장으로 발전)인데 BC 15세기에 만들어졌단다. 그러면 3,500년이나 됐다는 얘긴데, 잠깐 여기서 역사 공부를 좀 하고 진행해야겠다.

3,500년 전이면 우리의 고조선 시대다. 그런데 고조선이란 국가가 실존했을까, 신화일까? 우리가 배운 역사는 우리 민족 최초의 국가가 고조선이고, 서기(西紀)에 2333년을 더하면 단기(檀紀)가 된다.

1980년대 초 임승국 교수의『환단고기(桓檀古記)』를 읽고 신선한 감동을 받았는데, 거기엔 우리 민족의 역사가 거의 1만 년이라고 나오고, 단군조선은 신화인지 역사인지 기록이 없으니 알 길이 없어 자료를 찾고, 검색도 하고, 유튜브도 보면서 조사하여 필자 나름의 상상력을 동원하여 기술해본다.

고조선은 국가 체계를 갖추었다기보다는 일종의 부족 연맹체였다고 생각하는데 고조선의 부족은 흉노, 선비, 말갈, 예맥족 등 여러 민족의 연합체가 아니었을까? 부여를 꿈꾸다! 실질적인 우리 민족의 역사는 부여에서 출발했다고 생각한다. 부여 역사를 연구하고 정립해야 한다는 주장을 하고 싶다.

역사학자도 전공자도 아니지만, 필자가 세워본 가설은 이렇다. 혹시 전공자나 연구자가 계시면 지도 편달바라면서. 탁리국(구리국)은 고조선의 한 부족이었는데, 그 종족은 예맥족이었고, 송화강 유역(지금의 하얼빈 지역)에 있었는데, 부여의 시조인 동명왕이 무리를 이끌고 길림성(현재도 길림성에 부여현이 있음) 쪽으로 내려와 세운 나라인데, 부여 왕이 무예가 출중한 추모를 경계하자 추종자들과 이탈하여 세운 나라가 고구려이며 고구려의 시조는 주몽(주몽은 활 잘 쏘는 사람이란 뜻임)이 아닌 추모 왕이고, 강을 건널 때 물고기와 자라가 다리를 놓아줬다는 설화와 동명왕의 칭호는 부여 시조의 것을 차용하였고 고리국을 이어받았기에 더 높은 고리(구리, 구리, 구려), 고구려라는 국호를 정했다는 것이다.

부여는 우리 고대사에서 상당히 중요한 국가이나 고구려는 부여를 계승하였고, 백제도 한성백제 이후 부여로 천도하면서 국호를 남부여로 바꿀 정도로 부여의 후예임을 내세웠으며, 발해도 그랬고, 김해의 금관가야에서도 동해안 루트를 따라 전래된 부여의 유물이 발굴되는 등 삼국시대 이전의 절대적인 위치를 가진 고대국가가 부여였다.

맥적이란 된장 소스의 음식은 부여에서 만들어졌다고 한다. 중국인들은 고구려인을 고려취(高麗臭)라 하여 냄새나는 사람이라고 비하하면서도 발효기술의 뛰어남을 부러워하여 배우러 왔다는데 두장을 만든 시기가 3,500년 전이라면? 부여의 역사가 700년이니 부여 초기에 된장을 만들었다 해도 2,700년, 그러면 중국이 우리보다 먼저 된장을 만들었다고? 이건 믿을 수 없는 말이다.

필자의 견해부터 밝히면, 부여가 건국되기 전 그 땅에 살던 고리국 맥족이 만들고 부여로, 고구려로 이어졌을 거라는 주장이다. 맥적이란 맥족이 먹는 적(육고기 구이)이라는 뜻이니 말이다.

우리 민족은 어떤 종족일까? 학교에서 배운 것처럼 단일민족? 배달족의 후예? 아니다. 부여는 예족과 맥족으로 이루어진 나라였다. 부여시대 한반도에는 삼한이 있었는데, 삼한은 한족(중국 한족이 아닌 대한민국 할 때 한족)이 살고 있었단다. 그리하여 세 종족이 합쳐져(예족, 맥족, 한족) 우리 민족이 되었다는 주장이다. 필자의 주장뿐만 아니라 학술적으로도 타당한 논리다. 북부여와 고구려가 있었던 현재 중국의 요녕성, 길림성, 흑룡강성 지역은 동북 평원지대라 하며 곡창지대이다. 흑룡강성 쌀이 세계 쌀 품평회에서 일본 쌀에 이어 2위를 할 정도로. 최근 이 지역에서 발굴되는 요하문명과 홍산문화 유적은 중국의 황하문명보다 더 오래된 고대문명의 발상지이기도 하다.

이렇게 우리 민족 최초의 국가이자, 최초의 발효식품인 된장을 만든 부여에 대한 연구가 활발하게 이루어져야 할 것이다. 된장이 없었다면 우리의 식생활은 어떻게 되었을까? 최고의 프로 바이오틱스는 된장이라고 한다. 양념으로서의 역할뿐 아니라 최고의 토종 유산균 바이러스균의 보고인 된장은 김치와 함께 우리 민족의 건강을 지켜주고, 맛을 더해주고, 다양한 음식의 재료로 식품의 영역을 넓혀준다. 실로 선조들의 지혜와 오랜 전통에 감사할 따름이다.

중국이 또 무슨 말로 된장을 들고 나올지는 모르겠으나 두반장이든 일본의 미소된장 낫토든 시초는 우리의 된장이리라. 국으로, 찌개로, 청국장으로, 쌈으로, 나물로, 장아찌로, 간장과 고추장의 베이스로 된장의 길은 무궁무진하다.

김치가 중국 파오차이의 일종이라고 터무니없는 말을 하듯이 된장도 그들의 두장(두반장)의 일종이라는 말로 당하기 전에 된장을 ISO에 등록하여 콩으로 만든 발효식품의 원조로 해두는 것이 필요하겠다. 영국의 우스타 소스처럼 치킨스톡처럼 세계인이 먹고 즐길 수 있는 식품, 된장의 변신을 기대한다. 이름은 'Rean Sauce'라 하든지 영국이 우스타 지방 이름을 따듯이 '순창소스'라 해도 좋을 것이다.

표고버섯과 볶은 멸치, 황태 채를 갈아 된장과 섞으면 천연조미료 섞인 만능양념이 되지 않을까?

이렇게 만들어 케첩처럼 제품화하면 요즘 사람들 좋아하는 바로 그 만능양념 아닐까?

오늘 제목에 라면이 들어 있는데, 내가 안성탕면을 좋아하기 때문이고, 안성탕면 스프에는 볶음된장 가루가 들어 있어 구수한 맛을 내지 않을까 하는 생각에서다. 이렇게 가루로 만든 제품을 개발하면 용도가 많을 것이다.

예전에 라면만 38년인가 먹고 산다는 할아버지를 찾아가 인터뷰하는 방송을 본 적이 있는데 그분도 안성탕면만 먹고 살았단다. 라면만으로 살기에는 영양의 불균형이 있을 텐데, 역시 콩이 주원료인 된장이 들어 있어 가능하지 않았을까?

옛날 교도소에서 콩밥 준다는 말이 있었는데, 그것도 역시 콩의 영양성분 때문에 다른 반찬이 부실해도 가능한 일이 아니었을까? 이렇게 된장은 부여 시대, 아니 그 이전부터 현재에 이르기까지 우리 민족과 함께 해온 우리의 소울 푸드다.

된장 얘기를 하고 있으니 된장 콩잎장아찌 생각이 난다.

3천 년 이상을 이어온 된장과 삼국시대부터 발전을 거듭하며 지금까지 우리 곁에 있는 김치, 이런 음식은 어느 몇 사람의 노력이나 지혜로, 어느 한 시대의 유행으로 만들어지는 식품이 아니다.

매일 장독대를 돌보며 햇볕과 바람을 쏘이고 정성을 다한 수천 년 우리 조상님들의 기원이 담긴, 장독대에 정한수를 떠놓고 대대로 가족의 안녕을 빌던 어머니들의 기도가 담긴 영혼의 음식인 것이다.

코로나가 창궐하는 추운 겨울, 경제도 최악이다. 여러 번 얘기했지만 기댈 곳은 선조들이 물려준 발효식품밖에 없다. 음식에 길이 있다는 믿음으로 된장, 김치 많이 먹고 씩씩하게 이겨 나가기를 바란다.

한국 식품산업의 미래

바다에 고래가 나타나면 뉴스에 나오는데, 텔레비전 화면 하단 동그라미에 나오는 사진이 있었다. 고래만 나타나면 텔레비전에 나오는 낯익은 얼굴, 왠지 낯이 익어 친구에게 물어보았다. 혹시 저 사람 아느냐고? 친구가 말했다.

"니 저 친구 모르나?"

"모르겠는데~?"

"장근이 아니가, 우리 중학교 동기."

그랬다. 국내 1호 고래 박사 김장근. 나는 그때 고래 고기 맛에 반해 맛집을 찾아다니고 있었던 시절이다.

"그래, 그 친구 요새 뭐 한다더노?"

"부산에 있다더라."

"기장에 있는 국립수산과학원에 있다던가?"

"그래, 한 번 보자고 해라."

얼마 후 나를 만나겠다는 연락이 왔고, 김장근 박사는 큼지막한 고래 고기 한 덩어리를 들고 나타났다. 인근 식당에 가서 고래 고기를 삶아 달라고 하여 소주를 놓고 마주 앉았는데, 이 친구 고래 이야기를 해 주겠단다.

"고래 이야기?"

다른 곳에서는 들을 수 없는 얘기라 관심 있게 들었다.

아주 오랜 옛날, 고래는 육지에 살았단다. 앞발과 뒷다리가 있어 걸어 다니는 포유류 동물이었던 고래는 지능이 높아 포유류 중 인간과 쌍벽이었다는데, 5백만 년 전 바다로 갔단다. 인류는 육지에 남고, 고래는 바다로 갔는데, 누가 최후의 승자이고, 오래 살아남을까? 고래는 서로 다른 주파수로 소통을 하며, 특히 돌고래는 지능이 높아 그물로 잡을 수도 없단다.

대충 이런 요지의 친구 설명에 고래를 연구하는 학자에게 고래 고기 얘기를 전한 것이 부끄러웠고, 오랜 기간 가끔 고래 생각을 하게 되었다.

고래는 왜 바다로 갔을까? 육지에 있었다면 공룡처럼 멸종했을까? 인간과의 싸움에서 살아남기 위해 바다로 갔을까? 바다에는 코로나도 독감도 없겠지? 바다에는 비료도 농약도 없으니 전부 유기농만 먹고 살겠지?

친구의 얘기를 들은 후부터는 고래 고기를 먹지 않지만, 사실 고래 고기는 맛있다. 살코기는 쇠고기 같고, 비계는 아삭아삭한 식감이 일품이다. 돼지의 비계가 좀 뻑뻑한 느낌이라면 고래 고기 비계는 아삭아삭 산뜻한 느낌의 맛이랄까? 껍질은 오돌오돌하고 질기다.

김장근 박사는 고래가 숨을 쉬러 수면으로 올라와 물을 내뿜을 때 희망을 본다는데 고래잡이 어부는 그때 작살을 날린다고? 김장근 박사의 건강을 빌어드린다.

오늘의 주제가 식품산업의 미래인데 고래 이야기를 하는 것은, 3면이 바다인 우리나라에는 수산물이 풍부하고 품질도 좋은데 수산 식품은 연구가 부족한 듯해서다.

엔초비 이야기

파스타 소스 개발에 참여한 적이 있었다.

대체로 올리브오일 등 이태리 식품을 많이 수입하는 회사인

보라티알(대표의 딸 이름인 보라를 상호에 써서 '보라 트레이딩'을 줄인 말로 기억됨) 강남연구소를 방문했을 때, 유명 호텔 셰프였던 거기 책임자가 몇 가지 재료를 맛보여주었는데, 느끼한 편이어서 뭐 좀 깔끔한 맛을 원했더니 유리병에 담긴 엔초비를 주며 맛보라고 했다.

'아~! 이거 멸치젓갈 맛인데?'

엔초비는 지중해의 청어과 어린 물고기를 휠렛(살을 발라내는 작업)하여 젓갈처럼 만든 것인데, 그냥 먹어도 그리 짜지 않고, 파스타를 만들면 맛있다. 우리 남해안 멸치도 휠렛하여 엔초비처럼 만들어 보면 어떨까?

오늘이 입동이니 겨울이 시작되는 계절인데, 요즘은 비닐하우스 재배로 사시사철 채소가 나지만, 겨울에 제철 채소가 나지 않을 때의 대안은 해조류다.

시즈닝 김(조미김) 이야기

지인 중에 김 가공업을 하는 분이 있는데, 요즘 김을 먹지 않던 중국이나 동남아에서 김을 많이 먹는단다. 우리처럼 밥을 싸먹는 용도가 아니라 간식용으로, 기호에 따라 향신료를 뿌려 구워서 과자처럼 먹기도 하고, 들기름을 발라 향신료(시즈닝 치즈 맛, 버터 맛 등 다양한 시즈닝 가루가 개발되어 있음)를 뿌려 구운 다음 스낵처럼 먹을 수 있는 제품도 좋겠다.

경주 옆 바닷가 감포에 가면 생선회를 김에 싸서 먹는 횟집이 있는데 좋은 발상이라고 본다.

일본인은 해산물을 너무 좋아하여 '김의 날', '다시마의 날', '톳의 날' 같은 기념일도 있다고 한다.

두부의 재해석

두부는 콩으로 만드는데, 세계 5대 건강식품에 일본의 낫토와 콩 요리(두부 등)가 들어갈 정도로 콩의 유익함은 익히 아는 바이다. 한중일(韓中日), 동아시아 3국 모두 두부를 많이 먹는데 국산 콩의 품질이 좋으니 두부도 국산 두부가 좋고, 지금까지 먹던 방식에다 두부를 건조시켜 다양한 식품을 개발할 수도 있을 것이다.

두부를 가로 세로 1cm 두께로 길게 잘라 건조기로 건조시킨 다음, 말린 두부를 이용하여 샐러드나 국, 찌개 등 다른 음식에 활용하면 영양도 뛰어나고 식감도 좋은 음식을 개발할 수 있을 것이다.

건조의 정도에 따라 식감을 달리 할 수도 있을 테고.

나물과 샐러드

채소를 섭취하는 방식 중 가장 흔한 방식이 서양에서는 샐러드, 우리는 나물일 것이다. 샐러드는 생채소에 소금을 뿌려 먹는 데서 출발하였고, 나물은 채소를 데쳐 살균하고, 부드럽게 만든 후 된장, 고추장, 간장, 소금, 참기름 등으로 무쳐서 먹는 방식인데 채소를 맛있게 많이 먹는 방편이다. 하여간 채소와 소금이 들어간다.

재료의 특성에 따라 생야채 그대로가 좋을지, 데치는 게 좋을지 판단하여 소스를 뿌리든 양념에 무치든 조리를 하는 것이다. 어떤 재료를 어느 정도 데치느냐 하는 문제는 그 감각의 정도에서 한국인이 최고가 아닐까?

각종 샐러드의 드레싱이 시판되고 있는데, 우리의 나물 무치는 양념도 마찬가지로 상품화할 수 있을 것이다. 개인적으로는 들깨가루에 소금을 섞어 나물무침용 제품을 만들면 대다수의 나물에 통용되는 양념이 될 수 있을 거라는 견해다.

신안 천일염의 세계화

거의 모든 식품에 꼭 들어가야 하는 것이 소금이다.

좋은 소금이 있다는 것은 식품산업의 필수이고 장점일 것이다. 필자는 가정이나 요리사들이 음식 만들 때 어떤 소금을 쓰고 있는지 궁금하기 짝이 없다. 천일염이 좋다고 하는데 실제로 요리할 때나 식품을 만들 때 쓰기에는 문제점이 있다. 왕소금을 그대로 쓰기에는 용도가 제한적이고, 간수를 빼고 분쇄하는 과정이 개인이 감당하기에는 오랜 시간과 노력이 필요하다.

염전마다, 강우량에 따라 염도가 일정하지 않은 문제도 있고, 용도별로 육류 요리용, 가공식품용 이런 식으로 구분도 돼 있지 않기 때문에 좋다는 걸 알면서도 실제 요리할 때는 망설여지는 문제도 있을 것이다.

안데스소금은 굵기에 따라 3가지의 제품으로 구분하여 용도를 표기해 두었다. 안데스 산맥 높은 고도의 호수에서 빙산처럼 수만 년을 떠다니는 동안 간수가 증발하여 가능한 일이지만, 우리 천일염은 별도의 공정이 필요할 것이다.

프랑스의 게랑드소금을 최고의 천일염으로 치는데, 천년을 이어온 천일염 제조과정을 관광 상품으로도 보여주고, 고급화된 품질로 명품 소금임을 강조하는데, 사실 미네랄 함량은 우리 신안 천일염이 더 높다. 천일염을 연구하여 실제 요리와 식품산업에 바로 쓸 수 있는 제품을 개발하는 것이 필요한 이유다.

천일염은 갯벌이 있어야 생산이 가능한데, 세계 5대 갯벌은

북해(프랑스 북부), 캐나다, 미국 동부, 브라질 아마존 유역, 한국 서해안을 꼽는다. 공업화나 환경오염 등으로 파괴되었고, 우리나라도 강화도나 서해안의 많은 부분이 오염되어 염전이 사라졌다. 그나마 신안의 청정해역이 남아 있어 양질의 천일염을 생산할 수 있는 것은 축복일 것이다.

소금 생산에서 문제가 되는 것은 중금속일 텐데, 우리 천일염이 중금속 문제는 잘 체크하는 것 같으나 최근 문제되는 미세 플라스틱 문제가 걱정된다.

환경 문제는 식품을 위해서도, 해양생물 보호와 인류의 생존을 위해서도 심각하게 생각해야 할 화두다.

김치와 동치미

옛날, 연탄가스에 중독되면 동치미 국물부터 마셨다. 동치미는 겨울에 먹는 김치라는 뜻이다.

무에 들어 있는 디아스타제라는 성분으로 소화를 돕고, 해독작용으로 장 청소 효과와 유산균의 효능까지 가능한 동치미는 김치의 원형이라는 침채와 닮은 김치다.

마트에 가면 한 번씩 사먹는 후루츠 칵테일 같은 동치미 칵테일을 생각해봤다. 통조림 속에 동치미 국물이 들어 있고, 무와 배, 사과가 일정한 크기로 들어 있는 제품을 만들어서 냉장으로 먹으면 얼마나 시원하고 깔끔한 맛일까? 파인애플과 열대 과일의 조합보다 무와 배, 사과의 조합이 더 낫지 않을까?

우리는 과일 통조림이 달아야 한다는 선입견을 가지고 있는지 모른다. 필자는 옛날에 안데스 소금물에 감식초를 섞어 6개월 동안 마셔본 경험이 있다.

처음에는 소금물 맛이 좀 이상한 느낌이었으나 감식초를 조금 섞으니 먹을 만했다. 몸의 기능도 좋아지고, 허리둘레도 줄인 경험이 있기에 충분히 가능하리라고 본다.

동치미 냉면이 있고, 열무국수가 있듯이, 국수 삶아서 동치미 통조림을 부으면 동치미국수가 되지 않을까? 김치도 외국인이 먹기에는 짜고 매우니 고기를 썰어 넣어 볶으면 어떨까? 밥에 넣어 비비면 김치비빔밥, 빵에 야채랑 넣으면 김치버거가 될 수도 있겠지?

된장, 맥적, 토종닭 족발

우리 장류 문화의 기본은 된장이다. 된장 만들고 남은 액체가 간장이며, 메주에 고춧가루를 넣은 것이 고추장이니까. 맥적은 된장으로 양념한 육류 요리로 부여시대부터 있었다니 고구려 건국(약 2,100년 전)보다 이전이라 2천 년이 넘은 우리 민족의 음식이므로 그 원형을 살려 보는 것도 의미 있는 일이고, 세계인이 가장 많이 먹는 닭고기 중 우리만의 토종닭을 이용한 음식을 개발하는 것도 중요한 일일 것이다.

프라이드치킨으로 획일화된 치킨을 닭고기를 발골(拔骨)하여 맥적처럼 만들어 구워 먹고 족발 만들듯이, 닭발 요리하듯이 만들어 독특한 메뉴를 탄생시킬 수 있지 않을까?

4차 산업혁명 이후의 세계

지나친 우려인지는 몰라도 4차 산업혁명 이후에는 세상이 어떻게 될까 하는 생각을 해본다. 최첨단 기술과 거대자본이 결합하여 만들어낼 4차 산업혁명, 그 이후에는 상위 1%가 부의 99%를 독점하리라는 생각이 든다. 코로나 이후에도 다시 감염병은 나타날 테고. 지금까지처럼 고도성장을 이루거나 국민소득이 백 배 이상 성장하는 그런 시대는 다시 오지 않을 거라는 불안함은 나만의 걱정일까?

산과 들이 아름다운 강산과 3면이 바다여서 다양하고 질 좋은 농수축산물을 가진 나라 한국! 식품은 우리 미래의 먹거리 중의 핵심일지도 모른다. 특히 상위 1%에 끼지 못할 일반 서민들과 400만 개가 넘는다는 음식점 자영업자에게는 식품이, 한국의 음식 K-Food가 새로운 희망으로 자리 잡을지 모른다.

위에서 머리에 떠오르는 대로 몇 가지 음식만 예로 들었지만, 여러 가지 연구와 실험 개발을 통해 K-Food가 한국인의 희망으로 떠오르기를 염원한다.

리스터디 한국식품

2000년 1월 1일 새벽, 나는 해운대 바닷가에서 일출을 기다리고 있었다. 새 밀레니엄이 시작된다고 들떠 있었는데 벌써 20년이 지났다. 흐르는 강물처럼 지나가는 세월, 만감이 교차하는데, 당시 해운대 백사장은 초만원이었다. 그들은 어떤 소원을 빌었고, 20년이 지난 지금 어떻게 살고 있을까? 정의를 실천하며 살고 있을까? 비겁함을 감추려고 비굴하게 살고 있을까? 모를 일이다.

나에게 2020년은 평생 잊지 못할 한 해였다. 난생 처음 병원 입원 생활을 했고, 생애 처음 책을 썼다. 이틀 남은 2020년, 무엇을 할까? 이틀 동안 깊은 잠에 빠져 꿈나라를 여행하고 싶지만, 요즘은 깊은 잠이 안 온다. 궁리하다가, 뛰어난 한국 음식 몇 가지를 다시 정리해 보기로 했다.

학창시절 나의 꿈은 작가였다.

이문열 선생을 만나고, 집안 아저씨 윤진상 소설가를 보면서 그 해박함과 끊임없는 열정을 도저히 따를 수 없을 것 같아 포기했다. 서예가는 될 수 있었는데, 너무 일찍 예술계의 내막을 경험하여 뜻을 접게 됐다.

학교 선배인 박관용 전 국회의장님의 '정치 한 번 해보겠냐?'는 제안은 거절했는데, 잘 판단한 것 같다.

〈몇 가지 우수한 우리 음식의 역사와 발전 과정, 향후 비전〉 이런 것들을 쓰고 싶은데, 늘 느끼는 게 자료 부족이다. 먹방은 그리 많건만 그런 분야에는 통 관심이 없는지. 알 필요를 못

느끼는지 전혀 도움이 안 된다.

유튜브를 검색하다가 김진명 작가의 강의 프로를 발견했다. 〈대한민국의 한은 어디서 왔을까?〉 이런 주제여서 봤는데, 역시 작가는 달랐다. 우리 역사에 나오는 나라 이름은 사실 조선과 고려뿐이다. 고조선은 조선에 옛 고(古)자를 붙인 것이고, 고구려도 중간에 국호를 고려로 변경한 역사가 있었으니 말이다.

대한민국의 국호는 임시정부에 뿌리가 있다. 대한이란 이름은 대한제국에서 따온 것이고 민국은 민주공화국 아닌가? 그러면 대한의 대는 크다는 뜻이고, 한이 어디서 왔냐는 게 김진명 작가의 의문의 출발점이었단다. 나의 성이 나라 한(韓) 씨여서 더 관심이 갔다.

마한 진한 변한의 삼한에서 왔을까? 청주한씨는 기자조선의 기자의 후손이다. 기자는 중국의 하은주 시대 주나라 왕족(주나라 왕의 삼촌)인데 주나라 왕의 정치가 못마땅하여 고조선으로 왔다는데, 이민을 왔는지, 쳐들어 왔는지? 고조선이 망하고 한사군을 설치했다는데, 그 위치가 어디인지? 우리의 고대사는 의문투성이다.

하여간 사서삼경의 시경에서 이 나라 한(韓)자를 찾고, 단국대 윤내현 교수를 만나 후한시대 왕부라는 학자가 쓴 잠부론이란 주나라 시대 책에서 답을 찾아가는 강의였다. 연나라 동쪽 동이족(고죽국으로 추정)의 왕이었던 한후, 그의 후손이 연나라(위만)에 망해 바다를 건너갔다니 (BC 108년). 앗! 고조선의 마지막 왕 준왕이 한씨? 흥미로웠다. 대한민국이 무슨 의미인지 한민족이 어떤 민족인지? 그런 게 궁금하지도 않은가?

일주일만 젊었어도 역사를 공부하고 싶다. 우리의 역사 연구가 이러하니 식품에 대한 기록이나 역사는 더욱 그렇다. 인류 최초의 식품은 무엇이었을까? 수렵과 채취를 통해 먹었으니 음식은 야생동물과 야생채소, 과일이었을 것이고, 생존을 위해 소금을 찾았을 것이다.

소금은 음식의 짠맛을 내기 위해서가 아니라 생명 유지를 위해 본능적으로 찾아서 섭취하게 된 것이다. 지금도 원시생활을 하는 파푸아뉴기니의 종족은 깊은 산에서 소금 연못을 찾아내어 바나나 줄기를 실타래처럼 만들어 소금 연못에 담가 두었다가 꺼내어 말리고 태워 소금을 얻는다. 최초로 발견된 소금은 암염이었는데 우리 민족은 중국에서 들여온 것을 먹었을 것으로 추측이 된다.

그러면 소금을 이용한 최초의 식품은 무엇이며 누가 만들었을까? 필자는 그것이 된장이며, 우리의 조상인 맥족이었을 것이라고 주장한다. 중국 문헌에 두장(콩으로 만든 장)이 기원전 15세기, 약 3,500년 전이라고 나오는데, 우리 조상들이 비슷한 시기나 더 먼저 만들었을 거라는 주장이다. 이에 대한 문헌은 없으나 고구려인들의 발효기술을 부러워하여 중국인들이 배우러 왔고, 고려취(高麗臭)라는 냄새가 난다는 『논형』이라는 책의 기록이 있기 때문이며, 콩의 원산지가 만주와 한반도 북부지역이기 때문이다.

우리가 배운 역사로는 당시가 고조선 시대인데, 여기서부터 역사적인 문제가 대두된다. 중국 역사는 하은주로 시작됐다고 한다. 하나라는 있었다고 하나 유물이 발견되지 않았고, 은나라는 상나라라고도 하며 갑골문과 한자가 만들어진 나라로 알고 있는데, 은나라는 동이족(우리 민족)이 세운 나라임을 중국학자들도 인정한단다. 그러면 한자도 우리 조상들이 만든 문자가 되는데, 은나라 때 이미 4천 5백 자의 한자가 만들어졌단다.

자신의 뿌리를 찾는 것, 민족의 역사를 바로 아는 것, 얼마나 중요한 일인가? 식품의 역사도 마찬가지다.

백이숙제 이야기를 다들 알 것이다. 은나라가 망하고 주나라가 세워졌을 때 산속으로 들어가 굶어 죽었다는 인물들이다. 백이숙제는 동이족 국가인 고죽국 사람이다. 은나라가 망했는데 왜 고죽국 사람이 그랬을까? 은나라도 고죽국도 같은 동이족이었기 때문이다. 은나라는 지금의 북경 오른쪽에 있었는데 바로 옆에 있던 나라가 우리 민족의 시원인 동이족의 나라 고죽국이었단다.

동이족은 누구일까? 중국인들이 동이, 서융, 남만, 북적이라 일컫던 동쪽의 오랑캐라는 뜻이고, 동쪽의 큰 활을 든 종족이란 뜻이다. 그렇다면 우리가 양궁을 잘하는 것은 우연이 아닐 터이다. 우리는 단군의 자손이며 단일 민족일까? 단군조선의 시작이 역사인지, 신화인지? 고조선의 실체를 인정한다 해도 단군은 여러 명이며 장자 상속의 방법으로 왕위가 계승된 것도 아닌 것으로 보인다.

식민사학의 역사는 말도 안 되는 논리고, 환단고기를 근거로 하는 민족사학도 너무 국수적이고 근거가 없거나 부족하여 그대로 인정할 수 없어 보인다.

새해를 맞아 소망하는 것은, 제발 국가와 민족의 역사는 좌우의 논리를 벗어나서 객관적이고 세계적으로도 인정받는 바른 역사를 정립하여 가르쳐야 할 것이다. 본 역사가 이런 판국이니 음식의 역사도 정립할 수 없다. 근거 기록이 없고, 연구하는 사람도 드물고, 국민의 관심도 없으니, 그냥 희망사항으로 우리 것인 양 기억될 뿐이다.

동북공정에 혈안인 중국인들이 말한단다. 고조선이나 고구려를 예로 들면, 기록이 있느냐? 그 사람들은 다 어디로 갔느냐?

그 땅이 지금 어디냐? 어느 물음에도 적절한 답이 곤란한 실정이다. 중국이 동북공정만 하는 게 아니다. 황하문명보다 더 먼저 생겨난 요하문명이나 홍산문명이 밝혀지자 요하공정, 김치가 뜨니까 김치공정, 다음에는 된장공정도 할지 모른다.

수천 년을 괴롭히고, 조공 받고서도 이런 식으로 일관하는 중국, 필자가 중국을 세상에서 가장 싫어하는 이유다.

그런데 우리의 잘못은 없을까?

유구하고 자랑스러운 역사를 가진 민족의 자부심은 대단하다. 음식의 역사도, 그 민족의 소울 푸드도 마찬가지일 것이다. 스페인의 올리브유, 그리스의 요거트, 이탈리아의 피자와 스파게티, 일본의 스시, 프랑스의 와인 등등 이런 대표 음식이 없었다면?

이런 논리로 우리에게는 천일염, 된장, 김치, 나물 등 대단한 음식 유산이 있기에 여기서 재정리해 볼 심산이다. 갈수록 다민족 국가가 많아지고, 민족보다는 국가의 의미가 소중해지지만, 우리 민족은 수천 년 같은 음식을 먹고 정체성을 가지며 살아왔다. 지혜롭고 감각 있는 한민족이다.

콩으로 메주를 쑤는 지혜

채소를 소금에 절이는 국가는 많지만 곡물을 소금으로 발효시켜 장을 만든 지혜가 있던가. 절임배추에 마늘, 젓갈, 무, 고춧가루 등 유산균의 먹이를 추가하여 김치를 진화시키는 지혜가 있던가. 채소를 특유의 감각으로 데쳐 나물로 만들어 영양소 파괴를 최소화하면서도 부드럽게 하고, 독성을 없애고 소화 흡수를 용이하게 하는 지혜가 있던가. 소금을 얼마나 넣느냐의 감각, 나물을 어느 정도 데치느냐의 감각 등 수치로 표현하기 어려운 미세한 맛의 감각을 지녔다는 뜻이다.

이런 지혜와 감각은 독특한 음식을 만들었으며 수천 년이 흐른 지금까지 민족의 소울 푸드로 이어져 오고 있는데, 한민족 최초의 식품은 된장이다. 그리고 최초의 음식은 맥적이다.

중국은 3천 5백 년 전에 두장(콩으로 만든 장)을 만들었단다. 3,500년 전이면 중국은 은나라, 우리는 고조선 시대인데 우리 쪽 식품에 관한 기록은 없다. 된장과 맥적은 언제 만들어졌을까? 중국은 고구려 시대라고 말한다. 그러나 연대로 볼 때 고구려는 맞지 않고, 은나라 동쪽에 있었던 고죽국이나 부여와 고구려의 뿌리인 고리국으로 보이고 이들 부족국가의 민족이자 우리 민족의 근간이 된 예맥족, 그 중에서도 맥족이 만든 것으로 추측되며, 고구려 시대에 보편화된 것으로 보인다.

고구려 역사가 700년~900년이라고 하는데 BC 1세기에서 BC 3세기에 건국되었으니 그 이전에 만들어진 것은 분명해 보인다. 중국인들이 고구려인들의 식문화와 냄새를 고려취(高麗臭)라고 표현했으니 말이다.

필자가 공부한 우리 역사는 고죽국_고리국_북부여_동부여_홀본(졸본)부여_고구려_발해_고려_조선의 순이다. 식품의 역사는 된장_간장_맥적_침채_고추장_김치의 순서다.

3,500년 전, 아니면 그 이전에 곡물을 소금으로 발효시킨 최초의 식품이자 양념인 된장을 만든 민족이 우리 민족의 근간이 된 맥족(貊族)이며, 당시 국가는 고죽국이거나 고리국이며 발효기술을 중국에 가르쳐 주었고, 된장으로 양념하여 구운 육류 음식이 맥적이라는 것이 필자의 주장이다.

중국인들은 역사에 대해 이렇게 묻는단다. “1. 그게 기록이 있느냐?” “2. 그 사람들은 다 어디로 갔느냐?” “3. 지금 그 땅은 어디에 있는가?” 그러면 할 말이 없어지고 그들은 동북공정

같은 작업을 국가적 차원에서 계속하고 있다는 것이 현실이다.

언젠가 김치공정 다음에 된장공정을 들고 나올지 모른다. 역사학자와 식품학자들이 연구하여 세계적으로 인정받을 수 있는 근거를 마련해둬야 할 것이다. 김치를 파오차이의 일종이라고 우기듯, 된장을 중국 두장의 일종이라고 우기지 않을까 걱정이 된다. 이런 사고를 가진 민족이기에(고대부터 현재까지) 나는 중국과 중국인을 싫어하고 거리를 두면서 우리의 실리를 추구해야 한다고 생각한다.

우리 조상들은 고기를 양념해서 구워 먹든지(너비아니, 불고기) 구워서 양념에 찍어 먹었단다.

처음에는 된장에서 간장을 분리하지 않았고, 걸쭉하게 만들었으니 그대로 바르면 맥적의 양념이 되었으리라. 지금도 맥적의 레시피가 된장에 간장을 섞어서 하지 않는가?

곡물(콩)을 발효시켜 최초의 양념인 된장을 만든 민족으로서의 자부심을 가져야겠다. 요즘 식당에 가면 반찬이 거의 없다. 대부분 중국산 김치에 깍두기 정도, 김치 대신 겉절이를 내놓는 집도 많다. 서민들의 밥상에서 반찬은 나물이 위주 아닌가? 채소를 데쳐 독성을 제거하고, 영양소 손실을 최소한으로 줄여 된장, 고추장, 간장에 무쳐 참기름과 깨소금 약간 뿌린 나물이 그리울 때가 종종 있다.

다듬고 데치고 무치는 나물 만들기가 귀찮은지, 채소 가격이 비싸서 그런지 나물 구경하기가 어렵다.

피자헛에 가면 샐러드 바가 별도로 있었다. 5천 원을 내면 무한 리필이었던가? 나물 바를 별도로 만들면 어떨까? 여러 가지 채소를 데쳐 소스를 달리 한 나물 바의 등장을 기대해본다.

아무리 위대한 유산이더라도 외면하고 자주 접하지 않으면 사라진다. 삼국시대에 만들어진 절임채소 침채가 지금의 김치가 되기까지, 젓갈을 더하고 마늘을 다져 넣고 고춧가루를 더해 현재의 김치가 되기까지 거의 2천 년을 변화 발전시켜온 자랑스러운 민족의 자부심을 지켜 오면서 더욱 맛있고, 유산균이 풍부한 음식이 되었듯이.

salad sauce salary

모두 소금(salr)에서 유래된 말이다. 채소에 소금을 뿌려 먹기 시작한 샐러드, 채소에 액체로 만들어 뿌리는 양념 소스, 고대 로마의 급료를 소금 사는 쿠폰으로 주었다는 샐러리, 이렇게 소금은 인류와 밀접한 관계였다.

우리 선조들은 만주에 살았기에 최초의 소금은 현재 중국 내몽골의 시라무렌 소금강에서 소금을 얻지 않았을까. 광개토대왕이 이곳에서 소금과 말을 얻었다는 기록도 있고, 이 강이 고구려의 서쪽 경계라는 설도 있다.

이후 고려시대 이후로는 자염이라는 한민족 특유의 소금 생산 방식이 조선까지 이어졌고, 20세기 초 지금의 천일염 염전이 도입되었다. 세계 5대 갯벌로 청정함을 자랑하는 우리나라 서해안에서 천일염이 생산되고, 게랑드소금보다 미네랄이 더 풍부한 천일염이 있다는 것은 우리의 복이다. 바다와 육지가 만나는 갯벌, 수많은 생명의 터전이며 미네랄의 보고인 소중한 갯벌을 잘 보존해야 한다. 우리의 신안 천일염을 발전시켜 세계 제일의 식용 소금으로 규격화하고, 제품화하여 명품 소금으로 탄생하기를 염원한다.

우리 음식의 3대 부류는 전, 적, 탕이다.

전과 적의 결합을 생각해보자. 우리의 육류 섭취 방식은 양념하여 굽는 방식이었다. 요즘 전을 부칠 때 소금과 후추로 약간의 간을 하거나 그냥 밑간 없이 옷을 입혀 굽는데, 맥적처럼 양념한 재료에 옷을 입혀 부치면 어떨까?

전과 탕의 만남을 생각해보자. 이렇게 만든 전을 탕의 재료로 쓴다면? 탕에 많은 양념을 하지 않아도 더 맛있는 요리(탕)가 될 것이다. 냉면이나 국수의 고명으로 전을 사용하는 것도 좋은 방법일 것이다.

된장의 변신

된장에 볶은 멸치가루, 표고버섯 가루, 마늘 가루 등을 섞어서 볶은 다음 건조하여 가루로 만들면 만능 양념가루로 쓸 수 있지 않을까? 토마토케첩처럼 만들어 샐러드 드레싱으로 써도 좋을 것이다.

전을 부칠 때 한 가지 팁을 드리면, 식용유에 약 10%의 마늘 즙과 10%의 생강즙을 섞어 구우면 식어도 맛이 살아 있는 전이 된다. 200년 이상 전해오는 어느 종가집의 비결이라는데 한 번쯤 실험을 해보면 어떨까?

갈수록 다민족 국가로 되고, 민족보다는 국가의 의미가 강해지지만, 우리 민족의 지혜와 감각으로 발전해온 한국식품의 역사는 충분히 자부심을 가지고 자랑할 만하다. 로마인은 먹고 살기 위해 일하는 게 아니라 즐기기 위해 일했단다. 음식도 살기 위해 먹는 게 아니라 즐기기 위해 음식을 만들고 먹는 나라, 수천 년 계승 발전의 역사가 섣부른 과학보다 더 과학적이고, 건강하며 맛있는 음식을 가진 나라!

대~한민국 만세!

제4장
식품, 음지와 양지

사랑에 속고 돈에 울고

오빠의 학비를 벌기 위해 기생이 된 여인의 기구한 운명을 그린 한국 연극의 제목이다. 〈홍도야 울지마라〉로 잘 알려진 신파극이다. 이런 제목을 정해놓고 좀 뜬금없고 촌스럽다는 느낌이었지만 세상만사가 이런 문제 아닐까 하는 생각과 정겨운 느낌도 들었다.

오늘의 얘기는 우리가 어떤 사람을 사랑할 때 상대를 잘 알아보고 오랜 시간 겪어봐야 후회가 없듯이 먹는 음식도 잘 알아보고 먹어야 한다는 생각이다. 수십 년을 먹어야 하는 음식의 중요성은 말할 나위도 없다.

요즘 커피숍에 가보면 그리 어려운 커피 이름을 줄줄 외며 밥 한 끼 값의 커피를 사서 마시는데 정작 먹는 음식에 대해서는 그런 관심도 부족하고 이해도 부족한 것 같다. 사랑을 잘 모르는 홍도처럼.

10년 전 필자의 사무실로 누가 찾아왔다. 그는 지인의 소개로 왔다는데 어느 단무지공장의 대표였다. 찾아온 이유를 물으니 단무지 공장을 십수 년 해서 돈도 좀 벌었는데, 앞으로는 이런 식품이 쇠퇴하여 사라질 거라는 생각이 들어, 시대에 맞는 식품을 개발해줄 수 있겠느냐는 것이었다. 나는 흥미를 느끼고 왜 그런 생각을 하게 되었느냐고 물었다.

단무지에는 빙초산을 쓰는데 그건 화학약품이고, 사카린을 쓰는 데다 노란 색소도 인공색소라 이런 재료로 만드는 식품의 미래가 얼마 가지 못할 거라서 미리 대비하려는 것이라고 했다. '아! 이런 생각을 하는 사람도 있구나.' 싶어 반가웠다.

환경오염 문제로 폐수처리 시설을 하려는 것도 이유 중 하나였다. 나는 내심 반가워서 해주겠다 약속하고 당시로서는 좀 큰 금액을 제시했는데, 단무지공장 대표는 흔쾌히 받아들였다.

단무지의 신맛을 내는 데 쓰는 빙초산은 순도가 높은 아세트산(초산)으로 상온에서는 얼어있는 것처럼 보여 붙여진 이름인데, 피부에 닿으면 염증이 생기고 원액은 자동차 보닛이 상할 정도로 강한 산성이다. 그 빙초산이 단무지 무를 상하지 않게 하고 아삭아삭한 식감을 가지게 해준다. 색소 또한 문제다. 예전에는 황색4호라는 인공색소를 썼는데 그 후 치자황색소로 바뀌면서 천연색소라고는 하나 인공색소이긴 마찬가지로 보인다. 여기에 단맛을 위해 많은 양의 당료(糖料)를 써야 하고, 비싼 설탕 대신 사카린을 쓴다.

무를 잘라 포장 용기에 담고 위에 말한 것들을 섞어 만든 조미액을 부어 완성되는 것이 단무지고, 이 조미액이 버려져 환경오염을 유발한다. 단무지 무는 일반 무와 다르다. 왜무, 일본무라고도 부르는데 굵기가 가늘고 길다.

당시 나는 천연식초와 강황에 빠져 있었는데, 이들을 결합하여 제품을 개발해볼 기회다 싶었다. 일단 단무지 무를 보내 달라고 했다. 단무지 무를 채 썰고 천연발효 식초에 적당량의 강황과 설탕을 넣은 조미액을 만들어 유리병에 담은 다음 하룻밤을 재웠더니 강황의 노란색이 물든 멋진 식품이 탄생했다.

사흘 후 그걸 들고 단무지공장을 방문했더니 신기하다고 사진을 찍고 다들 먹어보고 난리였다. 맛으로도, 색상으로도, 기능성도 비교가 안 되는 강황 단무지!

그는 깜짝 놀라는 것이었다. 내가 그런 연구를 하고 있는 줄 몰랐기에 사흘 만에 세상에 없는 식품을 만들어내는 걸 보고 놀랄 수밖에 없었으리라.

그런데 그게 전부가 아니다. 식품이 어려운 게 이렇게 조금 만들어 집에서 먹는다면 최상의 음식이겠지만, 강황이 얼마나 비싸며, 발효 식초를 만드는 데 걸리는 시간이며 비용이 값싼 단무지 단가로는 어려운 일이었고, 소비자가 그런 돈을 주고 구매하겠느냐 하는 사업적인 문제에 봉착하게 되었다. 결국 이 사업은 현실화되지 못했다.

우유 이야기

우유는 계란과 함께 완전식품으로 불린다. 그런데 언제부터인가 우유 속에 들어 있는 지방이 비만을 어쩌고 하더니 저지방우유, 무지방우유가 출시되었다. 값도 일반 우유보다 제법 비싸다. 나는 속으로 웃었지만 수요가 있으니 지금까지 제품이 있는 게 아닐까.

아마 우리나라밖에 없을 것이다. 무지방우유를 만들려면 우유 속에 있는 지방을 빼내야 하는데 간단한 일은 아니다. 식품에 용해되어 있는 어떤 물질을 분리해내려면 약품이 필요할 것이다. 이럴 경우 식품에 화학약품을 쓸 수는 없고 식약처에서 인정한 식품첨가물을 쓰게 되는데, 그 종류가 무려 6백여 종이고 쓰는 양을 규제하고 있으나 제대로 지켜지는지는 의문이다.

중학교 시절 영국에 유학 다녀온 영어 선생님이 계셨다. 선생님이 영국 유학 시절 학생들은 방과 후 운동을 2시간 하고 우유를 반 되(1리터)씩 반강제적으로 마시게 했다면서 운동 많이 하고, 우유 많이 마시라고 여러 번 말씀하셨다.

우유의 지방이 살찐다고, 쌀밥의 탄수화물이 비만의 원인이라고 인식하는 요즘 대한민국의 세태는 이해할 수 없다. 서양에서는 우유를, 우리 조상은 쌀밥을 먹고 수천 년 살아왔는데

이들이 문제였다면 그런 역사를 만들어오지 못했을 것이다.

바나나우유와 딸기우유 이야기를 해보자. 바나나우유는 우리나라 식품 중 가장 많이 팔린 상품 몇 손가락에 들 것이다. 바나나우유에는 바나나가 없다. 바나나 색깔을 내려고 비슷한 색소를 썼고, 바나나 맛을 위해 바나나 향을 썼을 뿐이다. 이를 간파한 어느 업체에서 실제 바나나를 넣은 제품을 출시했다. 그리고 용기에 바나나 그림을 그려 넣었다.

딸기우유도 비슷한 맥락이다. 그러나 원래의 바나나우유를 이기지 못했다. 실제 바나나를 넣은 업체가 이의 제기를 했는지는 모르겠으나 어느 날 식약처는 실지로 내용물이 들어가지 않은 제품에 대해 그 이름이나 그림을 쓰지 못하도록 했다. 요즘 그런 우유 이름은 바나나맛 우유, 딸기 맛 우유로 바뀌었고, 재료명을 쓰려면 첨가 비율을 정해 표기하도록 하고 있다.

환타오렌지에는 오렌지가 들어 있지 않다. 오렌지주스 제품에는 몇 %라는 표기가 돼 있다. 그런데 진짜 오렌지주스보다 환타오렌지가 더 맛있고, 오렌지 색깔에 더 가깝다고 느끼는 건 필자만의 생각일까?

우리는 식품첨가물의 향과 색에 익숙해져 향의 맛이 진짜 맛인 것처럼, 색소의 색이 진짜 색인 것처럼 착각하며 먹고 마시고 있는 건 아닐까? 조언을 드리자면 식품을 고를 때 원래 식재료가 가진 색깔(우유라면 흰색), 오래된 식품(서울우유), 앞에 어떤 수식어(저지방, 무지방, 딸기 맛)가 없는 제품을 골라 드시기를 권해 드린다. 그런 표기 하나하나가 첨가물이 들어가야 가능한 것이기에 수식어 없는 제품이 건강에도 이롭다.

저지방우유를 만들면서 추출한 유지방은 돈을 받고 팔면서 남은 우유를 더 비싸게 받는 아이러니가 현실이다. 어떤 제품에 호감을 가지거나 돈을 주고 살 때는 그 제품에 애정을 느꼈기 때문일 것이다. 아주 넓은 의미로 해석하면 사랑이 아닐까? 더구나 먹으려고 사는 식품은 나름대로 꼼꼼히 살피고 따져서 선택할 것이다.

사랑에 속고 돈에 울었다는 홍도

그래도 홍도는 순사가 된 오빠가 있어서 복수라도 해주지만, 우리가 잘못 선택한 식품을 더 비싼 돈을 주고 구입하여 수십 년을 먹고, 만약에 건강을 상하는 원인이 됐다면 사랑에 속고 돈에 우는 꼴이 아니겠는가? 그렇더라도 우리는 홍도가 아니고, 찾아와 복수해줄 철수 오빠도 없지 않은가?

식품 관련 사건의 진실

라면만큼 값싸고 맛있는 식품이 또 있을까?

2차 대전 패전 후 식량이 모자라던 일본에서도 그랬고, 1960~70년대 배고프던 시절 한국에서도 라면은 구세주 같은 음식이었다. 라면은 1958년 일본에서 탄생했다. 닛산식품의 치킨라면이 효시다. 우리나라는 5년 후인 1963년 일본의 기술을 전수받아 출시한 삼양라면이 최초다.

1960~70년대 멸치국물에 삶은 우동 한 덩어리 넣고 파간장으로 간을 맞춰 먹던 우동 한 그릇이 20~30원이었는데 꼬불꼬불한 면발에 스프로 감칠맛을 내는 라면 한 봉지는 10원이었으니 가히 혁명적인 일이었다.

그렇게 시작된 라면산업은 연 40% 이상 성장을 계속하고 있었는데, 1989년 의외의 사건이 일어난다. 이른바 우지(牛脂) 파동이다. 면(麵) 요리 중 라면의 가장 큰 특징은 감칠맛 나는 스프와 꼬불꼬불한 면을 튀긴 식감일 것이다.

당시 면을 튀기는 기름으로 우지(쇠기름)를 썼는데, 농심에서 식물성 팜유로 튀긴 라면을 출시하면서 공업용 우지 대 식물성 팜유의 대결구도가 만들어져 농심이 완승을 거두고 지금까지도 부동의 업계 1위를 유지하고 있다.

그런데 우지가 공업용이란 게 사실일까? 팜유는 그렇게 좋은 기름일까? 어릴 적 집에서 쇠고기 국을 끓이면 국에 기름덩이 몇 개가 동동 떠 있던 기억이 난다. 쇠고기가 비싸니까 일부러 기름을 조금 썰어 넣은 것이리라. 물론 기름도 맛있어서 찾아 먹었다. 지금도 중국집에서 볶음밥 등 음식을 볶을 때 쇼팅(쇼

트닝)이라는 쇠기름을 국자로 떠 넣고 볶는다. 맛있다.

팜유는 팜 야자열매를 짜서 만든 기름으로 동남아에서 수입해온다. 다른 기름에 비해 트랜스지방이 적고 가격이 저렴한 편이나 15도 이상의 상온에서 굳어져 40도까지 굳은 상태로 있다. 음식을 할 때 쓰려면 용융시켜(녹여서) 사용해야 한다.

우지는 비누를 만드는 등 공업용으로도 쓰이지만 식용으로 오래 먹어왔고 맛도 영양도 풍부하다.

그러나 한국 소비자는 동물성보다는 식물성을 선호하고, 공업용이라는 것은 용납이 안 되기에 한 방에 무너졌고, 지금은 라면 업계 전체가 팜유를 쓰고 있다.

이렇게 1위 자리를 내준 삼양라면은 10%도 안 되는 시장점유율로 고전하다가 최근에야 겨우 10%를 넘긴 상태다.

오히려 그냥 우지를 고집하면서 맛으로 승부했으면 어땠을까 하는 생각이 든다.

2004년에는 쓰레기 만두 사건이 터졌다. 세상에 만두의 속에 쓰레기를 넣다니! 만두가 무슨 독약인 것처럼 만두를 먹지 않았다. 실상은 이렇다.

만두소를 만들 때 채소와 고기를 섞는다. 배추나 청경채 같은 걸 잘게 썰어서 쓰거나 무말랭이도 많이 쓴다. 단가도 낮추고 좋은 식감을 내기 위해 당면도 많이 쓴다. 그런데 작업을 하다가 썰어둔 채소와 재료들이 한쪽에 쌓여 있을 때 위생과에서 점검을 나왔다는 것이다. 그걸 보고 공무원은 쓰레기인 줄 알아서 단속을 한답시고 했는데, 방송에 보도되자 그 다음은 설명이고 뭐고 안 통하고 만두 공장들이 여러 군데 문을 닫아야 할 지경이 되었으며, 취영루 같은 우수한 업체까지 존폐의 위기를 겪는 수모를 당했다. 단속 공무원이 만두 만드는 재료를 몰라서 그랬을까? 영웅심에 한 건 터뜨리려고 그랬을까?

우리나라 소비자들은 냄비 같다. 평소엔 아무런 관심 없다가 매스컴에서 한 번 떠들면 거들떠보지도 않는다.

정확한 연도는 기억나지 않으나 노태우 정부 때의 일이다. 메틸알코올 사태로 시끄러웠다. 알코올은 술 속에 들어있는 식용의 에틸알코올과 공업용으로 쓰는 메틸알코올이 있는데 이 메틸알코올을 식품에 썼다는 것이다. 당시 징코민이라는 혈액순환개선제가 있었는데 약을 포장하며 약과 비닐포장 막 사이 공간에 메틸알코올을 채운 것이 문제가 되었다.

업계는 반발했다. 손으로 꾹 눌러 알약이 알루미늄 포장지를 뚫고 나오는 순간 메틸알코올은 공기 중으로 사라지니까 사람이 먹는 게 아니라고, 메틸알코올은 포장지 속에서 알약을 변질되지 않게 보호하다가 포장지를 뜯는 순간 공기 속으로 사라진다고 업계에서는 설명했다.

또 하나 더 기억난다. 유동골뱅이 사건이다. 골뱅이 캔 뚜껑과 내용물 사이 공간을 메틸알코올콜로 채운 것이 문제가 되었다. 이런 공간을 그냥 두었을 때 공기 중의 산소와 내용물이 반응하여 부패하거나 가스가 생길 수 있다는 것이다.

이 일로 두 회사가 징계를 받았는데, 당시 선경제약에서 기넥신이라는 혈액순환개선제를 만들었는데 노태우 대통령의 사돈인 선경을 돕기 위한 것이다,

징코민이 김대중을 후원하고 있어서 일어난 일이다 하는 등의 소문이 있었지만 확인할 길은 없다.

또 하나의 피해자 유동골뱅이는 독보적인 상품으로 탄탄한 기반을 가지고 있었으나, 이 일로 어려움을 겪어, 나중에 보도된 걸 보니 대표의 부인이 생활고에 시달려 식당에 일을 하러

다닐 정도였다고 한다.

메틸알코올을 식품이나 약품에 쓸 이유가 어디 있는가? 당사자의 주장대로 간단한 실험만 해봐도 진실을 알 수 있는 일인데 안타깝다. 식품은 전 국민의 건강과 직결되므로 엄격한 기준을 적용해야 하지만, 해당 부서 공무원과 이를 보도하는 기자들의 상식과 관심이 요구된다. 억울하게 당하는 해당 업체는 오랜 기간의 노력이 수포로 돌아가거나 회사의 존폐가 걸린 일일 수도 있다.

한국인은 위대한가, 특별한가?

세계 최대의 식품회사는 스위스에 본부를 둔 다국적기업 네슬레다. 네슬레의 매출 비율이 높은 상품은 커피, 초이스 커피, 네스카페다. 그런데 한국에서는 아니다. 동서식품의 맥심커피가 단연 독보적이다. 네슬레의 커피 제품을 찾아보기 힘들 정도다. 커피뿐만 아니다.

토마토케첩의 1위 기업은 미국의 하인즈인데, 오뚜기가 석권하고 있으며, 하인즈 제품은 대형마트에서도 자취를 감추었다. 마요네즈도 그렇다.

우리나라 제품의 품질이 좋아서일까? 우리 국민의 애국심이 국산품 애용을 하게 해서일까? 가격이 싸서 경쟁력이 높을까? 예전부터 이런 생각을 해봤지만 이유를 모르겠다.

일제시대와 50년대까지는 집에 손님이 오면 가마솥에 물을 끓여 커피 몇 숟가락을 넣고 휘휘 저어 그릇에 담고 설탕을 넣어 마시는 정도였다고 한다. 그 후 다방이 많이 생겼고, 다방에 들어서면서 마담에게 손가락을 펴 보이며 “2개, 2개”라고 하면 설탕 2스푼, 프림 2스푼으로 알아듣던 모습이 새삼 정겹게 느껴지는데, 1976년 한국의 동서식품은 세계 최초의 발명품인 1회용 커피믹스를 개발한다. 커피와 설탕, 프림을 한 봉지에 담아 끓는 물만 있으면 어디서건 간편하게 빨리 마실 수 있는 커피를 개발한 것이다.

벌써 40년이 넘었다. 커피믹스는 단숨에 커피시장을 석권하였고, 지금까지도 동서식품이 커피시장의 독보적인 1위 기업으로 군림하게 된 것이다.

오뚜기 토마토케첩은 경우가 좀 다른데, 비닐 계통 용기를 개발하여 꾹 눌러 필요한 만큼 짜내고 뚜껑을 닫아 냉장고에 보관할 수 있는 편리함을 제공한 것이 석권의 이유라고 보지만, 오뚜기식품의 제품군이 카레부터 소면 등으로 품목이 다양하여 마트의 진열대를 차지했던 이유도 있을 것이다.

마요네즈의 경우도 원통형 플라스틱 용기에 손잡이까지 달려 있어 러시아와 같은 추운 나라에서는 마트에서 오뚜기 마요네즈를 사들고 나오는 모습을 쉽게 볼 수 있단다.

빨리빨리, 한 방에!

언제부터인가 우리 사회의 불문율처럼 된 '빨리빨리, 한 방에!'는 과연 바람직한 현상일까? 필자가 식품을 개발하여 온·오프라인 바이어를 만나보면 1회용이거나 한 방에 조리할 수 없는 식품은 아무리 좋아도 손사래를 친다. 소비자들이 찾지 않는다는 것이다. 과연 이런 현상이 바람직할까?

우리의 음식문화는 좋은 것이 더 많지만, 걱정스러운 것도 있다. 비빔밥, 김밥처럼 한꺼번에 먹을 수 있는 쪽으로만 가거나, 갖은양념, 만능양념장 같이 전부를 한꺼번에 하나로 통일하려는 쪽으로 가고 있는 것은 우려할 만한 일이다.

음식의 3대 요소는 맛, 모양(색상), 정성(정신)이다. 식재료 본연의 맛을 살리는 맛에다 조리하는 하나하나의 과정마다 정성이 더해져서 만들어진 음식을 먹고, 사랑하는 가족들이 먹을 수 있게 해줘야 한다.

커피에 프림과 설탕을 넣으면서 정성을 곁들이고, 약간의 양을 조절하여 미세한 맛의 차이를 음미하는 자유를 잃어가는 것이다. 실제로 커피믹스의 해악도 크다. 커피를 많이 마시게 되고 설탕 섭취를 많이 하여 비만의 요인이 되는 등의 폐해는 따져봐야 한다.

세계의 유수 기업들이 신제품을 출시할 때, 한국에서 먼저 출시하여 성공하면 세계를 제패할 수 있다는 말을 한단다. 온 국민이 스마트폰을 들고 다니며 뭐가 맛있다, 뭐가 재밌다 하면 순식간에 알려지는 대한민국, 그리고 '빨리빨리, 한 방에!' 해치우려는 속성은 이제 다시 생각해봐야 할 문제다.

특히 음식에 있어서는 오랜 시간이 걸리고 정성을 들여 만들어진 음식을 천천히 씹어 먹어야 건강해진다는 말이 있듯이 천천히, 한 방이 아니라 하나하나씩의 과정을 정성스럽게 행하면서 건강과 사랑을 생각해야 할 것이다.

태양초와 중국산 고춧가루

멀리서 친구가 찾아왔다. 그는 식품회사 해태에 근무하다가 김치공장으로 옮겨 상무 직책으로 김치를 일본에 수출하는 업무를 맡고 있었다. 반가운 마음에 광안리 고깃집으로 가서 식사와 술을 대접했다.

자리를 파할 무렵, 그는 귀엣말로 부탁할 게 있다며 한 잔 더 하자고 말했고, 함께 다른 술집으로 향했다. 부탁이 뭔가 물으니, 자기네 공장에 고춧가루를 납품하는 후배가 있는데 영업력이 모자라니 좀 도와줄 수 있겠느냐는 것이었다.

며칠 후 다시 만나서 찾아간 김해의 조그만 사무실, 거기엔 고춧가루 공장 K사장이 와 있었고 인사를 했다. 경남 산청 출신의 수더분한 모습, 내가 뭔 능력이 있어 보였는지 연신 잘 부탁한다는 인사를 했다.

다음날 처음으로 고춧가루 공장을 방문했다. 다녀본 식품공장과는 달리 단출하고 별 시설이 없는 곳이었다.

K사장은 고춧가루 생산 공정을 설명해주었다. 남자 직원 1명, 시골 아줌마로 보이는 여성 대여섯 명, 배송기사 1명으로 식구도 단출해보였다.

K사장은 무역회사 직원이었는데, 중국에서 냉동고추가 많이 수입되는 걸 보고 고추 수입에 뛰어들어 처음엔 제법 돈을 벌었단다. 고춧가루까지 만들면 돈을 더 벌겠다는 생각에 이 공장을 만들었는데, 고춧가루 납품처가 없고 납품을 해도 결제는 다음 달 결제일이 되어야 돈을 받으니 자금난도 겪고 있었다. 또 하나의 문제는 국산 고춧가루와 중국산 고춧가루의 시장 교

란이었는데, 중국산을 국산으로 속여 팔거나 섞어서 파는 제품의 비율 문제 등이 있단다.

우리나라에서 재배하는 고추의 품종은 5~6종, 중국에서도 같은 품종을 재배하는데 고춧가루로 가공하는 품종은 '금탑'과 '익도'라는 2개 품종을 대부분 쓴다고 했다. 한국산이나 중국산이나 품종이 같은 것이다. 차이점이라면 기후와 토양이 다른 곳에서 재배했다는 정도. 그런데 여기서 고추의 품질이 크게 차이가 나지는 않는다.

근본적인 차이는 중국 고추가 냉동상태로 수입된다는 것. 이것은 우리 농민을 보호하기 위해 270%의 고율관세를 부과하기에 1차 가공을 냉동으로 하여 수입하게 된다는 것이다.

태양초는 익은 고추를 따서 햇볕과 바람에 말린 것이고, 중국산 고추는 익은 고추를 냉동시켜 수입하여 전기나 기름으로 가열시켜 말린 것이다. 냉동 컨테이너에 실린 고추가 도착하면 식당에서 쓰는 쟁반 같은 트레이에 고추를 펴서 담아 칸칸이 구조물에 담고 열을 가해 인위적으로 말리는데 공장에서는 이를 굽는다고 했다.

중국산은 냉동시켰다가 해동해서 열을 가해 말린 것이고, 국산은 수확한 고추를 그대로 햇볕과 바람에 말린 것인데, 그 차이는 어떻게 될까?

일단 색깔이 틀린다. 중국산은 붉은색이고 국산은 검붉은색, 벽돌 색에 가깝다. 맛은 중국산이 좀 더 맵다. 그냥 빨갛고 매운 맛이다. 국산은 벽돌색의 덜 맵고 감칠맛이랄까? 육류도 그렇듯이 식품은 냉동했다가 해동하면 맛이 떨어진다. 그래서 냉장육을 쓰는 것이 좋다.

식당에서는 오히려 중국산을 찾는 곳도 많단다. 값도 저렴하고 색깔도 빨갛고, 적게 써도 매운 맛이 나니까. 그런데 원산지 표시가 의무화되자 국산을 쓰는 게 믿음을 주니까 중국산과 국산을 섞어 달라는 주문이 늘어났다. 그런데 국산 비율이 높을수록 값이 비싸지니까, 표시와 달리 제조하는 공장들이 생겨났다. 이런 문제로 민원이 늘어나자 정부기관은 레이저 광선을 이용하여 국산과 중국산을 구별해내는 방안을 만들었다.

자, 그러면 어떤 고춧가루를 쓰는 게 좋을까?

고춧가루를 쓰지 않는 한식은 상상하기 힘들 것이다. 식품을 하면서 느끼는 건데, 음식은 재료의 차이보다는 만드는 사람의 정성이 더 중요하다는 점이다.

수입된 중국산 고추의 컨테이너 문을 열어보면 한 마디로 좀 지저분하다. 이물질이 섞여 있고, 탄저병으로 검게 변한 고추들도 있다. 반면 우리의 태양초는 잘 익은 고추를 하나씩 따서 마당에 멍석을 깔고 펴서 말린다. 해가 지면 거둬들였다가 아침에 다시 널고 비가 와도 마찬가지다. 태양의 온기에 마르고 햇빛에 소독도 되면서 바람에 씻겨 정말 깨끗하게 만들어지는 태양초는 그야말로 정성이 깃들어 있다. 이것은 팔기보다는 가족이 먹는 음식이나 장을 담그는 데 쓰고, 자식들에게 선물로 보내기 위해 정성 들여 만드는 정성의 결정체다.

태생부터 이러하니 다른 점을 비교하는 게 우습지만, 우리의 식탁은 중국산에 거의 점령되어 버렸다. 고춧가루뿐만 아니다. 시판되는 대부분의 고추장도 중국산 고춧가루로 만든다. 가격 문제가 크고 빛깔 때문에 쓰는 경우도 있을 것이다. 음식은 그 지방에서 생산된 식재료로, 오랜 시간에 걸쳐, 정성을 담아 만들어야 한다는 진리를 고춧가루에서도 경험할 수 있었다.

고추는 언제부터 있었을까?

임진왜란 무렵 일본을 통해 전래됐다는 설이 유력하다. 어떤 학자는 더 이전부터 고초라는 식물이 있었다고도 하고, 어떤 이는 고추 이전에는 산초를 이용하여 음식의 매운 맛을 냈다고도 한다.

이런 문제들보다 우리 음식에 없어서는 안 될 고춧가루를 볼 때 더 걱정되는 문제는 중금속과 이물질의 유입 여부다.

말린 고추는 분쇄기를 통해 3~4단계를 거쳐 가루로 만들어지는데, 원통형 쇠막대에 홈을 판 분쇄기를 통과한다. 이 과정에서 쇳가루가 들어갈 수 있다. 공장에서는 기계 양쪽에 자석을 붙여 쇳가루를 제거하지만 자석의 가우스를 높여도 완벽하게 제거하기는 어려움이 있을 것이다. 분쇄공정 한 단계마다 채를 쳐서 쇳가루와 이물질을 걸러내는 공장도 있지만, 그것도 완벽하다고 볼 수는 없다.

고추의 매운 맛 성분은 캡사이신이다.

캡사이신은 스트레스를 해소하고, 살을 빼는 역할도 하니까 다이어트가 필요한 현대인에게 좋은 점도 있지만 많이 먹으면 속 쓰림이나 위염을 유발할 수도 있으니 적당량을 먹어야겠고, 태양초와 중국산의 문제는 기호에 따라 선택하면 되겠다. 따로 따로 구입하여 적당한 비율을 찾아내어 섞어서 사용하는 것도 하나의 방법이겠다.

시원한 콩나물국에 고춧가루를 살짝 뿌려 먹던 기억이 난다.

신비의 과일 이란 석류

석류의 원산지는 이란이다. 이란 서남부 자그로브 산맥의 해발 7~8백 미터 구릉(丘陵)지대가 원산지다.

2002년 여름, 한일 월드컵이 한창일 때 나는 쉬면서 새로운 사업을 구상 중이었는데, 월드컵 기간이라 하루에 몇 게임씩 축구중계를 보고 있었다. 한 게임이 끝나고 다음 게임 중계를 기다리던 시간에 신문을 뒤적거렸다. 조선일보 하단에 실린 광고 하나가 눈에 띄었다.

벌어진 석류 알맹이가 보석처럼 빛나는 사진과 클레오파트라가 매일 먹었다는 문구가 눈에 들어왔다. 여성의 몸 속에 있는 에스트로겐을 자연에서 찾는 것은 석류가 거의 유일한 대안이라는, 어느 책에서 읽은 이 문구가 떠올랐다.

앞으로의 식품산업에서 건강식품 분야가 뜰 것이라는 예감도 들어서 전화를 걸었고, 이튿날 서울 가락시장 부근의 판매회사를 방문했다. 석류를 수입하여 판매하는 ㅇㅇ인터내셔널 L대표는 30세 정도의 젊은 친구였다.

그는 이 사업을 하게 된 동기와 일본에서 상당히 붐을 일으키고 있다는 얘기, 이란의 석류 산지와 가공공장을 방문했던 얘기 등을 들려주었고, 그 회사와 함께 석류 제품 유통 사업을 벌이기로 합의했다. 당시는 제품이 한 종류밖에 없었는데 석류 농축액을 유리병에 담아서 파는 제품이었다.

석류는 가을에 수확하는 생과일과 과일을 눌러서 짠 과즙, 농축액으로 유통되는데, 석류에 들어 있는 식물성 에스트로겐(피토 에스트로겐)이 씨에 많이 들어 있어 껍질째 강판에 가는 방법(스퀴즈공법)으로 즙을 만들어 낮은 온도에서 오랜 시간 농축한 농축액의 효능이 좋다.

당시 일본에서는 농축액의 인기가 높아 500ml 한 병에 우리 돈으로 15~20만 원에 팔렸는데, 한국에도 수입이 되고 있었다.

나는 부산으로 내려와 서둘렀다. 연산동에 사무실 겸 매장을 내고 아는 형님께 부탁하여 차를 가지고 와서 좀 도와달라고 했다. 초스피드로 진행한 준비 기간은 열흘 정도, 이제 무조건 팔아야 했다. 어떻게 팔까? 사실 막막했다.

내가 신문광고를 보고 시작했으니 신문광고를 내보자는 생각이 들었다. 당시 부산일보는 발행부수가 많았다. 부산에서는 조중동 다음이었으니까. 고교 동기가 무슨 국장으로 있어 전화를 했다. 이런 사업을 시작하는데 광고부 직원 좀 보내달라고 했더니 다음날 광고국에서 직원이 왔다. 차장이란다. 자기네 국장 친구라고 공손히 대해주었다.

5단 광고쯤 내려고 생각했던 나에게 이 친구는 부산일보 부수도 많고 광고효과도 좋다면서 처음 광고니까 크게 내보라고, 싸게 해주겠다고 너스레를 떨었다. 그리하여 결국 백면(신문 제일 뒷면) 전면광고를 내기로 했는데 1,500만 원 단가를 700만 원에 해주겠다고 했다.

주말에 광고를 내기로 하고 드디어 금요일이 왔다. 부산일보는 석간이라 오후 4~5시쯤 가정에 배달될 테니, 시간만 되면 전화통에 불이 날 줄 알고 초조하게 기다렸다. 그런데 4~5시는 물론 6시가 되어도 전화 한 통 오지 않았다. 7시가 다 되어서야 마침내 첫 번째 전화.

"이거 어디에 좋은 거예요?"

한참을 설명했더니 "얼마예요?" 하더니 끊어 버렸다.

첫날 문의전화 8통에 주문 2개. 불안해지기 시작했다. 토요일과 일요일에는 많이 오겠지 하고 퇴근했는데, 웬걸 주말 내내 전화 12통에 주문 6개였다.

이거 큰일 났다. 사무실 보증금, 간단한 인테리어, 초도 물건 1천만 원, 광고비 7백만 원, 제대로 한 번 해보지도 못하고 망하겠다는 불안감이 밀려왔다. 그렇지만 딱히 어떻게 해볼 방법도 없었다.

사업은 정말 어렵다. 신중하게 생각하며 많은 준비를 해야 한다. 형님 승용차로 몇 개 팔린 것 배송하고 고민에 잠겨 있는데 광고국 차장이 찾아왔다.

"사장님, 광고 효과 있지예? 많이 팔았습니까?"

이 친구는 의기양양하게 말했으나 아무런 대답도 없이 앉아 있으니 여직원에게 무슨 일이 있느냐고 물었다. 그제야 나는 사실을 얘기하고 "큰일 났다."고만 이야기했다.

광고국 차장이 그렇게 시무룩하게 돌아가고, 실의에 빠져 일주일을 보냈는데, 광고 나간 지 일주일이 되는 그 다음 주말 금요일 오후에 나는 외근을 나가 있으면서 사무실로 전화를 했다. 전화를 받는 여직원의 떨리는 목소리….

"사장님, 오늘 점심때부터 전화가 많이 와요. 석류에 대해 꼬치꼬치 물어보는 것도 많고요."

"어떻게 알고 전화한다고 하더냐?"

"부산일보에서 봤대요."

"지금 사무실 전화 내 휴대폰으로 착신하고 큰길 가판대에 가서 부산일보 사다둬라. 지금 들어갈 테니까."

택시를 타고 사무실로 가는 도중에도 대여섯 통의 전화를 받았다.

'광고가 다시 났을 리도 없고 무슨 일일까?'

사무실에 도착하여 신문을 자세히 살펴봤다. 그런데 경제면에 조그만 박스 기사, 석류 농축액 부산 상륙'이란 제목에 연락처와 제품 사진이 실려 있었다.

금요일 저녁 8시가 넘도록 토요일과 일요일까지 무려 280여 통의 문의전화가 왔고, 주문도 130여 개가 들어왔다. 이유를 알아보니 담당인 광고부 차장이 경제부 기자를 찾아가 '국장님 친구 분에게 전면광고를 내게 했는데 효과를 못 봐 너무 미안하니까 기사를 좀 실어 달라.'고 부탁을 했단다. 하필 경제면 기사를 쓰고 남는 공간이 있어준 모양이다 가로세로 5센티 정도인데, 신문기사의 위력은 대단했다.

월요일에 친구 한 명에게 좀 도와 달라고 하여 승용차 2대로 겨우 배달을 마쳤다. 일단 위기를 모면한 나는 정기적으로 신문광고를 내면서 체계적인 영업 계획을 수립했고, 1년 만에 로드샵 6개, 대리점 60여 곳을 만들 만큼 제법 성공을 거두었는데, 이는 석류의 효능이 첫째 요인이라고 생각한다.

석류에는 피토(식물성) 에스트로겐이 함유되어 있는데 이는 여성의 몸 속에 들어 있는 여성호르몬 에스트로겐과 가장 유사한 구조라서 섭취하면 빠른 효과를 나타낸다.

에스트로겐은 초경 무렵 분비가 시작되어 30세 전후에 최대치를 보이다가 급속히 감소하여 폐경기가 되면 소멸한다. 여성호르몬이 부족하면 피부가 거칠어지고, 안면홍조가 나타나며, 골다공증의 원인이 된다.

석류를 판매하면서 놀란 것은 고교생인 10대부터 폐경기를 지난 50~60대까지 며칠만 먹어도 빠르게 효능을 보인다는 점이다. 그것도 석류의 껍질과 씨까지 갈아서 만든 농축액(일본식 표현 '엑기스')이 가장 효과적이다.

농축액은 껍질과 씨까지 스퀴즈 공법으로 갈아서 만들어진 과즙을 낮은 온도에서 장시간 농축하여 영양소 파괴를 최소화하는 기술적인 작업으로 15~20년의 경력을 가진 사람들이 심혈을 기울여 하는 작업이다. 과즙이 가진 13브릭스 내외의 당도를 세균 번식이 불가능한 65브릭스까지 농축하여 추출한다.

이렇게 수입한 농축액으로 여러 가지 제품을 만드는데, 농축액 원액을 구매하여 적당량의 물에 희석하여 섭취할 것을 권해드린다. 또한 피토 에스트로겐은 간에서 에스트로겐으로 전환되기에 간이 나쁜 사람은 먹는 양을 조절하거나 좀 쉬었다 먹는 등의 방법을 강구할 필요가 있고 특별히 다른 문제는 없다.

석류에는 피토 에스트로겐 외에도 비타민에이, 씨, 노화를 방지하는 비타민E(토코페롤), 염분 배출을 돕는 칼륨 등 유익한 영양소가 많이 들어있다.

그러면 에스트로겐의 양은 얼마나 될까? 이런 의문이 들어 여러 가지 자료를 찾아보았는데, 놀랍게도 한 여성이 평생 분비하는 에스트로겐의 양은 티스푼으로 한 스푼 정도라고 한다. 수이처럼 적은 양의 호르몬이 수십 년 동안 건강에 지대한 영향을 미치는 것이다.

여기서 기억해 두어야 할 것이 있다.

"좋은 식품, 그거 조금 먹는다고 뭐가 달라질까?" "나쁜 식품, 그거 조금 먹는다고 뭐가 그리 해로울까?" 이런 편견에 사로잡히지 말고 잘 선택해서 좋은 식품 섭취하는 습관을 가져야 한다는 것이다.

석류사업을 할 때 기억나는 일화가 몇 가지 있다.

고3 수험생 딸이 스트레스를 받아 생리가 끊겼다고 찾아온 어머니, 밤중에 부산 동부지검 주차장에서 만나자고 해서 갔더니 "농축액 병 속에 호르몬을 주사기로 집어넣지 않느냐? 이실

직고하라. 그렇지 않고는 어떻게 며칠 먹고 이런 변화가 오느냐?" 하며 따지는 사람, 폐경이 된 중년여성이 다시 생리가 나왔다며 정기적으로 차를 몰고 와서 친구와 친척들 선물로 사가던 여성 등이 생각난다.

식품 인생에서 제법 보람 있는 시절이었다.

김치, 파오차이, 쓰케모노

얼마 전 중국의 파오차이가 김치의 원조라는 보도가 있었다. 이 사건의 내막은 어떤 것이며, 왜 이런 사태가 일어나는지 알아보자.

10년 전 식품 관련 모임의 회장을 할 때의 일이다. 회원 중 한 명이 중국음식점을 하는데 한 번 와달라고 했다. 상암동 월드컵경기장 맞은편 주택가, 한적한 골목 상가도 없는 곳에 있는 조그만 가게였다. 그런데 벽면의 사진들을 보며 설명하는데 그는 유명 중국요리 경연대회에 심사위원으로 참여할 만큼 실력 있는 요리사였다.

누룽지탕을 시키니 먼저 차와 반찬 한 접시를 내놨다. 파오차이, 그 집은 파오차이를 쓰고 단무지와 양파는 원하는 손님에게만 주는 듯했다. 그의 이름은 진광순. 귀한 성씨라 여겼는데 그가 중국인인지 화교인지 한국인인지는 물어보지 않았다.

음식이 나오고, 그가 테이블로 오더니 파오차이를 가리키며, 저걸 새롭게 개발해서 반찬도 되고, 입맛도 돋우는 음식으로 개발하려는데 잘 안 된다고 나더러 한 번 해봐 달라는 말을 했다. 그는 주방을 구경시켜 주면서 양배추와 다른 채소로 파오차이를 개발하는 과정을 보여주었는데, 가게보다 3배는 돼 보이는 주방에서 실험을 하고 있었던 것이다.

전에도 파오차이를 보기는 했지만, 관심을 가지게 된 건 그때가 처음이었다. 내가 느낀 파오차이의 첫 느낌은 피클이었다. 피클에 소금과 설탕을 조금 가미한 정도.

필자가 알고 있는 사건의 경위는 이렇다.

1. 중국의 절임류 공장(김치도 절임류에 속함) 40여 곳이 협회를 만들어 절임채소 ISO(국제표준화기구) 인증을 받았다.

2. 중국 공산당 기관지 인민일보 자매지인 환구시보가 이를 보도하면서 김치도 절임채소이니 중국 절임채소가 김치의 원조라고 했다.

한국 네티즌들이 이에 분노하자 다른 이야기가 나왔다.

3. 영국의 BBC가 ISO의 인증은 김치와는 상관없는 일이라고 보도했다.

간략하게 표현하면 이런 사건이다.

그런데 여기서 우리는 무엇을 생각해야 할까? 나는 중국을 싫어한다. 북한보다 더. 중국이라는 공산주의 국가도, 그들의 역사도, 중국인들의 용렬함도 모두 싫어한다.

이 사건을 냉정하게 살펴보자. 절임채소는 한중일 3국과 베트남이나 동남아 국가 등 세계 여러 나라에서 먹는 음식이다. 그런데 중국은 그 역사가 3천 년이 됐고, 재료와 제조 방법도 비슷하니 그런 주장을 하는 모양이다.

중국과 한국의 고대국가 중 절임채소를 누가 먼저 만들었는지는 불분명하다. 그러나 많은 분야가 그렇듯이 중국은 기록이 있고, 우리는 3천 년 전에 한자를 쓰지 않았으니 그럴 수도 있다고 생각한다. 문제는 중국 공산당 기관지인 환구시보의 보도라고 생각하는데, 중국인의 용렬함과 한국인의 맹점을 여실히 보여주는 사건이다.

ISO 인증이란 절임채소면 절임채소의 국제적 표준을 인증했다는 말이다. 국내에 KS 인증이 있듯이 국제적으로는 ISO 인증이 있는 것이다. 그러면 한국은 왜 ISO 인증을 받지 않았을까? 여기서부터 우리의 잘못을 얘기해야겠다. 우리나라에도 ISO 인증을 받은 회사들이 많다. 'ISO 22000 인증업체' 같은 문구를 자주 보았을 것이다.

김치의 경우 가장 까다롭다는 학교급식에 납품하려면 HACCP 인증이나 전통식품 인증을 받아야 하는데 보통 2가지 다 인증을 받은 업체들이 납품한다. 그런데 둘 다 표준화 기준하고는 관계가 없다. HACCP은 제품 생산 과정에 위해 요소가 없는지를 따지는 것이고, 전통식품 인증은 우리의 전통식품 만드는 과정을 지키느냐의 문제이지 어떤 재료로 표준화된 방식을 적용하느냐 하는 것과는 상관없는 문제다.

김치를 만들어 우리 국민끼리 국내에서만 먹는다면 ISO가 별 의미 없을지도 모른다. 그러나 김치를 잘 모르는 어느 국가에 수출한다면 그들은 국제 표준화 규격에 맞는지 보지 않겠는가? 그래 놓고 김치의 세계화니 한식의 세계화니 외치는 정부나 김치를 해외에 수출하는 업체나 한심하기는 마찬가지다.

중국이 저렇게 하는 데는 또 다른 이유가 있다. 동북공정으로 역사를 왜곡하듯이, 이젠 김치공정으로 식탁을 위협하고, 다음은 무엇일까?

한국인은 이번 기회에 제대로 반성해야 한다. 중국인에게 김치 담그는 법을 가르쳐준 자가 누구인가? 한국인이다. 한국의 김치업체들이다. 값싼 김치를 만들려고 한국인이 중국에 들어가서 만들기 시작했다. 그러다가 중국인이 이어받아 만들어서 한국으로 수출하는 것이다.

예를 하나 들어 보겠다. 모든 식품에는 식품의 유형이란 게 있다. 식품 뒷면 표기사항을 보면 식품의 유형_과자류(유탕 제품), 제품명_새우깡/ 식품의 유형_절임류, 제품명 _배추김치…이런 식이다. 만약에 어느 업체가 유탕제품의 KS인증을 받아 제품 포장지에 인쇄했을 때, 유탕제품은 기름에 튀긴 제품이란 뜻인데, 새우깡은 워낙 유명해서 농심 제품인 것을 알겠지만, 만약 모르는 외국인이라면 KS마크 보고 다른 회사 제품을 살지도 모를 일이다.

정부에서는 한 술 더 떠서 19년 전인 2001년 FAO 산하 어느 기관에서 김치 인증을 받았다고 말한다. FAO는 국제식량기구이지 어떤 제품의 표준화를 논하는 기구가 아니다. 새우깡 얘기로 하면 수십 년 전 새우깡 처음 나올 때 품목제조 허가 받았다고 말하는 것과 비슷하다. 품목제조 허가는 해당 시군구에 제품을 생산할 때 신고하는 것인데, 그거랑 제품의 표준화 인증을 받은 거랑 무슨 관계가 있는가?

이번 사건에서도 가만히 있다가 들불처럼 일어나 성토하고 며칠 지나면 언제 그런 일이 있었느냐는 식의 냄비 근성이 또 나타날 것이다.

중국산 김치는 우리가 담그는 방법으로 만들지 않는다. 배추를 절여 다데기(고춧가루 40%, 마늘가루, 미원 등을 섞은 분말)를 물에 풀어 쓱쓱 비비면 끝이다. 중국산 김치에 고춧가루 점점이 묻어 있는 것 본 적 있는가? 그 다데기를 만든 사람도 한국인이고, 중국인에게 가르쳐 준 장본인도 바로 한국인이다.

이번 사건을 보면서 독도 문제가 떠올랐다. 일본이 뭐라 하건 우리가 실효 지배하고 있으니 가만히 있는 게 상책이다. 우리가 자꾸 대꾸하면 세계인들은 양국이 저러는 거 보면 무슨 사연이 있을까 싶어 관심을 가지게 되고 일본의 주장에 동조하는 국가도 생기지 않겠는가? 일본이 '기무치'를 세계에 알려 중국이 하는 식으로 나오면 그때는 어떻게 말할까?

분노하는 네티즌들에게 묻고 싶다.

"니들이 김치를 알아? 김치 담글 줄 알아?"

한국인의 김치 소비량의 35%가 중국산이란다. 이거 놀랄 일 아닌가? 그러니까 중국이 저러는 거 아닐까? 김치는 1,500년 이상 우리의 밥상을 지켜온 한국인의 소울 푸드다. 그런데 젊을수록 잘 먹지 않는다. 예전에 조사를 했더니 학교급식 잔반의 1위는 국물, 2위는 채소반찬, 3위는 김치였다.

우리 음식이라고 남이 뭐라 하면 열 받으면서 잘 먹지도 않고, 담글 줄도 모르고, 알아도 찾지 않고, 사서 먹고, 식당에는 거의 대부분이 중국산인데 아무 말 없이 먹으면서 우리 것을 지킬 수 있겠는가?

그래도 일본은 양반이다. 그들도 쓰케모노라는 오래된 절임채소가 있지만 김치의 원조라고 말하지는 않는다. 설탕 넣고 미원 넣어 기무치라는 걸 만들었지만 일본인들도 한국 김치가 더 맛있고 건강에 좋은 음식이라고 말한다.

리처드 랭엄은 그의 책 『요리본능』에서 인간이 불을 사용하여 요리함으로써 운명이 바뀌었다고 말했다. 동물과 인간의 가장 큰 차이점도 요리다. 단재 신채호 선생은 "역사를 잊은 민족에게 미래는 없다."고 말했다. 요리와 역사, 음식과 역사의 대표적인 사례가 김치일 것이다.

삼국시대 절임채소인 침채로 시작하여 젓갈을 더하고, 18세기 고춧가루를 양념으로 써서 현재의 모습이 되기까지 1,500년을 발전해온 김치. 아니, 지금도 김치는 진화하고 있다고 생각한다. 처음 침채를 만들었던 우리 조상들이 지금의 김치로 발전할 것을 알고 있었을까?

그야말로 상상하지 못할 일이다. 지금도 지방마다, 집안마다 조금씩 다른 김치, 나중에는 어떤 모습이 될까? 오래 살아서 김치가 어떻게 변화하고 중국이 어떻게 망하는지를 보고 싶다. 신라가 삼국통일 때 당나라 군대를 물리친 이후, 우리 민족은 중국인에게 얼마나 당했는가?

중국이 G2라고? 젊은 시절 『8억 인과의 대화』나 에드가 스노우의 『중국의 붉은 별』 등을 보며 감명을 받은 시절도 있었지만 중국은 알면 알수록 역겨운 나라다.

어떤 음식이 만들어지는데 김치만큼 오랜 역사를 가진 음식이 또 있을까? 김치만큼 유용한 영양성분과 감칠맛을 가진 음식이 또 있을까?

김치를 더 연구하고 규격화하고 발전시켜야 한다. 우리 조상들이 파오차이처럼 간단하게 만들 줄 몰라서 이렇게 김치를 발전시켰을까?

음식이 바뀌면 체질이 바뀌고, 성격도 정체성도 바뀐다. 김치도 담그지 않고, 밥하기도 싫어 햇반 사먹는 식으로 살아가면 어떤 시대가 올까?

예전에 우리 집에서는 김장을 2가지로 했다. 바로 먹을 것은 덜 짜게 하여 생굴을 넣고, 몇 달 이상 발효시켜 먹을 것은 좀 짜게 하여 갈치를 썰어 넣었다.

김장김치가 익어 그 속에서 삭은 갈치는 얼마나 맛이 있던지. 그리고 광주에서 먹어본 토하젓 김치, 얼마나 상큼한 맛이던지. 김치의 장점이야 다 열거하기가 어렵지만 필자는 젓갈의 중요성을 말하고 싶다.

채소 음식에 단백질과 칼슘 성분을 더할 수 있고 김치의 감칠맛은 젓갈에서 배가 되는 게 아닐까?

요즘 저염도 김치니, 젓갈 넣지 않은 김치를 찾는 사람들이 있다는데, 김치공장에서 김치에 설탕을 넣거나 미원을 넣는 곳도 있다는데, 나는 절대 반대다. 그런 사람들은 중국산 김치나 일본 기무치 사먹고, 이런 일 있더라도 댓글 달고 요란 떨지 말았으면 좋겠다.

자신과 가족이 먹고 건강에 직접적인 영향을 미치는 음식, 제발 자신과 가족을 위하여 관심을 갖고 공부도 좀 하고, 직접 요리하는 즐거움도 가져보기를 권하면서 '일년지대계'라는 김장 맛있게 담가 드시기를 바란다.

좋은 놈, 나쁜 놈, 이상한 놈

1990년대 한국 영화의 제목이다.

학창 시절 상급 학교에 진학할 때마다 부모님은 내게 말씀하셨다. 좋은 친구 사귀라고. 그래야 배울 점도 있고 나중에 도움도 받을 수 있다고. 식품에 대입해보면 좋은 식품을 먹어야 건강에 이롭고 향후 장수할 수 있다는 말일 성싶다.

필자는 좋은 놈보다는 나쁜 놈 얘기를 하고 싶다. 좋은 걸 찾아 먹기는 쉽지만 나쁜 걸 멀리하기는 그리 쉬운 일이 아니기 때문이다. 오늘은 좋은 식품, 나쁜 식품, 이상한 식품을 필자의 관점에서 분류하고 그 이유를 설명하고자 한다.

좋은 식품은 어떤 것일까?

제철 음식(시즌 푸드)이 좋은 식품이다.

지역 음식(로컬 푸드)이 좋은 식품이다. '신토불이'라는 말이 있지만, 이 용어는 우루과이라운드 당시 일본 학자가 최초로 쓴 말로, 우리나라 문헌에도 비슷한 말이 있다고 나중에 밝혀지긴 했지만, 나는 지역 음식이라고 표현한다.

컬러 푸드가 좋은 식품이다. 모든 생물은 자신을 보호하기 위해서나 몸속에 있는 성분으로 인해 고유한 색상을 띤다.

우유, 계란 등 완전식품이 좋은 음식이다. 우유의 지방으로 비만을 걱정하거나 계란 노른자의 콜레스테롤 문제로 고민할 필요는 없다고 생각한다. 우유를 오래 먹어온 서양인들의 비만 이유가 우유라기보다는 패스트푸드, 인스턴트식품 탓이다. 콜레스테롤도 좋은 것과 나쁜 것이 있는데 계란의 경우는 나쁜 콜레스테롤이 아니다. 토마토 계란 볶음밥을 추천한다.

보리 새싹이 좋은 식품이다. 다양한 영양소와 더불어 혈액순환 개선 효과가 있다. 보리 새싹 김밥을 추천한다.

컬러 푸드는 다양한 색상의 파프리카, 그 중에서도 당도와 영양성분이 높은 미니 파프리카가 좋고, 노란 색의 바나나, 빨간 색의 잘 익은 토마토, 보라색의 가지, 녹황색 채소인 부추와 브로콜리 등을 추천한다.

로컬 푸드는 국내산 식품 정도로 이해해도 무방하다.

나쁜 음식은 어떤 것일까?

담배를 꼽는다. 식품은 아니지만, 워낙 해악이 많아 첫머리에 적어둔다.

튀긴 음식은 나쁜 식품이다. 식용유의 공업화 과정에서 수소를 주입하여 생기는 트랜스지방이 문제다, 기름을 가열하면 불포화지방인 트랜스지방이 발생하는데 각종 성인병의 원인이 되고 건강에 악영향을 미친다.

육가공제품인 햄, 소시지, 베이컨 등이 나쁜 식품이다. 육가공제품에는 대부분 아질산나트륨이라는 첨가물이 들어 있는데 제품 색깔을 붉게 보이게 하고 방부제 역할도 한다.

초록마을이나 한살림 등 친환경 매장에는 아질산나트륨이 들어간 제품은 받아주지 않는다. 제품 구매를 할 때 제품 성분을 확인하기 바란다.

탄산음료와 이온음료 역시 나쁜 음식이다. 과도한 당분 섭취의 원인이 되고, 탄산은 치아를 손상시킨다.

이상한 음식은 어떤 것일까?

논란을 일으키거나 잘못 인식된 음식들이 여기에 속한다.

소금의 경우는 소금과 관련한 필자의 글을 살펴보기 바란다.

커피는 새롭게 밝혀지는 효능이 있는데, 이러한 효능과 카페인의 단점을 한 번쯤 비교해 보고 판단하기 바란다.

술은 약간의 이로움과 많은 해악이 공존하는 음식이다. 자신의 주량을 감안(勘案)하여 엄격한 기준을 설정할 필요가 있겠다.

사골국은 보양식으로 알려져 있지만, 여러 번 자주 끓이면 사골 속의 인 성분이 빠져나와 오히려 뼈 건강에 해로울 수 있다. 6시간 정도 한 번만 고아서 먹고, 그 이후는 뼈를 빼낸 다음 물로 농도를 조절하여 섭취할 것을 권한다.

고단백 저탄수화물 식사에 대해서는 장단점과 더불어 논란의 여지가 있다.

친구는 다양하게 사귈 필요가 있다. 음식 섭취의 기본은 가리지 말고 다양한 음식을 먹되, 자극성이 심한 것은 피하고, 천천히 먹으면서 적게 먹어야 좋다. 그런데 친구는 사귀어 보고 판단해도 되지만, 음식은 먹어 보고 나서 건강에 어떤 영향을 미치는지 확인하여 섭취할 그런 시간의 여유가 없다.

좋은 음식만 찾아다니지 말고, 나쁜 식품을 먹지 않는 것이 중요하고, 이상한 음식에 대해서는 사전에 공부하여 자신만의 방법과 기준을 체득하는 길이 옳은 방향일 것이다.

참고로 일본인들의 음식 습관을 살펴보자.

일본은 메이지유신 이전 수 백년 동안 육(肉)고기를 먹지 않았고, 못 먹게 했다. 메이지유신 이후 서양 문물이 들어오면서 고기를 먹기 시작했는데, 지금까지도 채소와 생선을 주로 먹는다. 일본은 최장수국가 중 하나로 채소와 생선을 많이 먹는 게 장수의 한 요인이라 하겠다.

참고로 일본의 참치 소비량은 우리나라의 약 20배인데, 인구 차이를 고려하더라도 엄청난 소비량이다.

일본은 육류를 먹기 시작하면서도 돈가스라는 독특한 음식을 만들었다. 돼지고기 등심이나 안심에 튀김가루를 발라 튀겨 먹는 방식이다. 덴뿌라라는 튀김 음식도 일본에서 만들어졌다. 일본이 돼지고기를 우리나라에서 수입하면서 등심, 안심 등 살코기를 수입해가니 기름기 많은 삼겹살은 남게 되었고, 이것이 우리나라 삼겹살 문화의 단초가 됐다.

지금은 우리나라의 삼겹살 수요가 너무 많아 칠레 같은 나라는 우리나라에 삼겹살을 수출하기 위해 별도로 돼지를 사육할 정도란다. 하여간 삼겹살 문화는 좀 생각해 볼 문제다.

남태평양의 피지 같은 나라는 호주나 뉴질랜드에서 먹지 않는 양고기 뱃살을 헐값에 수입하여 먹는데, 비만 환자가 속출하고 평균수명도 짧아지는 등 국가적인 문제를 불러일으켰다. 삼겹살이 맛은 있겠지만, 기름기 없는 부위의 육류를 먹는 게 좋고 삼겹살 이외의 부위를 이용한 음식 개발도 필요하다.

고단백 저탄수화물 식사가 좋다고 믿는 사람들이 많다. 그런데 이상한 식품의 범주에서 따져볼 필요가 있을 성싶다.

우선 단백질 섭취는 기름기 적은 육류와 생선 등으로 조절하는 게 좋겠다. 탄수화물이 비만의 원인이라고 멀리하는데, 쌀밥이나 빵, 과자 등 정제된 탄수화물이 문제이니 잡곡밥이나 통밀빵 등으로 대체하는 것은 어떨까? 과자는 되도록 먹지 않는 게 건강에는 좋겠지만, 먹는 즐거움을 참거나 바꾸기는 어려운 문제이니 이상한 놈의 범주에 넣어 탐구해보고, 자신에게 맞는 식습관을 만들어 보면 어떨까?

달고 부드럽게, 감칠맛 나게

이 제목은 대다수 현대인들의 음식에 대한 취향이다. 음료나 과자, 빵 등 설탕이 들어 있는 식품의 성분 표기에는 어김없이 '정백당'이라고 씌어 있다. 정제된 흰 설탕이란 뜻이다. 전에 한 번 다뤘듯이 정제염, 정제수, 정백당 등 정제한 식품이란 표현이 깨끗하고 좋게 들리지만 사실은 정반대다.

설탕은 기원전 4세기 인도에서 처음 만들어졌다. 사탕무나 사탕수수의 즙을 짜서 끓이고 햇볕에 말려 얻어진 설탕, 아무나 먹을 수 없는 진귀한 음식이었다. 인류는 단맛의 유혹을 떨쳐버리기 어렵다. 정제설탕이 개발되어 대량 생산되면서 수많은 식품에 설탕이 첨가되고 양은 계속 늘어났는데, 단맛의 유혹 때문이라 할까?

어릴 적에는 설탕 구경하기가 힘들었다. 어쩌다 명절 때 설탕이 선물로 들어오면 꽁꽁 감춰두고 쓰시던 할머니와 어머니 생각도 난다.

현생인류 역사는 1만 년이지만, 기술 발전과 풍요로움으로 인한 식품과 건강의 번민은 불과 2백 년밖에 되지 않았다. 단맛 못지않게 유혹을 느끼는 게 부드러운 음식인데, 이는 흰 밀가루부터 시작됐다고 보는 게 옳겠다.

1812년으로 기억하는데 미국에서 처음으로 흰 밀가루를 생산했다. 밀의 껍질을 벗기고 빻아 빵과 음식을 만들어 먹던 시절에 눈처럼 하얗고 부드러운 밀가루가 나온 것이다. 사람들은 열광했고 하루아침에 식탁의 문화를 바꿔 놓았다.

인류의 3대 주식은 밀과 쌀, 옥수수인데 쌀 외에는 가루로 만들어 먹는다. 거무스름하게 빻던 밀에서 뽀얀 가루로 만들어진 흰 밀가루, 사람들은 부드럽게 음식을 만들어 나갔다. 그리고 단맛의 유혹, 부드러운 음식의 욕구, 거기에다 감칠맛을 위한 조미료와 첨가물까지 더해졌다.

이것이 식품이 가야 할 길일까?

단맛에 대한 유혹은 역사가 오래된 얘기다. 설탕은 해로운 식품일까? 3백(三白)이라 해서 건강에 해로운 3가지 흰색 식품에 관한 얘기를 많이 하는데, 그것에 대해 알아보자.

설탕은 사탕수수 즙을 짜서 끓이고 햇볕에 말려 만들었다. 식이섬유와 각종 미네랄도 함유한 식품이었는데, 이것이 정제 과정을 거쳐 대량 생산되면서 당분만 남기고 다른 영양소들은 몽땅 사라지면서 문제가 됐다. 초창기 사탕수수 밭의 노동자들은 비만도 당뇨도 없었단다. 식품을 공부해보면 식품의 문제점은 어떻게 가공하느냐의 문제라는 것을 깨닫게 된다.

맛은 어떻게 해서 생겨난 것일까? 처음부터 5미(五味)로 구분되어 있지는 않았을 것이다. 그러나 단맛이 인류를 유혹했고, 그 단맛을 찾고 점점 강도를 더해 갔으리라. 아메리카 신대륙이 발견되어 사탕수수가 대량 재배되기 전에는 메이플시럽, 아가베시럽 등 식물의 수액에서 단 것을 구해 썼으며 우리나라는 곡물로 물엿이나 조청을 만들어 먹고 꿀을 사용하였다.

설탕은 나쁜 식품일까? 우리 몸의 물 부족 사태나 비만과 연관되는 점이 문제라면 문제다. 당분이 많이 들어 있는 음료를 마시면 당분은 바로 흡수되어 몸에 축적되고 수분은 배출되는데 음료의 경우 마신 양의 120~130%가 배출된다. 갈증을 느끼면 또 음료를 찾게 되는데, 당분은 축적되어 비만의 원인이 되고 몸속의 수분은 더 빠져나가 물 부족 현상을 나타낸다.

우리 몸에 70%의 수분 비율이나 0.9%의 염도를 유지하지 못하면 건강에 이상이 생기므로 갈증이 날 때 음료 대신 생수를 마셔야 하고, 저염식(低鹽食)도 좋지만 적당한 염분 섭취를 해야 건강의 밸런스를 유지할 수 있다.

물 부족 현상을 겪는 사람들이 많은데, 커피나 음료를 달고 살지만 체내의 물은 부족하고 남는 건 비만과 질병이라는 사실을 명심해야 한다.

거칠고 질긴 음식은 모두들 싫어하는 모양이다. 물론 흰 밀가루로 만든 부드러운 빵이 맛은 있다. 몇 년 전 대왕 카스테라라는 게 유행한 적이 있었다. 부드럽고 큼직한 카스테라를 값싸게 파니 단기간에 체인점이 우후죽순처럼 생겨났는데 제품을 수거하여 분석해보니 빵을 부드럽게 하기 위해 빵 중량의 70%가 넘는 식용유를 썼다나? 제품의 유해성 논란에 시달리더니 지금은 사라졌다.

단맛을 자꾸 증가시키면 설탕으로도 원하는 당도(糖度)를 만들 수 없고, 부드럽게 더 부드럽게 하려면 첨가물이나 화학약품을 써야 한다. 설탕 대신 사카린, 이스파탐 같은 팽창제를 써야 한다.

나는 청량음료와 과자는 먹지 않는다. 단맛의 유혹에서 벗어나기 어렵고, 어떤 성분이 얼마나 들어 있는지 가늠이 불가능하다고 느꼈기 때문이다. 청량음료는 이름과 달리 뭔가 개운하지 않다. 음미하면서 마셔 보면 생수가 가장 맛있다. 부드러운 빵도 좋지만 바게트처럼 좀 거칠고 질긴 빵이 씹는 맛도 있고 괜찮지 않은가?

다음 감칠맛에 대해 이야기해 보자. 자세한 내용은 MSG에 대한 설명 부분을 참조하기 바라고, 전에도 말했듯이 유해 무해를 떠나 음식의 맛을 획일화하여 미각을 무디게 하는 것만으로도 경계해야 할 대상이다. 음식을 다 만들어 놓고도 뭔가를 좀 넣어야겠다고 생각하는 것, 충분히 맛있는데도 뭘 찍어 먹는 습관 대신 천천히 오래 씹으면서 식재료 본연의 맛을 음미하는 습관을 가지는 게 좋겠다.

식품을 공부하면서 어떤 식품 자체의 유해성보다는 제품화하는 과정의 문제나 섭취하는 데 문제가 된다는 사실을 알게 된다. 설탕도 사탕수수의 즙을 내어 끓이고 말려서 만들면 괜찮다. 대량생산을 위해 공정을 간단하게 하려고 정제하는 과정에서 식이섬유와 미네랄은 사라지고, 당질만 남아 문제를 일으키는 것이다.

이번에 글을 쓰면서 검색해보니 비(非)정제 설탕을 파는 사이트가 여럿 있었다. 건강을 생각한다면 비정제 설탕을 선택하는 것도 한 방법일 것이다.

유기농이나 HACCP 제품을 혼동하는 경우가 있는데 유기농이란 재배과정에서 농약이나 비료를 쓰지 않았다는 것이고 HACCP은 제조 과정의 위해요소를 말하는 것이니 정제 비정제의 문제가 맛과는. 상관없는 부분이다.

식품에서는 자신만의 엄격한 룰을 설정하여 달콤하고 부드럽고, 감칠맛 나는 음식만 섭취하려 들지 말고, 곧 찾아올 아름다운 계절에는 달콤하고 부드럽고, 감칠맛 나는 사랑을 해보기 바란다.

김밥과 어묵은 일본 음식인가?

'김밥이 일본 음식이냐?'는 질문을 처음 받았을 때는 의아했다. 왜 그런 질문을 하는지 이해가 되지 않았으나 연원을 살펴보면 그렇게 생각할 수도 있겠구나 싶다.

한국에서 김에 대한 기록은 삼국시대 상추쌈처럼 김에 음식을 싸서 먹었다는 것이다. 물론 이때는 바윗돌에 붙은 자연산 김을 채취하여 수작업으로 만든 김일 것이다. 그 후 우리는 지주식 김이라는 전통 양식법을 개발하였는데, 일제 때인 1920~30년대에 일본으로부터 지금의 김 양식법이 들어와서 대량생산이 가능해졌다.

지금의 김밥 형태는 해방 후 가정에서 만들어지다가 1995년 김밥천국 프랜차이즈가 생겨 김밥 한 줄을 천 원씩에 팔면서 김밥 붐을 일으키는 계기가 되었다. 경남 통영에서는 바다에 나가는 남편에게 김밥을 싸주니까 쉬 상해 김에는 밥만 싸고 석박지와 갑오징어 무침을 따로 만들어 함께 먹는 충무김밥이 개발되었고 삼각형 틀로 만드는 삼각김밥이 편의점을 통해 확산 되는 등 김밥시장이 다변화되었다.

일본은 스시가 세계적으로 유명한데 스시는 생선초밥만 있는 게 아니다. 식초와 설탕 소금으로 만든 단초물로 밥에 간을 하여 여러 재료를 올리는 생선초밥, 김초밥, 유부초밥 등이 있다. 이 중 '노리마키'라는 게 있는데 김에 밥과 채소를 싸서 깔때기 모양으로 만든 것이다.

'오니기리'라는 것도 있는데 햄 치즈 계란 등을 넣은 볶음밥을 주먹밥처럼 뭉쳐 김으로 띠를 두른 형태다.

상인들이 '노리마키' 김밥, '오니기리' 김밥으로 간판을 달아 놓으니 일본에 김밥 종류가 많고, 김밥이 일본음식이 아닌가 생각하는 모양이다.

우리나라도 김밥 쌀 때 단초물을 쓰는 사람들이 있으나 참기름과 약간의 소금으로 밥을 간하여 김밥을 싸고 우리는 들어가는 채소를 볶거나 양념을 하고 일본은 생채소를 그냥 썰어서 넣는다. 김밥은 엄연한 한국음식이다.

어묵은 어떨까? 어묵과 오뎅은 같은 의미일까?

생선을 뼈째로 다져 약간의 전분을 넣고 모양을 만들어 기름에 튀긴 음식이 오뎅이고, 어묵은 오뎅의 한국어다. 부산의 국제시장 건너편 부평동 시장이 우리나라 어묵의 본고장 격인데, 옛날에는 근해에서 잡히는 잡어를 주로 썼으나 요즘은 북양 명태 살을 쓰는 것으로 알고 있다. 유튜브에서 〈어묵 100년〉이라는 프로를 본 적이 있는데 만드는 방법은 비슷하지만 우리 어묵은 다진 생선살을 꼬챙이에 끼워 숯불에 구워 먹었다고 일본의 오뎅과 차별화하여 얘기하던데, 필자의 관점으로 봤을 때 어묵은 일본음식이다.

유독 일본과는 누구네 음식이냐는 얘기가 많은데, 일본이 우리를 36년에 걸쳐 지배했고 일제시대와 1930~60년대까지 일본으로부터 들어온 음식과 관계되는 일이 많았기 때문일 것이다. 정미소, 염전, 양식기술, msg, 라면 등등.

일본이 기무치를 만들어 아무리 우겨도 김치는 한국 음식이듯이, 우리가 불고기 피자를 아무리 잘 만들어도 피자는 이탈리아 음식이듯이, 음식은 생겨난 곳과 만드는 방법, 사용하는 재료, 역사성 등으로 어느 나라 음식인지 구분되는 게 아닐까?

어떤 사람은 일본의 단무지가 우리 고구려 시대 승려의 이름과 비슷하다고 한국에서 건너간 게 아닌가 하는 말을 하는데, 그렇게 치자면 한국음식은 거의 모두가 중국에서 건너온 것이 아니겠는가?

전 세계에서 일본을 무시하는 나라는 한국밖에 없다고 한다. 동양 유일의 선진국이고 세계 3위의 경제대국인 일본을 요즘 말로 하면 '개무시'하는 나라가 우리 한국이다.

고대사 트라우마로 많은 문물을 한국을 통해 받아들였다는 일본과, 현대사 트라우마로 식민 지배를 당한 역사를 가진 한국이 사사건건 부딪히다 보니 음식도 누가 종주국이냐 하는 것이 두 나라 국민의 자존심이 걸린 양 주장하는 듯하다.

필자가 볼 때 한국음식은 갖은 양념의 발달로 맛을 중시하고, 일본음식은 모양과 색상 비주얼과 식재료 본연의 맛을 중시하는 듯하다.

김밥도 우리 김밥은 양념한 나물을 넣어 맛있고 푸짐하게, 일본은 단초물로 섞은 밥을 위주로 깔끔한 맛과 생선 계란 유부 등 재료의 특성을 살린 쪽으로 발달하였다.

어느 나라 음식이고 누가 먼저 만들었느냐 하는 것보다는 어떤 음식을 어떻게 발전시키고 외연을 넓혀 나가느냐의 문제로 봐야겠다. 라면이 일본에서 들어왔지만 한국 라면이 더 맛있고 수출도 많이 하지 않는가?

스시는 훌륭한 음식이라 생각한다. 식초를 사용한 점은 부패를 방지하고 소화를 도우며 아삭한 식감과 깔끔한 맛 등 그들은 스시를 배우려고 5년, 10년을 보낸다고 하지 않는가. 일본이 스시를 세계에 알리기 위해 엄청난 노력을 했고, 비용도 우리 돈 4조 원 이상 썼다는 기록을 본 적이 있다.

어떤 음식이든 세상에 알려져 자리 잡으려면 계기가 필요하다. 김밥천국 프랜차이즈가 생겨 김밥 한 줄을 천 원씩에 팔지 않았다면 김밥이 요즘처럼 대중화되지는 않았을 거라고 생각한다. 학창시절 소풍 때 김밥을 싸주기 위해 하루이틀 전부터 어머니가 장을 보고 나물을 무치고 채소를 볶고 지단을 부치는 모습을 보았기에 하는 말이다.

서예를 할 때 스승님은 매년 일본에서 발행하는 미술연감을 구입하여 보셨다.

회화, 조각, 서예… 이런 식으로 분야별 항목이 있었는데 분야마다 메이지유신 이후 현대까지의 계보가 있었다.

누구의 제자가 누구이고, 그 다음 제자는 누구… 이런 식으로 우리의 족보처럼 몇 백 년의 기록이 있었고, 작품도 국보급, 보물급, 다음부터는 가격대별로 작가를 분류해 놓았다. 전통을 중시하는 일본인의 면모를 엿볼 수 있다.

한국은 조금만 유명해지면 자기 자신의 독창적인 작품이라고 말한다. 일본인은 자기 스승이 시골의 무명인사라도 자랑스럽게 누구의 제자라고 말한다.

스승도 자신의 능력만큼 가르치고 제자가 성장하면 더 유명한 스승이나 자신을 가르쳐 준 스승에게로 보낸다.

음식에도 이런 도제(徒弟) 정신이 접목되어 스시를 배우러 오면 쌀 씻는 것부터 가르친다. 100년이 넘는 가게나 기업이 수두룩하고 사회는 그 노력을 인정해준다. 우리가 배워야 할 점이라고 생각한다.

요즘 미국에서 우리나라 순두부찌개가 인기란다. 서울의 북창동 순두부가 미국 LA에 진출하여 지금은 17개 지역인가로 퍼졌다는데 북창동의 영어 머리글자를 따서 BCD 순두부라는 간판을 걸고, 반찬도 서울과 똑같이 김치, 젓갈, 나물 등이고 찌개백반에 소주까지 곁들인 메뉴도 있다고 한다.

가장 한국적인 것이 가장 세계적이라는 말도 있듯이 우리 음식 중에도 세계인의 입맛을 사로잡을 만한 것들이 있다는 게자랑스럽다.

일본과 네 것이니 내 것이니 하는 소모적인 논쟁을 벌이기보다는 우리 음식의 재발견과 세계화를 위한 노력이 필요한 시대라고 생각한다.

개천에서 난 용이 된 식품들

아웃사이더의 음식, 잘 먹지 않는 부위를 이용한 음식, 기존의 방식과 다른 조리법을 사용한 음식들이 주류가 되고, 대중의 사랑을 받는 시대가 되었다.

음식은 참으로 공평하다는 생각으로 이런 음식들을 살펴보고자 한다. 삼겹살, 프라이드치킨, 뒷고기, 야끼니쿠, 스팸 등이 그런 종류에 속한다.

경남 김해에서 탄생한 뒷고기

장마와 태풍, 코로나의 와중에도 가을은 찾아왔다. 밤바람이 차다. 이런 계절이 되면 경남 김해의 뒷고기 생각이 난다.

경남 산청이 고향인 김영춘은 부산에서 무역회사를 다니다가 중국에서 냉동고추 수입이 많아지자 회사를 그만두고 사업을 시작했다.

중국산 냉동고추를 수입하여 돈을 좀 벌었는데, 사람의 욕망은 적당하게 통제하기가 어려운 법이라 돈을 좀 더 벌려고 고추를 말리는 일, 고춧가루 공장까지 사업을 넓히다가 한계를 느껴 우거지 사업을 하고 있다.

필자와는 고춧가루 공장 시절 알게 됐는데, 고춧가루 공장할 때 납품처였던 김치공장에 직원을 파견하여 배추를 다듬어주고 대신 배추 겉잎인 우거지를 받아와 삶아서 틀에 넣고 냉동을 시켜 통뼈감자탕 등 감자탕 체인본부에 납품을 한다.

그는 우거지 납품하는 날이면 나랑 같이 가자고 했다. 오는 길에 어디로 전화를 하고 도착하면 상이 차려져 있었다. 뒷고기 접시와 상추쌈, 마늘과 풋고추 등이다. 뒷고기를 불판에 구워 두어 점 상추에 얹고, 마늘과 풋고추를 쌈장 찍어 같이 싸서 입에 넣으면 볼이 미어질 지경이다. 뒷고기는 김해의 도살장 근처에서 시작됐다.

도살장 인근의 육류 도매상에서 주문 들어온 돼지고기 선호부위를 썰고 남은 자투리 고기가 뒷고기다. 가장자리 부분이라 모양이 일정하지는 않지만 여러 부위가 섞여 있고 신선도도 좋은 편이라 인기가 높다. 어떤 때는 비싼 부위인 항정살이 대부분일 때도 있었다.

뒷고기는 가격도 매력적이다.

서울에서 삼겹살 1인분에 12,000~15,000원일 때, 뒷고기는 1인분이 4,000~5,000원이었으니 몇 만 원이면 소주까지 곁들여 푸짐하게 먹을 수 있었다.

재일동포의 소울 푸드 야끼니쿠

작년에 이마트에 갔을 때의 일이다. 방송이 나오는데 야끼니쿠를 일정 시간에 값싸게 판다는 내용이었다. 일본의 쇠고기 값이 한국보다 더 비쌀 텐데 저런 가격이 가능할까? 매대에는 양념을 묻힌 쇠고기가 수북이 쌓여 있었다.

야끼니쿠! 식품의 유래를 알면 재미있는 일들이 많은데, 야끼니쿠는 좀 특별한 사연이 있다.

2차 대전 후 일본 경제는 어려웠다. 해방이 됐으나 한국으로 돌아오지 못한(않은) 재일동포가 오사카 중심으로 약 2백만 명 정도. 그들은 돈을 벌기 위해 쇠고기에 불고기 양념을 발라 숯불에 구워 먹는 가게를 차렸다.

일본인이 먹지 않고 버리는 내장도 손질하여 함께 구워서 팔았다. 일본인들은 이를 '호루몬'이라 불렀는데 이는 '쓰레기'라는 뜻이다. 지금도 대창구이를 '호루몬 야끼'라고 부르는 노인들이 있다.

필자는 야끼니쿠의 원형을 맥적이라고 생각한다. 고구려 시대 고구려를 비롯한 북방 유목민들이 고기에 간장 소스나 된장 소스를 발라 숯불에 구워 먹던 음식이 맥적이다.

우리의 육식문화는 불교 전래 후 살생을 금하는 불교의 영향으로 고려시대에는 쇠퇴했다가 조선시대에 너비아니라는 이름으로 나타난다. 고기를 넓게 펴서 양념을 발라 구운 음식이 너비아니다. 여기서 고기라 함은 쇠고기를 말한다.

우리 민족은 쇠고기를 주로 먹었고 돼지고기는 좋아하지 않았단다. 명나라 때 조선의 사신이 중국에 가면 조선인은 돼지고기를 좋아하지 않으니 쇠고기나 양고기를 대접하라고 했다는 말도 전한다.

그 후 불고기가 만들어져 고기를 얇게 썰어 양념에 재두었다가 불판에 구워 먹는 방식이 생겨났는데, 재일동포들이 어찌 보면 맥적과 불고기를 결합하고 내장까지 곁들인 음식을 개발해낸 것이다.

야끼니쿠는 일본인들도 좋아하여 일본 전역으로 퍼져 나갔고, 요즘은 국내로도 들어와 여러 개의 음식점이 생겨났다.

일본인들은 그들이 쓰레기라고 버리던 호루몬의 맛을 알게 된 것일까? 야끼니쿠가 한국 음식일까, 일본 음식일까 하는 생각도 든다.

양념을 하여 굽는 방식은 우리 것, 고기와 생겨난 장소는 일본, 개발한 사람들은 재일동포…그냥 한국과 일본의 합작품이라 해둘까?

흑인 노예들의 애환 프라이드치킨

프라이드치킨의 역사는 의외로 오래 됐다. 중세시대 유럽에서 닭을 기름에 튀겨 먹는 방식이 있었는데 지중해 연안과 아프리카 북서부까지 퍼져나갔단다.

신대륙이 발견되고 미국 건국 이후 유럽인들은 배에 닭을 싣고 대서양을 건너가 미국에 닭이 전해졌다. 미국인들은 닭의 살이 많은 부분인 몸통만 먹고 날개나 목 등의 부위는 버렸단다. 미국 남부의 흑인 노예들은 이런 날개나 목 따위를 주워서 고향에서 하던 방식대로 기름에 튀겨 먹었단다.

지금의 프라이드치킨은 캔터키 주 카페 주인이었던 할랜드 샌더스(KFC 매장 앞에 있는 안경 쓴 할아버지)가 오랜 실험을 거쳐 1952년 완성한 튀김옷(밀가루에 10여 가지 향신료를 넣어 만들었음)을 입혀 튀긴 음식에서 출발하였고, 우리나라에서는 1982년 페리카나 치킨으로부터 시작되었는데 튀김옷에 고추장, 마늘 등을 더하여 우리 입맛에 맞게 개발하여 현재는 세계인의 호평을 받고 있다.

음식을 얘기하면서 재미있다는 생각이 드는 것이 이 부분이다. 맛있는 닭 날개와 목, 닭발은 버리고 오븐에 맛없는 살코기만 구워 먹던 닭고기를 흑인 노예가 주워서 튀겨 먹었으니 더 맛있는 부위를 더 맛있게 요리하여 먹은 셈이 아닌가?

2차 대전 당시 미군들의 단백질 공급원이었던 스팸

스팸은 스파이스드 햄, 양념한 햄이란 뜻이다. 2차 대전 당시 참전 미군들에게 고기를 먹이려고 고심하던 중 미국의 호멜사에서 개발한 식품인데, 질기고 비계가 많아 미국인들이 선호하지 않는 부위인 돼지의 어깨살과 목살에 소금 조미료 방부제를 섞어 만든 제품이다.

한국에서도 깡통 햄 부분 1위란다. 처음 명절 선물로 스팸 선물세트를 받았을 때, 성분을 보고는 이렇게 짜고 조미료가 많은 제품이 성공하겠나 싶었다.

그러나 참전 군인들은 땀을 많이 흘리는 데다 체력 소모도 커서 오히려 적합했던 모양이다. 구워서 아이들에게 주니 맛있다고 했다.

그 후 국내에서 생산한 다른 제품(깡통 햄)들을 먹어봤으나 스팸이 더 맛있고 느끼하지 않은 개운한 맛이었다.

편의점 도시락 중에 스팸 도시락이 있는데 다른 반찬이 없어도 밥과의 궁합이 맞는 듯하다. 2차 대전에서 미국이 승리한 요인 중의 하나가 스팸 때문이라고, '믿거나 말거나' 전해지는 설도 있단다.

한국인의 대표음식 삼겹살

삼겹살도 일본과 관계가 있다. 일본은 몇 백 년 동안 종교적인 이유 등으로 육(肉)고기를 먹지 않았는데 메이지유신 이후 서양문물을 받아들여 육고기를 다시 먹기 시작했고 돈가스라는 음식을 개발했다.

돼지고기는 베이컨을 만들기 위해 유럽에서 수입하다가 1970년대 초 돼지고기 수입 자유화를 시행하였고, 한국에서 등심과 안심 등 돈가스 만드는 부위를 골라서 수입하게 되자, 한국은 삼겹살 부위가 남아돌게 되었다.

한국도 경제개발 덕분에 여유가 조금 생기자 육류 소비가 늘어나면서 돼지고기 일본 수출로 남아도는 삼겹살의 수요가 생

생겨 시기적으로 맞아 떨어진 셈이었다.

육고기를 먹기가 힘들었고, 먹더라도 삶아서 수육으로 먹든지 국이나 탕을 끓여 먹다가 구운 고기를 맛보게 되니 순식간에 삼겹살 구이는 고기집의 대표 메뉴가 되어버린다.

노동현장에서 일하는 사람들은 돼지고기가 노폐물을 청소해준다는 믿음까지 생겨 일을 마치면 삼겹살에 소주 한 잔이 코스처럼 되어버렸다.

삼겹살의 명칭은 원래 세겹살이었는데, 살코기와 기름이 번갈아 겹쳐진 상태의 돼지고기 뱃살 이름이다.

상대적으로 기름기가 많고 값이 저렴했던 삼겹살은 한국인의 열렬한 관심으로 수요가 점점 증가하여 현재는 국내 생산량으로는 태부족이고, 칠레처럼 한국에 삼겹살을 수출하기 위해 별도로 돼지를 사육하는 나라도 있다.

사실 가축의 뱃살은 기름기가 많아 비만의 요인이고 건강에는 이롭지 않으나 전 국민의 절대적인 사랑을 받는 삼겹살을 두고 평하기는 그렇고, 적당히 먹으면 좋겠고, 육류는 기름기가 없는 부위를 먹는 것이 건강에 이롭다.

몇 가지 음식의 유래를 살펴봤는데, 식품의 세계는 정말 다양하고, 개발할 분야가 많다. 아주 독특한 자신만의 음식을 만들려고 하지 말고, 대중이 다 아는 것, 역사가 오래된 것…이런 분야에 관심을 갖고 실험을 통해 공감대를 넓혀 나가는 것이 식품을 개발하는 일에서건 음식 장사를 하는 일에서건 그게 답이라고 생각한다.

필자도 한창 개발에 몰두하던 시절, 세상에서 처음으로 대단한 걸 만들어 보고자 노력했지만 쉬운 일이 아니었고, 식품은 발명특허를 내기도 어렵거니와 내더라도 약간의 레시피를 바꾸거나 재료의 함량만 달리 해도 피해 갈 수 있으니 반드시 고려해야 한다.

가을이 언제 오려나 싶더니 벌써 새벽공기가 차다. 코로나도 감기 증상에서 출발한다니 감기부터 조심해야겠다. 늘 얘기하지만 발효식품과 비타민C 부지런히 챙겨 드시고, 우리 국민 두루 건강하시기를 기원한다.

제5장

코로나 시대를 이기는 법

정제된 삶을 위하여

정돈하여 가지런히 함. 격식에 맞게 차려입고 매무새를 바르게 함. 국어사전에 있는 정제의 뜻이다. 사람에게는 이런 정제된 삶의 방식이 필요할 것이다.

식품은 어떨까? 정제수, 정제염, 정제된 탄수화물… 다 좋은 이름 같지만, 과연 그럴까?

식품을 개발하고 유통하기 위해 많은 식품공장을 방문하였다. 필자는 공장에 가면 습관처럼 어떤 물을 쓰느냐고 묻는데, 그들은 대답 대신 '네' 하면서 수질검사서를 가져와 보여준다. 여러 가지 항목이 빼곡히 적혀 있고 '적격'이거나 '검출 안 됨' 등이 표시되어 있다.

많은 식품공장들이 우물을 파서 그 물을 모터로 끌어올려 쓰는데, 정기적으로 수질검사를 하도록 되어 있다. 수돗물을 쓰는 공장은 "저희는 수돗물 씁니다."라고 자신 있게 말한다. 정부에서 수질을 보증했다는 뜻이리라.

모든 식품의 포장지 뒷면에는 식품 표기 사항이 적혀 있는데, 물이 들어간 것은 전부 정제수라 표기돼 있다. 우물물이건 수돗물이건 똑같다. 이 제품은 물도 정제하여 깨끗한 물을 쓰는구나 하고 생각하겠지만 그게 아니라 최소한의 요건을 갖춘 물이라고 보면 된다.

다음으로 소금은 뭘 쓰느냐고 묻는데, 정제염 아니면 천일염을 말한다. 김치공장 같은 곳은 소금이 맛을 좌우하는 중요한 요소다. 배추를 절일 때 천일염을 쓰면 확실히 맛있다. 정제염(한주소금)보다 천일염을 쓴다고 능사는 아니다. 천일염 굵은 소금은 잘 녹지 않고 간수가 있어 뒷맛이 쓰다. 그렇다고 식품공장에서 2~3년 간수를 뺀 천일염을 쓰는 곳은 못 봤다. 정제염은 잘 녹고 값도 싸서 좋으나 짠맛 그 자체뿐이다. 감칠맛은 없다는 뜻이다.

정제 탄수화물은 요즘 핫이슈가 되어 있다. 흰 쌀밥, 흰 밀가루 등 껍질을 벗겨내고 완전히 도정(搗精)한 것을 말하는데 곡류가 가진 껍질이나 쌀눈의 영양분은 다 벗겨내고 탄수화물만 남은 것으로, 비만의 원인이라고 해서 그렇다.

현미를 먹으면 좋다고 하는데 글쎄다.

현미는 쌀의 씨눈이 살아있어 유익한 영양소가 많지만, 맛이 없다. 소화도 잘 안 된다. 그런데 현미를 발아시켜 1~2mm 싹을 틔우면 발아현미가 되는데 맛도 나아지고 소화흡수율도 높아지니 참고하기 바란다.

이렇듯 우리의 삶은 정제된 생활을 할 필요가 있지만, 식품의 경우는 정반대다. 자연이 준 선물은 되도록 덜 가공하고 그대로 섭취하는 것이 몸에 이롭다.

물은 맑은 우물물이나 생수가 좋으나 수질검사를 하여 음용에 적합한지 알아보고 활성탄 필터로 한 번 걸러서 마시면 좋고, 정제염은 바닷물을 정제하여 염화나트륨 성분만 추출한 것이니 천일염을 간수 빼고 먹는 게 좋겠다. 발아현미를 구입하여 쌀과 섞어 밥을 짓는 것도 권장할 만하다.

인간이 동물과 다른 점은 여러 가지 있겠지만 유일하게 요리를 해서 먹는다는 사실도 포함될 것이다. 인간에게는 리처드 랭엄이 말한 요리 본능이 있다.

자연이 준 재료를 가지고 어떻게 맛을 내고, 색상과 모양을 예쁘게 만들고, 특히 정성을 더하여 자신과 가족을 위한 사랑까지 곁들여 요리한 음식을 가족과, 또 이웃과 나눠 먹는 행위야말로 정말 다른 생명체와 차별화되는 아름다운 행위가 아닐까?

이런 위대한 유산을 생각하고 발전시키며 정제된 삶을 살아야 할 것이다. 흔히 3백(白)이라고 해서 건강에 이롭지 못한 흰 쌀밥, 흰 밀가루, 흰 설탕을 얘기하는데, 이유가 있다.

도정을 많이 하여 곡식의 껍질을 다 벗겨내거나 정제하여 탄수화물만 남겨 그걸 먹었을 때 비만 등 성인병 발병 비율이 높아진다는 논리다.

식물은 열매를 보호하기 위해 단단한 껍질에 갖가지 영양 성분을 함유하고 있는데 이를 모두 벗겨내 버리니 탄수화물 이외의 미네랄, 비타민 등 유익한 성분은 섭취가 안 되는 것이다. 인류 역사를 1만 년으로 볼 때 이렇게 정제된 식품은 불과 2백년밖에 되지 않았다. 인류의 주곡은 밀과 쌀이고, 지금 인류는 이를 자각하고 있다.

서양에서도 흰 밀가루가 나오기 전에는 거무스름한 밀로 빵을 구워 먹었는데, 그 맛이 거칠고 색깔도 곱지 못했다.

1812년인가, 미국에서도 정제기술이 발달하여 지금 같은 흰 밀가루가 처음 생산됐는데, 사람들은 넋을 잃었다. 뽀얀 색깔의 부드러운 빵, 사람들은 열광했다. 1만 년의 식생활 역사를 2백 년도 안 돼 완전히 바꿔놓은 것이다.

쌀의 경우는 백 년도 안 됐다. 일제 강점기 때 정미소가 생겼고 절구에 빻아 겨우 껍질만 벗겨 먹다가 7분도니 9분도니 하는 흰 쌀밥을 먹게 되었는데 한 번 맛을 보면 옛날로 돌아가기는 어려운 법이다.

필자는 조금 다른 견해를 가지고 있다. 현미를 먹고, 통밀빵을 먹자고 주장하는 게 아니라, 지금처럼 맛있게 먹되 정제하면서 버린 미네랄과 비타민을 다른 채소나 과일 등을 통해 보충하자는 것이다.

요즘은 인터넷 검색하면 어떤 성분이 어느 식품에 많이 들어 있는지 알기는 식은 죽 먹기다. 대수롭지 않게 여기거나 신경을 쓰지 않아 못 챙겨 먹을 따름이다.

오늘의 화두는 정제되지 않은 식품, 자연 그대로에 가까운 음식을 먹으면서 정제된 삶을 살자는 것이다. 장마가 시작된 계절, 독자님들의 건강과 행운을 빌어드린다.

코로나19 에 좋은 음식은 무엇일까?

2019년 말부터 시작된 코로나사태가 2020년 들어 1년 내내 번지는 것을 보면서 저런 병에 이로운 음식은 없을까 하는 생각을 줄곧 해왔다. 식약동원(食藥同原)이라고 모든 병의 약도 자연에 있을 거라는 믿음에서였다. 그러다가 지난 7월 13일 어렴풋한 필자의 개념에 확신을 갖게 해주는 보도를 접했다.

스위스는 3국 계통의 민족으로 구성된 나라다. 프랑스계, 독일계, 이탈리아계다. 프랑스 몽펠리에 대학 장 부스케 교수는 스위스의 3개 민족의 코로나 사망률을 비교 연구했는데 독일계 민족의 사망률이 낮은 점을 발견했다. 그 이유를 연구한 결과, 독일인이 '사우어크라프트'라는 독일식 양배추 절임을 많이 먹는데 이 발효식품이 사망률에 영향을 미친다는 사실이 밝혀졌다고 발표한 것이다.

양배추를 소금물에 절여 발효시킨 시큼한 음식 사우어크라프트! 여기서 우리는 흠칫하지 않을 수 없다. 왜냐하면 발효식품의 대명사는 자타가 인정하는 우리의 김치 아닌가? 오늘은 이 보도를 근거로 김치에 대해 조명해보기로 하자.

김치는 우리 민족 최고의 유산이다. 다들 김치를 알고 전 국민이 애호하는 음식이지만, 김치에는 우리가 아는 그 이상의 신비가 있다. 단순히 음식을 초월하는 심오한 철학과 '식약동원'의 약성까지 지닌 민족 최고의 유산이라는 사실이다.

다섯 가지 컬러 푸드와 음양오행의 조화가 이루어진 음식이 김치다. 동양철학은 음양오행설로 대변되는데 김치는 5가지 컬러 푸드가 어우러져 발효시킨 음식이란 뜻이다.

노랑-배추 줄기와 속잎, 초록-배추의 겉잎, 빨강-고춧가루, 검정-젓갈, 흰색-소금…이쯤 되면 대강의 오방색은 갖춘 셈이다. 여러 번 얘기했지만 식품이 가진 색상은 함유된 영양소뿐만 아니라 우주의 기운을 담은 요소이기에 아무리 강조해도 지나침이 없다.

삼구시대부터 시작된 것으로 보이는 김치는 채소를 소금에 절여 만든 음식 '침채(채소가 소금에 절여져 물에 잠긴 형태, 지금의 나박김치와 비슷함)'에서 유래했는데, 조선시대 중종 때까지 침채로 불리다가 짐채(구개음화, 경상도 방언 짐치)로, 딤채로, 다시 김치로 변했다고 한다. 1990년 구(舊)소련이 붕괴될 때 한국으로 온 구소련 과학자들은 김치가 발효되는 최적의 온도가 0도와 영하1도 사이라는 걸 알아내어 최초의 김치냉장고 딤채를 출시하여 히트를 쳤는데 벌써 30년이 됐다.

채소를 소금에 절인 식품이 우리나라에만 있었던 것은 아니다. 일본의 쯔케모노나 중국의 파오차이 등이 있으나 소금물에 채소를 절이는 방법 이상의 진전을 보이지는 못했다. 일본의 쯔케모노는 무, 오이 같은 채소를 독에 넣고 소금물을 부은 다음 무거운 돌멩이로 눌러 발효시킨 식품으로 지금까지 존재한다.

그런데 우리 조상들은 침채에서 물을 따라낸 다음 젓갈을 넣고 고춧가루까지 더하여 오행 식품인 김치를 완성했다. 오늘날과 같은 김치가 완성되기까지 천년 이상 1천 5백 년 정도의 기간을 두고 발전을 거듭해온 것이다. 김치는 실로 경이롭고 위대한 여정을 통해 탄생한 음식이라고 하지 않을 수 없다. 그런데 지금의 우리는 그 위대함을 잘 모르는 것 같다.

김치공장을 방문해보면 대부분이 해썹 인증이나 전통식품 인증을 받아 김치를 생산하지만 학교 급식으로 납품하면 많은 부분이 버려진다. 아이들이 김치를 많이 먹지 않는 것이다. 이 글이 김치를 다시 인식시키고 자라나는 세대들에게 김치를 많이 먹게 하는 하나의 단초가 되었으면 하는 바람이다.

장 부스케 교수는 스위스의 코로나 사망률이 왜 민족별로 현저한 차이가 나는가에 착안하여 그들이 먹는 음식을 근거로 연구하여 독일계 국민의 현저하게 낮은 사망률 차이를 밝혀냈지만 김치를 연구한 것은 아니다. 그러나 우리 국민이면 누구나 다 알 것이다. 양배추 절임에 그런 효능이 있다면 김치는 어떨 것이라는 사실을!

김치와 코로나와의 관계를 유추해보자.

우리 몸속에서는 혈압을 조절하는 에이스2라는 효모가 만들어지는데 에이스2와 코로나바이러스가 결합하면 독성물질이 생겨 장기를 석회화시키는 현상이 발생하고, 사망에 이르게 하거나 뇌경색, 심근경색의 요인이 되기도 한단다.

발효식품이 바로 에이스2 효모의 증식을 억제하거나 막아주기 때문에 에이스2 효모가 줄어들면 코로나 바이러스와의 결합도 줄어 발병률이나 사망률을 줄인다는 논리다.

김치를 어떻게 담가야 할까?

예전에 보쌈 잘하는 단골집이 있었는데 배추의 겉잎으로 김치를 싸서 그걸 썰어 내놓는 집이었다. 배추의 겉잎도 버리지 말고 쓰기를 권한다. 김치 버무리는 양념을 만들 때 마늘과 함께 생강을 채 썰어 섞어서 만들기를 권한다(생강 효능 참조). 액젓을 쓰기보다는 멸치젓갈처럼 뼈째 생선 젓갈 쓰기를 권한다. 발효를 시키려면 약간의 당분이 필요한데 설탕 대신 무채 쓰기를 권한다.

어릴 때 집에서 김장하던 날 기억이 난다. 김장을 2종류로 하였다. 한 종류는 바로 먹을 것으로 생굴을 넣었고, 덜 짜게 했다. 다른 한 종류는 오래 두고 먹을 것으로 좀 짜게 했는데, 작은 갈치를 뼈째로 썰어 넣었다.

배추를 절일 때는 일일이 배춧잎 사이사이에 천일염을 넣고 물을 자작하게 부어 절이던 기억이 난다.

왜 그렇게 정성스럽게 하는지 궁금했는데, 수십 년 세월이 흐른 뒤 그 이유를 알게 됐다. 2000년대 초 노르웨이 고등어가 수입되었을 때, 여수의 수산 가공공장에서 고등어를 휠렛(배 가르기)하여 간을 하는데 소금물에 생선을 집어넣는 게 아니라 노련한 기술자(간잽이)가 소금을 한 움큼 쥐고 쉬익쉬익 뿌리는 게 아닌가? 일정한 농도의 소금물에 침지시키는 것보다 더 간이 잘 되고 맛도 더 있다고 했다.

안동 간고등어 선전할 때 나오는 패랭이 쓴 할아버지도 숙달된 간잽이다. 참고로 등 푸른 생선의 대명사인 고등어는 제주도 대고등어를 최고로 치는데, 노르웨이 고등어의 불포화 지방 함량이 더 높다.

여기서 말하는 김치는 발효 배추김치이며, 백김치와 고춧가루가 들어간 김치는 7주가 지나면 유산균 증식이 확연히 달라진단다. 고춧가루를 넣은 김치가 더 좋고 2달쯤 발효시킨 김치가 더 낫다는 뜻이다.

채소와 소금이 만나 살균하고, 거기에 생선과 고춧가루까지 더해 발효시킨 음식, 김치! 15년 전 사스 때도 그랬듯이 우리나라는 감염률이 적고, 코로나19의 사망률도 낮다고 할 수 있다. 우리는 이런 결과를 두고 조상들의 위대한 유산인 김치에서 답을 찾아야 할 것이다.

뿔뿔이 흩어져야 사는 세상

맑고 뚜렷하고
참된 숨결

나려나려 이제 여기에
고웁게 나려

두북두북 쌓이고
철철 넘치소서

삶은 외롭고
서글프고 그리운 것

아름답도다 여기에
맑게 두 눈 열고

가슴 환히
헤친다

서양화가 이중섭의 〈소의 말〉이다. 옛날에 이중섭 회화 전시회에 가서 도록을 샀는데, 집에 돌아와 펼쳐보니 첫 페이지에 이 글이 있었다. 소 그림을 많이 그렸던 화가 이중섭. 그는 우직하게 일하는 소를 좋아했던 모양이고, 일본인 아내와 가족들을 떠나보내고 외로운 삶을 살고 있었던 듯하다.

이 글을 소개하는 이유는 우직하게 열심히 일하며 살아온 우리 국민이 코로나19로 인하여 힘든 나날을 보내고 있는데, 이 또한 지나갈 것이며, 삶은 외롭고 서글프고 그리운 것이지만 이 시절이 지나면 가을이 아름다운 이 땅에서 맑게 두 눈 열고 가슴 환히 헤치는 날이 빨리 왔으면 좋겠다고 염원하는 마음을 표현하고 싶었기 때문이다.

2020년 여름은 힘들었다. 사상 최장의 장마가 끝나고 더위가 시작될 때 1주일이나 열흘 후면 가을을 느낄 수 있을 거라 생각했는데, 다시 비가 내리더니 태풍이 왔고, 또 다른 태풍이 올라오고 있단다.

무엇보다 힘든 것은 코로나19 사태다. 식당에 밥 먹으러 갈 때도 마스크를 쓰고 가서 인적사항을 적어야 하고, 커피숍도 테이크아웃만 한다. 어제부터는 편의점에서 음료도 못 마신단다. 뿔뿔이 흩어져서 살아야 감염을 줄일 수 있다는 건데, 왠지 서먹하다.

사람이 만나고 표정을 보며 얘기하는 것이 사회생활의 기본인데, 가족이 같이 밥을 먹고 한 공간에서 살아야 하는데. 코로나는 모든 걸 뺏어가는 듯하다. 거리를 두고 살면서도 마음만은 가깝게? 이게 말이 되는 소린가?

요즘은 누구에게 만나자고 연락하려 해도 미안한 마음부터 생긴다. 〈소의 말〉처럼 삶은 외롭고 쓸쓸하고 그리운 것인데. 감염병까지 돌아 우리를 더욱 쓸쓸하게 한다. 더구나 언제 끝날지, 앞으로도 계속 이런 식으로 살아야 할지도 모른다니 안타깝기만 하다.

학창시절 은사님 말씀이 생각난다. 그분은 중학교 때 교장 선생님이셨는데 그 후 부산시 교육감이 되셨다.

"괴로울 때면 언제나 따뜻한 어머님의 품 안으로 돌아가라."

매주 월요일 전교생 조회 때마다 하신 말씀이다. 어머님 품 안이란 어디를 말하는가? 농부가 밭을 가는 일이고, 피아니스트가 피아노를 치는 일이라는 등 몇 가지 예를 들어주시면서. 어떤 일을 할 때 가장 좋아하고 몰입하여 마음이 편안해지는 일이라고 말씀하셨다.

장마든 폭염이든 태풍이든 조금 시간이 흐르면 지나가겠지만 코로나는 그렇지 않을 것으로 보여 걱정된다. 병원에 입원해 있을 때 조선족인 간병인은 한족(漢族)들 야생동물 아무 거나 잡아먹더니 이런 병이 생겨났을 거라고 했다. 중국 우한의 한 연구소에서 바이러스가 유출되어 생겨났든, 중국인의 야생동물 섭취에서 발생되었든 하루 이틀에 끝날 일도 아니고, 백신이 개발되어 주사 만 맞으면 끝날 일도 아닐 것으로 보인다.

뭉치면 살고 흩어지면 죽는다고 배웠는데, 인류의 기본 질서를, 사고 체계를 송두리째 바꿔 놓을 수도 있는 코로나19 시대를 어떻게 살아야 할까?

지금까지 필자가 보도내용이나 자료를 종합해 볼 때 가장 중요한 것은 손 씻기다.

코로나 바이러스는 비말(飛沫)로 전파되는데 손에 묻어 눈, 코, 입의 점막을 통해 인체에 유입되므로 씻지 않은 손으로 눈 코 입을 만질 때 가장 위험한 것으로 보인다. 깨끗하게 삶아 빤 손수건을 휴대하는 것도 좋은 방법이겠다.

코로나가 인류사회에 남길 문제는 심대할 것으로 보인다. 올해 초부터 누적 확진자가 2만여 명, 사망자가 320여 명이니 의외로 사망자 숫자는 적은 듯싶지만 걱정의 수준은 그게 아닌 듯하다. 태어나면 어느 가정에서 같이 밥을 먹는 식구로 살고, 세상에 나오면 얼굴 맞대고 공부하고, 일하고, 표정을 보면서 대화하고, 사업하고, 연애도 하는데, 이렇게 뿔뿔이 흩어져 비대면(非對面)으로 살아야 하니 세상이 어떻게 될 건지? 사람의 인성도 가치관도 변 할까봐 정말 걱정스럽다.

그러나 이 또한 지나갈 것이다.

우리는 언제일지 모르지만 준비해야 하지 않을까? 이중섭의 〈소의 말〉처럼 우직하게 소처럼 일해 온 한국인, 이제 이만큼 살게 됐는데, 어디서 이런 감염병이 돌아 세상을 뒤집어 놓는지 안타까울 따름이다. 사람의 힘으로 딱히 어쩔 도리가 없다면 자연의 힘에 기대보는 수밖에 없겠다.

발효식품도 대안의 하나가 될 수 있겠다.

전에 얘기했듯이 발효식품의 섭취가 사망률을 낮춘다니 김치, 된장, 청국장, 젓갈, 식초 등 조상님들의 혜안을 믿어보는 수밖에!

하나 더 첨가하자면 음식의 부패와 살균을 위해 식초와 생강을 요소요소에 첨가한 음식을 만들어 드시기를 권해드린다.

9월이 왔다.

아무리 코로나가 극성을 부려도 자연의 섭리는 그대로일 것이다. 어쩌겠는가? 괴로울 때면 따뜻한 어머님의 품 안으로 돌아가 지내면서 높아진 가을 하늘 보며 '아름답도다 여기에' 가슴 환히 헤칠 날을 기다려야 하지 않겠는가?

구월이 오면

〈연탄〉으로 유명한 안도현 시인의 〈구월이 오면〉이란 시가 떠오른다. (저작권 문제로 원문 인용은 생략) 구월이 오면 자주 가던 여주 신륵사로 찾아가서 잔잔히 흐르는 남한강 가에 앉아 이 시를 읊으려 했는데, 다시 태풍이 오고 코로나 사태로 리듬마저 잃은 듯싶다.

오곡백과가 풍성한 천고마비의 계절 가을이다. 오곡은 쌀, 보리, 조, 콩, 기장을 말하는데, 기장과 비슷한 귀리는 타임지가 선정한 세계 10대 슈퍼 푸드에 선정될 정도로 효능이 많은 곡물이니 관심 가져볼 만하겠다.

백과는 백가지 과일이란 뜻이니 잘 알 테고, 천고마비는 하늘이 높고 말이 살찐다는 뜻인데, 구름이 사라지니 하늘이 높게 보이는 것이겠지만, 여기서 왜 말이 나올까?

대부분의 사자성어는 중국에서 만들어졌는데, 중국은 땅이 넓고 인구가 많아 한 번도 외국에 복속된 적이 없는 나라이고, 사실 역사를 따져보면 주변국에 조공을 바쳐 위기를 극복한 적이 많았다.

가을이 되면 몽골이나 여진족 등 북방 기마민족들이 쳐들어오는 바람에 조공을 바쳐야 해서 생겨난 용어가 아닐까?

이제 기온이 내려가면 코로나에 감기 독감도 걱정해야 한다. 가을에는 쌀에 오곡 중의 하나인 잡곡이나 슈퍼 푸드를 섞어 잡곡밥을 지어 먹고, 과일을 많이 먹으면 좋겠다.

요즘 나는 비타민 공부를 다시 하고 있다.

비타민은 바이탈(생동적인, 생리적인) 아민(유기화합물질)의 합성어로 우리 몸의 신진대사와 생리활동에 관여하는, 없어서는 안 될 중요한 물질이다. 잇몸에서 피가 나고 피가 잘 멎지 않는 괴혈병으로 대항해 시대 선원들이 쓰러져 있을 때 오렌지나 라임 같은 맛이 신 과일을 먹이니 살아나는 것을 보고 비타민의 정체를 알았다고 한다.

그러나 비타민C를 추출하는 데는 실패했다가 1928년 미국의 학자가 파프리카에서 처음 비타민C를 추출하는 데 성공했다. 코로나도 일종의 폐렴이니 폐렴의 원인이 되는 감기나 독감 예방을 위해 비타민C가 많이 들어있는 채소나 과일을 많이 섭취해야겠다.

인생을 생로병사라고 하는데, 늙고 병들고 죽는 것은 인류의 공포일 것이다. 노화의 원인이 여럿 있겠지만 하나만 꼽으라면 활성산소다.

우선 음식물을 섭취하여 산화되는 과정에서 발생하는 활성산소의 발생량을 줄이거나 배출시키는 데 이로운 음식을 찾아보는 것도 중요하겠지만 문제는 과식과 비만이다. 많이 먹으면 활성산소가 많이 발생하는 것은 당연한 이치. 비만이 얼마나 위험한 것인지를 알고 소식하는 습관을 생활화해야 한다.

활성산소는 혈관 벽을 손상시켜 혈관 병을 유발하는데, 요양병원에 가보면 60대~80대 환자가 대부분이고 뇌경색, 심근경색, 암. 치매로 참담한 노후를 보내고 있다. 어떤 사람은 이 중 2가지를 가진 환자도 있는데 거동이 불편하고 대소변을 받아내야 하니 조선족 간병인의 도움을 받고, 가족들은 150~200만원 이상 돈을 지불하고도 늘 미안하고 불안한 마음으로 산다.

먹을 것이 넘쳐나는 시대, 배고프면 또 먹으면 되는데 왜 그리 과식을 하는지? 늙어서 이런 상황을 만드는 경우를 상상해

보면서 소식의 생활화를 심각하게 성찰해봐야 할 것이다.

옛날에는 이런 병들이 60대 이상 노인들에게만 있던 병이었다. 그런데 요즘은 그렇지 않다. 30대부터 누구에게 찾아올지 모르는 형국이다. 실제로 내가 입원해 있을 때 그 병원에 8년째 입원 중인 여성이 있었는데 마흔세 살이라고 했다. 30대 중반부터 8년을 거기서 보냈다니? 키도 크고 미인에 속할 만큼 멀쩡한 여성이 휠체어를 타고 남편과 어눌한 말투로 통화하는 걸 보면 가슴이 아팠다.

가을은 왔지만 코로나가 금방 끝날 것 같지 않고, 기온이 내려가면 감기와 독감이 코로나와 합세하여 우리를 괴롭힐지도 모른다. 아침에 일어나면 생수를 상온에 두었다가 한 잔 마시고, 식사 후 30분 걷기를 생활화하면 좋겠다.

늘 얘기하지만 김치, 된장, 청국장, 젓갈 이런 발효식품 많이 먹고, 비타민C 꼭 챙겨 먹기를 권한다. 고용량 비타민C를 먹고 싶다면, 지금도 계속 연구논문이 발표 중이고. 의사들도 찬반 의견이 있으니 의사와 상의하는 것이 좋겠다.

처음으로 돌아가, 이런 비대면(非對面) 시대를 살더라도 강가를 찾아 높은 가을하늘 쳐다보며 사색에 잠겨보시기를!

그때 안도현 시인의 시 〈구월이 오면〉을 한 번쯤 읽어보시기를 강추한다.

코끼리 아저씨

2019년 11월 중순 어느 날, 나는 대학병원 중환자실에서 재활병원으로 옮겼다.

다음날 아침 간병인이 물리치료실로 휠체어에 태워 데려갔는데, 건물 맨 꼭대기 층에 있는 물리치료실은 유리창 밖으로 아파트 단지가 보이고, 병실과는 분위기가 사뭇 달랐다.

나를 담당하는 물리치료사는 첫 마디가 "코끼리 아저씨 같습니다."였다. 무슨 말인지 잘 몰라 거울을 보니 회색 환자복에 콧줄을 낀 데다 코에 반창고를 발랐고, 기저귀를 하고 있었기에 엉덩이 부분이 무척 크게 보였다.

언젠가 〈동물의 왕국〉에서 코끼리가 이동하는 모습을 본 기억이 났다. 뒤에서 코끼리 엉덩이 쪽을 촬영한, 커다란 엉덩이를 뒤뚱거리며 걷는 모습 말이다. 사실이 그렇게 보이는데 언짢아 할 이유도 없었다. 그로부터 6개월의 재활치료가 시작됐다.

인간은 과연 존엄한 존재일까.

병실의 하루는 새벽 5시에 시작된다. 간병인이 병실의 불을 켜면서 하루 일과가 시작되는데, 환자들의 기저귀 가는 일부터다. 깨자마자 인분 냄새가 병실에 가득하다. 다음은 세면. 미지근한 물에 빤 손수건만한 타올 조각을 하나씩 나눠준다. 그걸로 얼굴과 손을 닦는 것이다. 다음은 면도 시간이다. 대부분 전기면도기를 충전하여 면도를 한다.

7시에 아침밥이 온다. 밥과 국, 몇 가지 반찬이 조그만 종지에 담겨 있다. 식사를 못 하는 환자는 30분 전쯤 선식 같은 캔

음료를 밥 대신 콧줄을 통해 위로 내려 보낸다.

이렇게 인분 냄새 가득하고 개인위생도 엉망인 곳이 병원이고 우리나라 노인 60~70만 명이 죽음을 기다리고 있는 것이다. 나는 그냥 보면서 지나칠 수가 없었다. 화장실을 다니겠다고 했고, 다행히 당시 간병인이 도와주겠다 하여 걸음도 제대로 못 걸으면서 다른 사람 침대의 난간을 잡고 걸어가서 간병인의 부축을 받아 변기에 앉혀져서 볼일을 봤다. 그것은 잘한 결정이었다. 차츰 걷는 것도 익숙해지고, 기저귀를 갈아 끼울 필요도 없으니 자존감이 회복되었다. 입과 턱 주위의 근육이 경색되어 그 뒤로도 한동안 먹는 것은 허용되지 않았다.

물리치료실에 작업치료사라는 사람이 있다. 160이 될까 말까 한 아가씨였다. 매일 입 주위를 전기치료와 함께 마사지를 했는데 자기가 도와주겠단다. 요플레부터 조그만 스푼으로 떠먹여주고 씹는 방법, 모아서 넘기는 방법 등을 훈련했다. 나중에는 빵, 과자, 커피, 컵라면 등으로 확대해 나갔다.

걸을 수 있고 음식을 먹게 되니 자신감이 생겼다. 두 달 이상 미음과 죽을 먹다가 밥으로 바뀌었다. 반찬도 처음에는 갈아서 먹다가 잘게 잘라서 먹고, 마침내 그냥 처음 조리한 반찬 그대로 먹을 수 있게 되었다.

나는 생로병사에 관한 근원적인 의문에 봉착했다.

우리 병실엔 7명의 환자와 간병인 1인이 있었는데, 간병인은 60대 초반의 조선족이다. 그의 부인도 다른 층에 근무하는 간병인인데, 꼭 말뚝 박은 선임하사 같다. 어디서 그런 힘이 나는지 지칠 줄 모르는 체력과 나름의 원칙을 가지고 있었다. 그는 한국과 중국을 비교하면서 늘 중국 편이었고, 걸어서 들어와서 죽거나 누워서 나가는 이런 병원에 비싼 병원비 주고 입원하는 것을 도무지 이해하지 못하겠다고 했다.

병실의 환자 일곱 사람을 소개해본다.

C씨는 77세로 뇌경색에 치매다. 어느 고등학교 서무과장 출신이라는데 상당히 권위적으로 살았던 듯 시간 있을 때마다 누구를 꾸짖는 소리를 한다. 잔소리가 끝이 없다. 어떤 때는 밤을 새워 기저귀에 똥을 싸고 패드를 끄집어내고 손에 묻혀 코를 비비는 등 간병인의 골칫거리인 셈이다.

J씨는 85세로 뇌경색이다. 내가 본 가장 특이한 사람으로 24시간 요주의 인물이다. 그는 소리로 모든 일을 시키는데 앓는 소리, 고함소리, 비명, 신음소리 등등 세상의 모든 역겨운 소리를 섞은 듯싶은 소리를 질러댄다. 눈 뜨면서 시작하여 수시로 반복된다. 정말 견디기 힘든 공해 환자라 간병인과 매일 싸우고 제지를 당하는데도 소용없다.

내 맞은편 자리라 눈만 뜨면 제일 먼저 보게 되는데 여간 고통스런 게 아니었다.

어떻게 살았는지는 모르겠고, 딸이 둘 있는데 남은 재산을 나눠주고 난 다음부터는 면회도 잘 오지 않는단다. 딸이 면회 온 것을 봤는데, 60쯤 돼 보이고 인물도 괜찮은 듯했지만, 같이 온 남자는 정식 부부가 아닌 것처럼 보였다.

그는 병실에서 가장 나이가 많았는데 간병인이 너무 심하게 대하는 게 아닌가 싶어 관찰하기 시작했다. 보통 나이가 들면 좀 순박해지고 사리를 분별하는데 그는 아니었다. 철저히 계산된 행동이었다. 시간까지도 잰 듯이 모든 걸 간병인 도움으로 살아가면서, 자신은 손 하나 까딱하지 않으려는 인간의 비굴한 모습의 말로를 보는 것 같았다.

그는 식사가 오면 모든 반찬과 밥을 한 그릇에 섞었다. 심지어 간장까지도. 그걸 어떻게 먹었는지 모르겠다. 간병인이 열받으면 그를 휠체어에 태워 로비에 밀어다둔다.

허리와 꼬리뼈가 아픈 그는 다시 데리러 올 때까지 고통스럽게 앉아 있어야 했는데, 울면서 간호사나 다른 병실 사람에게 읍소하여 들어오곤 했다. 그런데도 돌아오면 여전히 똑같은 행동을 했다. 얼마나 남을 이용하고 피해를 주면서 살았을지 훤히 보이는 듯했다.

R씨는 83세로 뇌경색이다. 그는 병실의 신사다. 이 병원에 오래 있었고 조금씩 걸을 수도 있으며. 간병인과도 친하게 지내고 가장 처세에 밝은 인물로 기억된다. 메뉴를 보고 시원찮으면 외부 식당에 전화를 걸어 배달도 시키고 간호사실에 정기적으로 먹을거리를 시켜줘서 특별대우의 반열에 올랐다.

P씨는 60대 중반으로 뇌경색이다. 이 사람은 "죽어야지, 이렇게 살면 뭐 하나?"를 입에 달고 산다. 딸이 약품 도매상에 다니는데, 거기서 이 병원에 약을 납품하기 때문에 원장과도 약간의 친분이 있는 듯했다.

"그냥 이렇게 사세요. 제가 많은 환자를 봤는데, 죽는 거 진짜 힘듭니다. 모든 진을 다 빼야 죽지, 죽는 게 얼마나 힘든지 모릅니다. 그냥 이렇게 조금씩 치료하면서 사세요."

원장이 그를 보면 늘 하는 말이다. 그는 친구 공장에 가서 기계를 손봐주다가 한 쪽 팔을 잃고 뇌경색이 온 모양이다.

그 외 O씨와 I씨는 의식이 없어 콧줄로 영양분 공급 받고 종일 잠만 잔다. 부인이 면회 와서 흐느끼며 몇 시간을 기도하던 모습이 가슴 뭉클했다.

또 한 분, 이름도 성도 모르는 다른 병실의 할머니 한 분이 있는데, 처음 봤을 때 할머니는 나를 보더니 "아이쿠~. 나이가 아까워서 어쩌나?" 하고 말했다. "나는 6~70대까지 배구 농구도 했는데~." 그분은 97세다. 버스정류소에서 버스를 기다리다가 넘어져 골절을 당하고 입원했다는데, 교사였단다. 이제 퇴원할 생각도 없고, 용돈으로 맛있는 거 사먹으면서 지내다가 죽는 게 소원이란다.

나는 퇴원할 때 컵라면 한 박스와 과자 한 봉지를 사드렸다. 주말에 로비로 나가면 언제 봤는지 과자 한 봉지를 들고 와서 건네주시곤 했다. "밥 많이 먹었어? 보호자 연락 자주 오고? 그러면 됐어." 늘 자상하던 할머니가 보고 싶다.

이런 사람들이 모여 있는 곳이 요양병원이다. 뇌경색, 심근경색, 치매, 암… 죽기 전에 꼭 들러야 하는 정거장 같은 곳이다. 부모를 직접은 아니더라도 모시는 척 보이는 곳이지만, 병원이 병을 치료하여 낫게 하는 곳인데 요양병원은 아니다. 혈압, 당뇨, 식사, 배변 등을 24시간 관리하여 상태를 유지시키는 것이 목적이다. 그래야 오랜 기간 병원비가 들어오니까.

인간에게 사랑이 있을까?

효도는 가능한 덕목일까?

나는 6개월의 입원 기간 중 이 두 가지 물음에 회의를 가지게 되었다. 건강한 사람도 즐기며 살아야 하니 이런 제도가 있는 것도 필요하고, 지속적으로 발전하겠지만, 과연 이렇게 죽음을 기다려야 할까? 가족의 케어를 받지 못하고 일당 몇 푼의 조선족에게 맡겨진 간병으로 살아간다.

아무리 가족을 위해 국가와 민족을 위해 열심히 살았으면 뭐하나? 결국은 시대의 흐름에 따라 이런 방법으로 쓸쓸히 죽음을 기다리는 폐기물 신세인 것을.

퇴원한 지 한 달이 지났다. 많은 고비를 넘겼지만, 무탈하게 지낸 것에 다함없는 감사를 드린다.

퇴원하여 세상에 부딪히며 재활하겠다고 결정한 것은 백 번 옳았다고 생각한다. 거기 1년을 더 있다고 2배로 건강해지는 것은 아니라는 사실이 분명하니까.

세상은 잘난 척할 필요도 없고, 그리 바쁘게 서두를 이유도 없다. 천천히 안전하게, 건강하게 살아가면 된다. 다음부터는 식품에 대해 글을 쓸 건데, 걷기의 생활화, 소식(小食)하기, 금연, 절주 등에 대한 의견도 곁들일 참이다. 먹는 것보다 싸는 것을, 좋고 맛있는 음식보다는 몸에 나쁜 음식을 늘 생각하면서 경계로 삼아야 할 터이다.

소식으로 비만을 예방하고, 적당한 운동으로 건강을 챙기며 평생 이렇게 실천해야 한다. 할머니, 나를 걷게 해준 물리치료사, 사래 걸릴까 노심초사 지켜보면서 먹을 수 있게 도와준 작업치료사, 오늘은 이런 분들이 보고 싶다.

코로나와 여름을 잘 이기시기 바라며.

자염, 지주식 김, 토종닭

우리 민족은 어떤 식품을 먹고 살아왔을까?

위에 적은 세 가지는 우리나라에만 있는 식품이다.

소금에는 암염, 자염, 천일염, 정제염이 있다. 김은 자연산 돌김, 지주식 김, 양식 김이 있다. 닭은 야생 닭, 토종닭, 재래닭, 수입 닭이 있다. 이 가운데 자염, 지주식 김, 토종닭은 우리나라에만 있다.

소금은 언제부터 먹었을까?

우리 민족의 역사가 얼마인지 모르겠으나 단군조선부터 치면 4천 년 남짓, 환단고기(桓檀古記)의 설로 보면 9천 년이 넘는다는데, 역사가 얼마나 됐든 소금은 있었을 것으로 보인다.

인류가 발견한 최초의 소금은 암염이다. 암염은 지각 변동이나 산맥의 융기 등으로 바닷물이 매몰되어 오랜 기간 땅 속에서 만들어진 소금 광산을 통해서였는데 소금 광산 발견이 1만 년이 넘었다고 한다. 유럽의 소금 광산에서 생산되는 소금이나 히말라야 소금 등이 암염이다.

우리 민족은 최초에는 중국의 암염을 가져왔던 것으로 보이고, 2천 년~2천 5백 년으로 추정되는 삼국시대 이전부터 자염이라는 독특한 소금 만드는 법을 만들어냈다. 자염은 밀물 때 바닷물을 써레질하여 갯벌로 끌고 와서 바닷가 어느 지점에 웅덩이를 파고 바닷물을 길어다 끓여서 만든 소금이다. 자염을 만들 때 바닷물이 갯벌에서 여과되어 불순물이 걸러지고, 염도도 약간 줄어든다. 이렇게 시작된 자염의 역사는 오래 지속되어 고려 무신정권 시대에는 국가 전매품이 되었다고 한다.

일제 강점기를 앞둔 1907년에는 일본에서 염전 기술이 들어와 지금까지 존속되고 있다. 그러다가 1979년 정제소금인 한주소금이 출시된다. 정제염은 전기투석을 이용하여 바닷물에서 순수한 NaCl을 추출하는 방식인데, 순도가 99%에 이르는 소금이다. 천일염의 NaCl 농도가 85% 이상이니 정제소금이 가장 순도가 높은 소금인데 미네랄 함량은 거의 없다.

우리나라의 천일염은 각종 미네랄 함량이 가장 높은 편에 속하는 양질의 소금이다. 꽃소금은 천일염과 정제염을 일정 비율로 섞어 재결정하여 만든 재제염인데 천일염 함량이 높은 것일수록 좋겠다.

김은 건강에 이로운 해조류다.

바닷가 바위에 붙어 자란 자연산 김을 채취하여 만든 것을 자연산 돌김이라 하고, 갯벌에 지주(나무기둥)를 박고 나무기둥에 구멍을 뚫어 포자를 심어 키우는 우리 전통방식의 김이 지주식 김이다. 밀물 때는 물속에 잠겨 자라고, 썰물 때는 돌출하여 햇볕에 의해 살균이 되는 방식으로 만드는데, 생산량이 적고 조직이 양식 김보다는 약한 편이다.

양식 김은 일제 강점기가 시작될 무렵 일본에서 들여온 방식으로 밧줄을 격자로 엮어 밧줄 사이에 포자를 심고 물속에 잠기게 하여 생산하는 김인데, 해충 제거나 소독을 위해 염산을 쓰는 것이 문제다. 김 색깔이 까맣고 윤이 나는 김은 염산을 썼을 확률이 높다.

파래가 간혹 섞여 있고 표면이 조금 거칠게 보이는 김이 좋은 김이라 생각한다.

닭은 원래 야생(野生) 조류였으나 데려와 키우게 된 가금(家禽)류이며, 우리나라가 언제부터 키우게 됐는지는 잘 모르겠으나 대략 4천 년 전이라고 한다. 농경사회가 시작되고, 소는 농사일을 시키기 위해, 고려시대에는 불교의 영향으로 잘 먹지 못했기에 닭이 많이 소비된 듯하다. 야생 닭을 길들여 우리의 토종닭으로 만들었으나 공급이 부족하자 동남아에서 닭을 들여와 토종닭과 혼재된 시기가 오래 지속되었고 닭 소비가 대량으로 늘어나자 수입종 닭이 큰 비중을 차지하게 되었다.

1990년대부터 우리 토종닭 복원 사업을 시작하여 지금은 여러 종의 토종닭이 복원되었으나 아직 시장 점유율이 작으며 수입종인 산란계와 육계가 사육되고 있는 실정이다.

이런 식품을 별도로 알아보는 까닭은 우리 식품의 역사를 알고, 어떤 식재료를 선택하는 것이 좋은가를 알아보기 위해서다.

결론적으로 소금은 자염이든 천일염이든 우리나라 소금의 질이 좋고 미네랄도 풍부하므로 기호나 용도에 따라 선택하면 되겠고, 김은 자연산 돌김의 생산량이 부족하여 시판 중인 돌김은 자연산인지 아닌지 믿을 수가 없겠으니 지주식 김이나 염산을 쓰지 않은 무산 김을 선택하는 것이 좋겠다.

간혹 토종닭 얘기를 하는 것은 닭이 육류 중 가장 소비가 많다는 것이 첫째 이유다. 더욱이 우리의 토종닭은 수천 년을 우리 민족과 함께 살아왔고, 세계의 유명 셰프들이 인정하듯 맛이나 육질이 우수하니까 약간 비싸더라도 토종닭을 많이 선택하기를 바라는 마음이기 때문이다.

고추와 김치에 대해서도 언급하고자 한다.

김치는 침채라는 이름으로 삼국시대에 등장한다. 서양의 샐러드는 채소에 소금을 뿌려 먹은 데서 출발하였고. 우리는 채소를 소금에 절여 지금의 물김치와 비슷한 형태로 출발하여 딤채라는 이름으로, 다시 젓갈이 추가되고 고춧가루가 더해지면서 지금의 형태를 갖추게 되었는데, 고춧가루의 등장이 흥미롭다.

고추는 15세기 마젤란이 세계 일주를 하면서 남미에서 발견했다고 한다. 고추가 일본에 전해진 것은 16세기 중반, 임진왜란 이전인데 에도(도쿄)막부 시대 에도가 아닌 큐슈로 전해졌단다. 16세기 후반 임진왜란이 발발하자 일본은 고춧가루를 지금의 화학무기처럼 쓰려고 가져왔으나 별 효과를 못 봤던 듯하다. 큐슈로 들어온 고추는 상인들에 의해 부산으로 전해졌고, 우리 남해안 지방이 먼저 사용했다고 한다.

임진왜란 이후 조선에서 대마도를 거쳐 일본으로 전해졌다고 하니 먼저 들어오기는 상인들에 의해 일본에서 조선으로, 국가 간의 무역은 조선에서 일본으로 전해진 것이라 생각된다. 일본은 고추를 우리처럼 양념으로 쓰지 않고 관상용으로 재배했으며, 최근에 와서 캡사이신 효능이 알려지면서 다이어트에 좋다는 소문이 나고 우리의 김치가 인기를 얻으면서 먹는 사람이 늘어났다고 한다.

채소 절임도 우리는 김치로 발전시켰지만, 일본은 지금까지도 쯔케모노라는 절임채소 그대로 존재한다.

우리는 단맛, 쓴맛, 짠맛, 신맛, 매운맛을 5미(味)라고 부르는데, 서양에서는 4미다. 매운맛을 맛이 아닌 통증으로 보기 때문인데, 우리 국민이 너무 매운맛에 빠지는 것은 아닌지 모르겠다. 고춧가루 소비량이 계속 늘어나고, 청양고추를 개발하고, 더 매운 고추를 수입하며 캡사이신을 첨가하는 것도 모자라 불닭 같은 음식이 유행하니 말이다.

고추의 좋은 면도 있지만, 너무 맵게 먹는 것도 좋지 않으니 적당하게 먹는 습관을 가져야겠다.

오늘은 한민족이 자연의 식재료를 지혜와 감각으로 발전시킨 식품 몇 가지를 알아보았다. 2020년 겨울은 코로나가 다시 기승을 부리기 시작하고, 경제적으로도 어렵고, 그리운 사람들을 만나기도 어려워 외롭고 쓸쓸한 계절이 될지도 모른다.

자주 얘기했지만 이런 시대엔 개인위생과 발효식품, 컬러푸드 섭취가 대안임을 강조하면서, 그래도 정성 들인 음식을 만들어 이웃과 나누고, 나만의 또 우리 가정만의 음식을 그려서 건강한 나날 보내시기 바란다.

음식장사 잘하는 비결

이 글을 쓰려고 검색했더니 우리나라 음식점(카페, 치킨점 포함) 숫자가 무려 402만 개! 요즘 말로 깜놀, 정말 놀랄 일이다. 먹방이 이렇게 많은 나라가 있을까?

인사말로 "식사하셨습니까?" 하는 나라가 얼마나 있을까? 어렵게 살아온 역사가 너무 오래되어 트라우마를 가진 걸까? 아니면 우리 민족이 너무 먹는 걸 좋아해서 그럴까?

이 글을 쓰는 이유는 음식점을 하는 사람들과 생계를 위해 음식점을 하려는 사람들에게 필자의 오랜 경험을 알려줘서 도움이 되었으면 좋겠다는 것인데, 시작부터 숫자를 보고 난관에 부딪힌 느낌이다. 왜냐하면 우리나라 국민이 5천 2백만쯤 되는데 음식점이 402만 개라니, 나누면 13명 정도에 식당 1개라는 말이 아닌가.

전 국민이 매일 음식점을 이용하더라도 13명 정도? 이런 시장을 보고 사업에 뛰어드는 사람이 있을까?

말이 안 되는 짓이고, 만약에 뛰어드는 사람이 있다면 뭘 몰라도 한참 모르거나 대단한 실력을 가졌거나, 잘 되는 집 몇몇을 보고 자신도 그럴 수 있을 거라는 환상을 가졌거나 이 세 가지 이유 외엔 없을 것이다.

세상에 업종이나 직업이 사라지지 않고 존재한다는 것은 어떻게 하느냐에 따라 될 수도 있다는 것이고 확률의 문제일 것이다. 필자는 그래도 방법이 있을 거라 생각한다. 자본도, 스펙도, 특정 기술도 없는 사람이 가장 손쉽게 선택할 수 있는 일이기에 그런 서민들에게 희망을 드리고 싶은 심정으로 오랜 기간 경험하고 지켜봐온 노하우를 전하려 한다.

음식점을 하려면 2가지 전제조건이 있어야겠다.

하나는 끝까지 가겠다는 결의, 또 하나는 때를 기다릴 줄 알아야 한다는 것이다.

이런 말이 있다. 한중일(韓中日) 3국의 국민성으로 볼 때, 자신이 가진 돈이 100원 있다면 중국인은 70원 짜리 사업을, 일본인은 30원 짜리 사업을, 한국인은 150원~200원 짜리 사업을 시작한다는 말이다. 중국인은 30원의 여유를 두고, 일본인은 두 번 망해도 다시 해볼 심산으로, 한국인은 일단 시작하면 무슨 방도가 생기겠지 하는 생각으로 사업에 나선다는 것. 너무 비상식적이고 낙천적인 듯하다.

그러나 이런 무모한 도전이 오늘의 한국을 만든 요인이기도 할 것이다. 오랫동안 지켜본 몇 가지 예를 들어보겠다.

'녹두밭'

대학시절 가을비가 부슬부슬 내리던 날 절친인 류주형에게서 연락이 왔다. 빈대떡에 막걸리 한 잔 하자고. 장소는 부산 부평동의 개울가. 고만고만한 슬레이트집들이 모여 있는 한적한 동네, 어디 음식점이 있을 만한 위치가 아니었다.

개울을 따라 조금 걸어가니 쇠기둥에 매달린 간판이 나타났다. '녹두밭' 녹두장군 전봉준 생각이 나고, 빈대떡이 녹두로 만드는 거라는 생각이 났다. 알루미늄 샷시 문짝 2개, 창가에 할머니가 앉아 맷돌을 돌리고 있었다. 불린 녹두를 숟가락으로 떠서 연신 맷돌에 넣으면서.

할머니 옆으로 들어서니 맨땅이 까맣게 번질번질했다. 수많은 사람들이 밟고 다닌 흔적인 듯했다.

가정집처럼 미닫이문을 여니 방이 하나 있었다. 맷돌과 전 부치는 철판 하나, 조그만 방 하나가 전부인 가게인데, 빈대떡에 콩나물국과 막걸리가 나왔다.

'녹두밭'의 전은 맛있었다. 빈대떡, 동그랑땡, 굴전 등. 그 조그만 방에는 상이 2개밖에 놓이지 않는다. 다닥다닥 붙어 앉아도 7~8명 앉으면 걸어갈 수도 없는 크기인데, 항상 손님이 만원이었다. 그렇게 몇 번 가고 6개월쯤 후 그 집은 3층 건물을 지었다. 좁은 땅에 건물을 지었으니 계단을 올라가면 예전처럼 방 한 개뿐인 3층 건물이 됐는데 항상 손님은 만원이었다.

얼마 후 '녹두밭'은 타인에게 팔렸다. 그런데 손님이 조금씩 줄더니 운영이 어렵게 됐는데, 전 주인은 손님들의 요청에 따라 시내 한복판에 다시 문을 열었다.

나는 두 집을 다니며, 왜 그런 일이 생겼는지 면밀히 관찰했다. 음식 맛도 별 차이 없고 메뉴도 똑 같은데 왜 그럴까? 내가 내린 결론은 이렇다.

첫째는 국산 녹두를 직접 갈아서 만드는 모습을 보여주는 것이 요체였다. 건물을 새로 지을 때 입구에서 맷돌로 녹두를 갈던 모습이 사라졌다.

둘째 이유는 아주 사소한 것인데 할머니가 맞춰주던 그 콩나물국의 간이다. 여름에는 냉국으로, 겨울에는 뜨거운 국물로 전의 맛을 보완해주던 콩나물국인데, 주인이 바뀌면서 미세한 맛의 차이가 나타난 것이다.

필자가 진단한 결과는 이 두 가지뿐이다. 오래된 맛집들이 건물을 새로 짓거나 크게 넓힐 때 오히려 역효과를 내는 경우가 있는데, 손님들이 느꼈던 편안함과 자연스러움이 장사에 도움이 된다는 뜻이다.

깡통시장 유부 주머니

결혼 후 처음 맞는 추석이었다. 아내가 장보러 가는데 같이 가자고 해서 따라나섰다. 자갈치시장, 국제시장, 부평동시장을 돌며 장을 다 봤는데 한군데 더 가자고 했다. 국제시장 초입의 외제 물건(주로 일본제품) 파는 깡통시장이었다.

사람들이 붐비는 사이를 뚫고 찾아간 곳은 어느 분식집, 거기는 홀도 없고 길에 서서 음식을 먹고 있었는데, 비집고 들어갈 틈이 없었다. 손님들은 모두 멜라민 사발을 하나씩 들고 있었는데, 그 정체가 궁금했다.

아내가 줄을 뚫고 들어가더니 두 그릇을 들고 나왔다. 그냥 봐도 어묵이었다. 조그만 그릇에 삼각형으로 썬 어묵과 육수가 들어 있는 그릇.

나는 의아했다. 어묵 잘하는 집들이 많은데 거기까지 멀리 가서 설 자리도 없는 시장통에 서서 먹는 이유가 뭘까? 그런데 그릇 한가운데 미나리를 십자로 묶은 유부 주머니가 한 개 있었다. 집어서 씹으니 육수가 새어나오면서 당면이 씹혔다.

당면을 넣은 유부 주머니.

이 하나의 아이디어로 이 집은 세(貰) 들어 있던 그 건물을 사고 전국으로 소문이 나서 하루에 택배를 7백 건 이상 보낼 정도로 성공했다.

어묵을 꼬챙이에 끼워 하나씩 팔던 시절에 그걸 썰어 그릇에 담고 유부 주머니를 넣는 발상을 했던 것이다.

최근의 상황은 모르지만 실로 대단한 성공이다. 매장을 찾는 손님과 포장해서 사가는 숫자, 택배를 합치면 하루에 2천 인분은 팔았을 텐데 어지간한 중소기업보다 수익이 높았을 것이다.

온천장 꼬마김밥

필자의 나이 45세 때 난생 처음으로 악기를 배우러 다녔다.

내가 좋아하는 영화배우 로버트 드니로가 나오는 영화 〈미션〉을 보고 거기에 나오는 '가브리엘즈 오보에'라는 곡에 매료되어 오보에라는 악기를 배우고 싶었는데, 여의치 않아 클라리넷을 배우게 됐다. 부산대학 앞의 음악학원에는 부산시향 트럼본 수석을 지낸 원장님과 아코디언을 배우는 선배, 색소폰을 하는 친구, 기타를 배우는 40살 노총각 이렇게 5명은 일요일 마다 모여 금정산 등산을 하고 내려와 동래 온천장에서 목욕하고 막걸리 한 잔 마시고 헤어지는 미팅을 가졌는데, 어느 일요일 온천장에서 목욕을 하고 나와 막걸리집을 찾는데 창가에 아주머니 서너 명이 열심히 무엇을 만들고 있었다.

가까이 가보니 김밥을 싸는데 꼬마김밥이었다. 김을 4등분하여 밥과 속을 넣고 그냥 손으로 말면 하나씩 만들어지는 꼬마김밥. 양 옆으로 김밥속이 1~2cm 튀어나와 먹음직스럽게 보였다. 아주머니 한 명당 옆에 수십 개씩의 꼬마김밥을 쌓아놓고 있었는데, 원장님이 "저거 언제 다 팔겠노, 오늘은 막걸리 대신 꼬마김밥 어떠세요?" 하여 다들 동의했다.

그 집은 메뉴가 하나뿐이라 "몇 개요" 하면 멸치육수 한 그릇과 함께 가져다주었다. 테이블도 없고 벽 따라 놓인 선반에 플라스틱 의자 놓고 앉아 먹고 갔다. 우리가 있는 동안 오후 5시쯤 되자 하나둘씩 손님들이 오기 시작하더니 포장을 해서 사가는데, 나올 무렵에는 거의 다 팔려버리고 손님들이 포장해 가려고 옆에서 기다리고 있었다.

이 집은 간판도 없었고, 그 후로 가보지도 않았는데 요즘 지하철 역사에 생긴 마리짱을 보면서 생각이 났다.

종로 국일관 토스트

강화도에 선원사라는 절이 있다. 팔만대장경을 제작했던 고려시대 대사찰이라고 전해지는데, 여기 절터에 선원사라는 절을 지은 성원스님은 연밭을 직접 가꾸고 연근, 연잎 등의 연(蓮)을 이용한 제품을 개발하는 등 식품에 관심이 많은 분이다.

스님은 십여 년 전 연을 사용하는 음식점이나 식품회사 사람들을 모아 연 소비자 모임을 만들었는데, 필자를 그 모임의 회장으로 낙점(?)하여 1년 간 회장을 한 적이 있다.

어느 날 종로에서 만나자는 스님의 연락을 받고 갔더니 나를 데리고 국일관 옆 골목 어느 포장마차 앞으로 갔다. 길에 서서 포장마차 아주머니가 갖다 주는 토스트를 먹으며 얘기를 나눴는데, 그 다음 달 모임에 그분이 오셨다. p여사다.

세월이 십 수 년 흘러 길가에 죽 늘어서 있던 포장마차도 많이 없어지고, 주인이 바뀌고, 품목이 바뀐 곳도 많지만 거기는 그대로다. 그녀는 종로의 터줏대감이다. 주변 상인들과 나이 좀 든 행인들은 모두 그녀를 안다. 지나가는 사람들에게 인사를 하고 식혜든 연잎차든 마실 것을 대접한다.

그녀는 주변 가게들을 부러워하지 않는다. 포장마차가 실수입이 더 많고 자유롭다는 자부심이 대단하다. 내가 종로를 갈 때는 꼭 들른다. 그녀가 좋아하는 아이스 아메리카노 한 잔 들고 찾아가서 이야기를 나눈다.

이렇게 오랜 기간 지켜온 4가지 유형의 음식장사를 소개했는데, 결론을 얘기해보면 다음 몇 가지로 요약할 수 있겠다.

1. 장기간의 레이스를 통해 결론이 날 일이니 각오를 단단히 하고 뛰어들어야 한다는 것이다.

2. 음식을 만드는 모습이나 재료 과정을 보여줌으로써 고객의 신뢰를 쌓는 게 좋다.

3. 문 여는 시간이나 휴일 등을 엄격히 지켜 찾아온 고객이 헛걸음하는 일이 없어야 한다.

4. 특별한 메뉴보다는 누구나 아는 메뉴를 선택하는 것이 좋고, 그 메뉴에서 남들이 하지 않는 무엇을 발견하여 추가하든지 보완하는 방식이 좋다.

5. 한국인은 탕반문화에서 보듯 국물을 좋아한다. 그러니까 한두 가지 독특한 육수나 국물을 개발하여 미리 연습하고 준비할 필요가 있겠다. 빈대떡집의 콩나물국, 유부 주머니집의 어묵 육수, 꼬마김밥집의 국물, 토스트 가게의 식혜나 연잎 차, 부산의 유명한 할매 회국수 집의 멸치육수처럼.

6. 숫자로 승부하는 메뉴가 좋겠다. 어떤 음식점에 가보면 몇 그릇 팔지도 못하면서 가격 문제로 고민하는 것을 보는데 수익률이 몇 %인가는 나중에 따져도 된다. 얼마가 남든 손님들의 신뢰만 쌓이면 숫자가 말해 줄 것이다.

7. 목 좋은 장소를 위해 권리금을 주고, 인테리어 공사에 많은 돈을 쓰는 경우를 보는데, 아무리 뒷골목에 있어도 맛있으면 손님이 찾아온다. 간판을 걸기 시작하는 순간, 그만두면 몇천만 원 날릴 게 뻔한 경우를 많이 보는데, 요즘처럼 코로나가 오든지, 조류독감이 오든지 하면 어떻게든 견뎌내야지 문을 닫고 그만둘 수는 없지 않은가?

옛날 생명보험회사 소장 시절 설계사 교육 때 숱하게 했던 말이 생각난다.

"너 자신에게 팔아라."

"너희 가족에게 팔아라."

"너희 이웃에게 팔아라."
"세상 모두에게 팔아라."
보험을 팔라는 뜻인데, 음식장사에 대입하면 이렇게 될 성싶다.
"너 자신이 먹어라."
"너희 가족에게 먹여라."
"너희 이웃에게 먹여라."
"세상 모두에게 먹여라."

자신이 만든 음식이 자신의 입맛에 안 맞고, 가족의 입맛에 안 맞는다면 누구에게 팔겠는가? 어차피 시장은 포화상태다. 나와 우리 가족이 먹을 음식을 정성들여 만들겠다는 마음으로 위에 적은 내용들을 참고한다면 그래도 길이 있지 않을까?

돈은 적어도 되고, 장소는 좀 외져도 되지만 이런 각오가 없다면 시작하지 마라. 일단 시작하면 마라톤을 달리듯 온갖 역경을 이겨내고 더 이상 못 뛸 거 같은 데드포인트(사점)를 지나 결승선을 통과하기를 빌어드린다.

그동안 보람 있는 일 했고 갖가지들 먹고 살았고, 끝나고 계산해보니 얼마를 벌었더라고, 수지 계산은 마지막에 해보는 게 어떨까?

필자는 오랜 기간의 식품에 대한 경험을 토대로 메뉴 개발이나 마케팅 전략을 컨설팅해주는 일을 계획하고 있다. 무료로 운영했으면 좋겠고, 도움 받은 사람들이 있다면 그들의 기부를 통해 다음 사람들을 돕는 운동을 상상하고 있다. 자영업자들이 코로나19를 극복하고 세상의 중추가 되기를 기원하면서.

보험과 철학

1979년 이맘때쯤 나는 서울에 계시는 작은아버지로부터 전화를 받았다. 전화 내용인즉 앞으로 보험회사의 전망이 밝은데 입사시험을 보겠냐는 것이었다. 당시 작은아버지는 어느 그룹의 중역으로 꽤 잘 나가는 분이셨는데, 그해 12월에 그룹 방계인 보험회사의 신규 채용이 있다는 설명이었다.

당시 나는 문학, 서예, 다도 등에 빠져 준비가 안 된 상태였고, 서울의 어느 대학에 편입할 생각이라 취업에는 관심이 없었는데, 학비나 용돈 등의 도움을 준 집안 어른의 권유를 뿌리치지도 못하고, 시험을 쳐도 합격할 자신이 없어 머뭇거리니까 일단 시험을 보라고 말씀하셨다.

날짜가 흘러 그해 12월 시험을 치렀다. 45명 모집에 거의 천 명이 왔으니 18대 1이 넘는 경쟁률이라 가망이 없어 보였다. 경제학, 경영학, 영어 시험을 오전에 치르고, 오후에는 논문과 상식 과목이었다. 오전 시험은 참담했다. 제대로 치른 것은 오후의 논문과 상식 정도였다.

논문은 한자를 좀 알기에 토씨를 빼고는 거의 한자로 썼고, 상식은 그런 대로 마친 다음 이튿날 면접시험이 있었는데 면접관 5명 중 2명이 아는 분이었다. 작은아버지 회사에 인사하러 몇 번 갔는데 그 방에서 본 임원들이었다.

부산 집에 내려와 떨어졌거니 생각하고 있었는데 열흘쯤 지난 뒤 합격 통지가 왔다. 아니 이게 무슨 일인가? 세월이 흘러 양심대로 말하면, 면접 점수를 만점 받아 꼴찌에서 몇 번째로 합격한 것이라 생각된다. 그러지 않았으면 50등 정도로 떨어졌을 것이다.

해가 바뀌어 1980년 1월 보름동안 신입사원 교육에 오라는 통보를 받았다. 청평 산장호텔인가? 거기서 합숙하면서 교육을 받는데, 하루는 그 회사에서 가장 실력 있는 임원인 상무가 강사로 나오셨다.

"여러분, 입사를 축하합니다. 보험이 뭔지 아세요?"

이런 물음에 다들 묵묵부답. 합격자 45명은 대부분 SKY 출신이라 뒤편 구석자리에 앉아 있던 나도 답을 하지 못하고 두리번거리는데, 상무님이 큰 소리로 말했다.

"여러분! 인류가 만든 가장 위대한 제도는 보험이고, 가장 쓸모없는 학문은 철학입니다."

이게 무슨 소리인가? 얼핏 이해도 안 됐지만 말도 안 되는 논리라 여겨졌다. 보험은 잘 모르겠지만, 철학을 그렇게 표현한다는 것이 이해가 되질 않았다. 잠시 강의실이 술렁이는 와중에 강사인 상무님은 칠판에 이렇게 쓰셨다.

미래의-future
불확실한-uncertain
위험에 대비하는-risk
사회적 제도-social method

이 말을 아직도 기억하는 것은 그 이후 내가 모집사원들을 교육할 때 이보다 더 간단하고, 적절한 표현을 찾지 못해 자주 써먹었기 때문이다.

그런데 철학은 아직도 잘 모르지만 가장 쓸모없는 학문이라고는 생각하지 않는다. 인생이나 세계를 탐구하는 학문인 철학이 쓸모없는 학문이라면 어떤 가치관과 세계관을 가지고 살며, 위인전에서 읽었던 철학자들은 다 무엇이란 말인가? 그러나 서울대 출신에 시인이고, 50대였던 L상무님이 보험회사 신입사원들에게 보험의 유익함을 강조하려고 그랬지 철학을 폄하하려고 그런 얘기를 하시지는 않았을 것이다.

보름 동안의 신입사원 교육이 끝나고, 근무부서 발령이 날 무렵, 작은아버지께서 나를 찾아오셨다.

조부모님이 살아계시니 부산에서 근무하며 모시는 게 어떻겠냐는 말씀에 동의했고, 나를 키워주신 할아버지 할머니를 돌아가실 때까지 4년 간 모셨으니, 조금이라도 은혜를 갚은 것 같아 잘한 결정이라고 생각한다.

공채 입사자들은 본사의 중요 부서에 발령을 받았으나 나는 부산으로 내려갔고, 보험회사 지방 조직에는 영업부서밖에 없었다. 1980년 2월 부산의 영업부서로 첫 출근하던 그날의 기억을 잊을 수 없다.

출입문이 커다란 방화문 두 짝이었는데 한쪽 문을 열고 들어가니 조회 중이었다. 50평이 넘는 사무실에 직원들이 꽉 차 있었고, 전부 여성이었다. 일제히 나에게로 몰리는 시선, 얼굴이 빨개지고 몸 둘 곳을 모르겠는 상황이었다. 소파에 앉아 살펴보니, 20대에서 60대까지로 보이는 수십 명의 여성들이 나이도 복장도 다양했다.

당시 유행하던, 동네 아줌마들이 입는 월남치마에 신발 가장자리로 노란 인조털이 있는 털신을 신은 나이 많은 사원부터 겨울인데도 스타킹을 신고 투피스 정장에 코트를 입은 젊은 여성까지 구구각색이었다. 조회가 끝나고 뭘 묻는데 부끄러워서 고개를 들지 못하고 얼버무리던 기억도 난다. 하여간 난생 처음 보는 광경이었다.

이렇게 시작된 보험회사 초년생 시절이지만, 나에게는 많은 경험과 가르침이 됐다.

한국 최초의 보험회사는 1946년 설립된 대한생명(지금의 한화생명)이니, 우리나라에 보험회사가 생긴 지 30년 남짓 된 시점이었는데, 내가 공채 3기였으니 1978년까지는 공채도 없었고 사주의 친인척과 사돈의 팔촌까지 직원으로 있는 전근대적 회사였으며, 당시만 해도 보험회사에 대한 인식이 별로 좋지 못했다. 결혼할 때 처가에서도 나의 직업이 못마땅한 듯했으니까.

나의 사회생활은 이렇게 시작되었고, 나는 열심히 일했다. 일단 입사했으니 남보다 빨리 진급하고 싶었고 작은아버지와의 관계를 사람들이 아는 것이 부담스럽기도 했다.

부산영업소는 한강 이남에서는 가장 큰 점포였고, 부산에 있었지만 전국 450개 영업소 중 10위 안에 드는 대형 점포였는데 소장님이 대단한 분이었다.

정년퇴임이 가까운 할머니였는데, 6.25 때 경북대 교수였던 남편이 납북당하고, 어렵게 살 때 남편 친구의 권유에 따라 수금사원으로 입사하여 내근 과장(지금의 지점장급) 직급까지 오른 분인데 새벽 5시면 사무실에 출근하여 청소하고 화분의 꽃잎을 일일이 행주로 닦는 등 대단한 열정을 가진 분이었다.

보험회사 근무 중 가장 기억에 남는 것은 회식이고 음식이다. 무슨 회의와 마감이 그리 많은지, 팀 회의, 영업소 회의, 내근사원 회의, 영업국(지점) 회의 등 회의나 회식이 없는 날이 드물 정도였다.

그러니 사무실 부근의 식당가에선 최고의 손님이었다.

부산에서 근무했지만 나는 동기생 중 가장 진급이 빨랐다. 1년에 정기승급 1호봉, 특별승급(해당 영업소가 전국 10위 내의 실적을 달성할 때) 1호봉, 사장이 임명하는 위촉강사(지역별 2명) 1호봉해서 1년에 3호봉씩 승급했으니 가장 빨랐던 것이다

할머니 소장은 나에게 어머니처럼 잘해주셨다.

그도 그럴 것이 나는 내근사원이었지만 집안에서 처음 사회생활 시작한다고 제법 많은 보험을 들어주었고, 나는 그 실적

을 사원들에게 시상으로 걸어 상당한 실적을 올렸기에 소장님께도 꽤 도움이 됐을 터이다.

보험회사 시절의 에피소드는 많다. 특히 음식은 사람의 인연을 가깝게 만들고, 식품을 공부하는 나에게는 상당한 경험과 도움이 됐다. 40년 전에 한 달 판촉비가 백만 원 남짓 되었으니 대단한 일이었다.

당시 최고의 회식 장소였던 해운대 암소갈비집이나 금정산 산성마을의 염소불고기 식당에서 최고의 손님이었고, 내가 궁금한 것을 물어보거나 원하는 것을 말하면 흔쾌히 실험적으로 만들어 주는 계기가 되어 지금까지도 그때의 경험이 많은 도움이 되고 있다.

그렇게 꿈같은 2년을 보내고 나는 동기생 중 가장 먼저 참사(금융기관의 계장급 직위)로 진급하면서 1982년 3월 소장이 되었다. 대단히 빠른 진급이었고, 친인척들의 도움도 있었지만, 자력으로 사회생활에서 이룬 첫 번째 보람이기도 했다.

음식은 인연을 만들어준다.

보험회사에서는 유능한 사원을 유치하는 일이 생각만큼 쉽지는 않았다. 어느 날 한 직원이 말했다.

"남천동 삼익아파트(당시 부산 최고의 아파트 단지)에 진주여고 출신의 부녀회장이 있는데 그분만 나오면 새로운 조직이 탄생할 겁니다."

나는 같이 가서 인사만 시켜달라고 부탁하여, 여름이라 커다란 수박을 사들고 그녀를 방문했다. 그런데 풍기는 이미지부터 보험회사 이야기를 꺼내놓을 분위기가 아니었다. 그분의 아들이 나보다 2년쯤 위였으니 그렇게 보는 것도 당연한 일이었는데, 두어 번 더 방문했지만 씨알도 먹히지 않는 상황이었다.

그런데 그분의 친정어머니가 함께 살고 계셨는데 어느 날 우리의 대화에 동참하여 나에게 젊은이가 고생한다면서 측은한 미소를 지으셨다. 함께 얘기하는 도중에 그분이 돌아가신 남편 제사 이야기를 하는 것을 듣고 기억했다가 나 혼자 커다란 수박을 사들고 땀을 뻘뻘 흘리면서 그 집으로 찾아갔다.

여전히 보험회사 이야기에 진척이 없이 애태우고 있는데, 친정어머니인 할머니가 거실로 나오시더니 딸에게 말씀하셨다.

"니 내일부터 보험회사 나가거라."

"어무이, 무슨 말씀을 하십니까? 집안일은 우짜고예?"

"집안일? 내가 할게."

"니도 자식 키우면서 저 젊은이가 이 더운 날에 남의 집 제삿날까지 기억하고, 찾아왔는데 뭐 그리 얻을 게 있다고? 니가 그리 잘 났나?"

나는 민망하여 "아이쿠, 어무이 들어가이소." 하며 문을 닫고 돌아왔다.

그런데 다음날 아침, 조회를 시작하려고 직원이 출입문을 잠그러 가는데 중년의 귀부인이 나를 보고 미소를 지으며 들어섰다. 이 일로 그분의 주변 사람들을 입사시켜 새로운 팀이 만들어지고, 내가 소장이 될 때 큰 도움이 됐다.

소장이 된 후 나는 또다시 경쟁의 소용돌이에 묻힐 수밖에 없었다. 세상은 치열한 경쟁의 연속 아니던가? 하루는 어느 직원이 말하기를, 어떤 여성이 있는데 증원(모집사원을 유치하는 일) 하려 하자 남편이 난리란다. 보험회사 나가면 바람난다나?

나는 그 집에 같이 가자고 했다. 그런데 직원이 말렸다. 그 집 신랑이 알코올 중독인데 폭력에 망신 당할까봐 그렇다는 것이다. 우여곡절 끝에 찾아간 집은 달동네의 단칸방이었다. 인

이다. 우여곡절 끝에 찾아간 집은 달동네의 단칸방이었다. 인기척이 없어 기다렸으나 둘 다 외출한 듯했다.

나는 직원을 시켜 그 집 부엌에 가보라고 했더니, 세상에 쌀독에 쌀이 한 톨도 없단다.

나는 동네 쌀가게를 찾아가 쌀 한 말을 배달시켜 쌀독에 부어 놓고 돌아왔다. 다음날 그 여성이 출근했는데, 나에게 인사를 하고 나서 소파에 앉더니 펑펑 울었다.

양식을 사준 사람은 처음이라고. 그러면서 사연을 털어놓길, 찢어지게 가난한 집에서 자라 시집을 갔는데, 남편이란 작자가 일은 하지 않고 매일 술만 마셔대는 바람에 술 취한 남편의 폭력에 시달리며 살았다는 것이다.

며칠 후 웬 험상궂은 남성이 사무실로 찾아왔는데, 그 신입사원이 옆으로 다가가자 시비조로 물었다.

"니, 여기서 뭐 하노?"

"뭐하기는 일하지."

"이 여편네가, 집에서 살림이나 하지 무슨 짓이고?"

"아구, 뭔 살림할 게 있어야 하지."

그런데, 갑자기 이상한 말을 했다.

"니, 이 사람과 무슨 관계고?"

"어, 소장님인데, 존경하는 관계다."

"아이구, 존경? 니 혼 좀 나야겠네. 어서 집에 안 가나?"

"못 간다. 니하고는 안 살아도 회사는 나올 기다."

직원들이 여럿 와서 말리고 한바탕 난리가 난 사건이었다. 지금은 이름도 기억나지 않는 그 여성은 그 후 어떤 인생을 살았을까? 편안한 노후를 빌어드린다.

내가 관할하던 영업소에는 서울대 정외과 출신부터 한글을 모르는 나이 드신 직원까지 있었는데, 계약할 때 늘 나를 동반해야 하는 일도 많았고, 서울대 출신은 자신이 보험회사 다닌다는 말을 주변에 할 수 없어 보험을 제대로 못 한다고 면담 때마다 하소연했다. 그게 그의 자존심이었을까?

소장이 된 후 처음으로 월 수금 5천만 원을 돌파하였을 때, 업계 최초로 보험료가 1억이 넘는 계약을 체결하여 생명보험협회에서 취재하러 왔을 때 등 기억에 남는 일도 많았던 보험회사 시절, 20대 후반에서 30대 중반까지 내 삶의 황금기였다.

오늘의 제목에 맞춰 보험과 철학을 다시 한 번 정의해보자. 사람은 인생을 살면서 뚜렷한 철학을 가지고, 보험과 음식으로 미래의 건강을 대비해야 한다는 것!

음식은-food
미래의-future
질병에 대비하는-disease
개인적 수단이다-personal method

질병의 시대를 사는 법

'불출호지천하(不出戶 知天下)'라는 한자어가 있다. 밖에 나가지 않고도 천하를 안다는 뜻인데, 옛날 선비들은 이런 능력을 가졌는가 보다. 신문과 TV를 보고, 스마트폰으로 모든 걸 검색하며 살아도 세상을 잘 모르겠으니 능력의 부족을 인정해야겠다.

올해 초부터 코로나 사태가 세상을 어지럽히더니 오늘부터 62세 이상을 대상으로 독감 백신을 무료 접종한다는데 판단이 서지 않는다. 맞아야 할지, 기다려야 할지? 운명에 맡기고 그냥 있어야 할지?

나의 증조부는 진사시에 합격하여 동네 훈장을 하셨단다. 슬하에 아들만 둘을 두셨는데, 5분 차이로 태어나신 분이 나의 할아버지다.

할아버지 얘기를 꺼내는 것은 살다가 판단이 어려운 문제가 있을 때, 할아버지께서 명쾌한 답을 단호하게 내리시는 모습을 여러 번 봤기 때문이다. 할아버지는 5분 늦게 태어나신 관계로 차남이 되어, 형인 큰집 할아버지는 일본 유학에 재산의 95% 이상을, 할아버지는 야학 6개월에 작은 초가집 한 채 물려받아 형님네 일까지 온갖 힘든 일을 다 하시고, 재산도 적었지만 불평 한 마디 없으셨다.

할아버지께서는 날씨를 보고 "야들아 비오겠다." 하시면 잠시 후 비가 오고, "얼마 안 가서 길 가다 쉴 때 돈을 줘야 할 거다." "물 한 잔 마실 때도 돈을 줘야 할 거고." 이런 말씀도 하셨단다. 할아버지는 야학에 6개월 다니면서 겨우 한글을 배운 분이었는데, 어떻게 그런 혜안을 가지셨는지 궁금하다.

큰집 할아버지는 일본 중앙대학을 졸업하고 잠시 귀국했다가 다시 일본으로 가셔서 일찍 돌아가셨다고 들었다.

할아버지는 쌍둥이 형의 대학 동기가 일제 때 부산 송도 옆의 혈청소(현재는 동물검역소) 소장으로 오자 형의 추천으로 입사하여 16년을 근무하셨다는데, 거기서의 경험이 많은 영향을 주었을 거라 생각된다.

집에서 왕복 40리나 되는 길을 걸어서, 여름에는 수영을 해서라도 16년 간 결근 한 번 없이 다니면서 돈을 모아 형의 재산에 버금가는 논밭과 토지를 만들었단다. 우리 동네 국민학교 설립위원으로, 동네 경로당에 집 한 채를 기부하는 등 형이 못한 일도 하셨다. 내가 어릴 때 할아버지 친구 분들이 나를 반쪼가리 손자라고 부를 때 나는 그 의미를 몰랐다.

"테스 형, 세상이 왜 이래?"

얼마 전 이런 가사의 노래가 나오던데, 이 책을 쓰는 목적이 식품과 건강이어서 정치나 시사 문제는 피하는 편이지만, 도무지 이해가 되지 않는 점을 말해야겠다.

코로나는 언제 끝날까? 코로나가 끝나더라도 또 다른 감염병이 나타날 거라는 생각이다. 독감 백신은 안전할까? 중국산 수입품이거나 중국산 원료를 수입하여 만든 제품은 안전하지 못하다고 생각한다. 이유는 중국산 수입식품을 경험했을 때, 중국이란 나라의 제품을 신뢰할 수 없었기 때문이다.

코로나 이후 경제는 어떻게 될까? 나는 매우 비관적으로 본다. 중국은 붕괴될 것이고, 일본은 망할 것이며, 한국도 그 뒤를 따를 확률이 높다고 본다. 이유를 설명하기는 너무 길고, 필자 같은 사람의 안목을 믿지 않을 거라는 생각도 든다.

할아버지는 일본인 얘기를 많이 하셨는데 칭찬 일색이었다.

일본인은 정직하다, 일본인은 약속을 잘 지킨다, 일본인은 사람을 차별하지 않는다. 주로 이런 내용이었다. 정치를 안 했기에 망정이지 정치를 했다면 친일파의 후손이란 얘기를 들었을 것이다. 요즘 말로 '토착왜구의 후손'이라 했을까? 그래도 좋다. 왜 일본을 그렇게 싫어하는지 나로서는 잘 모르겠다.

우리와 유전자의 70%가 같다는 일본을, 일본인을 우습게 아는 나라는 한국뿐이란다. 완전히 종족이 다르고, 천년 이상 우리 민족을 괴롭힌 중국을 좋아하라고? 나는 반중, 반북한, 친미, 친일주의자다. 중국과의 관계를 정리하지 않으면 한국의 미래가 암울하다고 생각한다.

우리 민족 5천년의 역사에서 지난 30년간의 풍요를 다시 누리기는 어려울 거라고 말하는 학자들도 있다. 제발 그런 일이 없기를 바란다. 그럴 리야 없겠지만, 진정으로 조국을 사랑하기에 간절히 기도하는 마음이다.

불쌍하고 별 볼 일 없는 백수의 넋두리라 치고, 할아버지 말씀이 생각난다. 일본인들은 싱겁게 먹고, 마늘 안 먹어서 이질이 잘 걸리고, 전염병에 약하다는 말씀이었다. 우리 민족의 끈기와 감염병에 강한 것은 김치와 마늘 때문이 아닐까?

콜드체인 시스템이란 제품의 생산 유통 전 과정을 일정 온도의 냉장으로 관리하는 것을 말하는데, 독감 백신을 배송하면서 그게 지켜지지 않았다고?

그래도 이상 없으니 맞아도 된다고? 도대체 내가 제 정신이 아닌지, 세상이 제 정신이 아닌지 모르겠다.

식품을 만들 때도 포장이 끝나는 대로 냉장창고에 넣어 그 안에서 작업하고, 냉장차로 배송, 냉장고에 진열하여 판매하는데, 인체에 투입하는 약인 백신을 그런 식으로 소홀하게 취급한다고? 우유가 그렇게 배송되었다면 먹을까? 유통기한이 지났지만 상하지 않았다고 사 먹으라면 마시겠는가?

중국에서 고추를 수입할 때 보면, 탄저병이 걸려 까맣게 병든 부분을 잘라내지도 않고 컨테이너에 실어 보낸다. 중국인들은 그렇게 한다. 우리의 태양초는 햇볕에 말리다가 먼지 묻었다고 고추를 일일이 닦는 사람들도 있는데 말이다.

중국이 G2라고? 미국과 한 판 붙겠다고? 내몽골 독립은? 신장 위구르는? 티베트는? 대만, 홍콩은? 하여간 중국만 생각하면 좀 짜증스럽다. 중국인들이 이 책은 안 볼 테지?

우한 폐렴이라고, 진작 중국에서 발생한 질병인 줄 알면서 우리는 왜 처음부터 중국인의 입국을 막지 않았을까? 올해 코로나로 사망한 숫자는 450여 명, 독감으로 1년에 3천 명은 죽는단다. 그런데 왜 매일 뉴스에서는 코로나 사망자로 도배할까? 왜 백신을 무상으로 접종해준다 고 할까? 이 정도로 하고 본론으로 돌아와, 우리가 해야 할 일이 무엇일까를 생각한다.

필자의 견해로는 식품밖에 없다.

항산화식품. 면역력 증강 식품, 발효식품, 비타민…특별할 것도 없이 늘 하던 소리다. 나는 가장 무서운 병이 당뇨라고 생각한다. 눈이며 치아, 발, 혈관 등의 합병증을 생각하면 정말 무서운 질병이다(당뇨 환자 5백만 명, 잠재적 환자 천만 명 육박).

학자나 의사들이 주로 외국의 논문이나 실험 사례를 근거로 얘기하는데, 국내에서 오랜 기간 수천 명을 대상으로 연구한 사례가 있어 소개한다.

1. 유전이나 가족력을 살펴라.

어릴 때부터 당뇨에 걸리지 않도록 식습관을 가르쳐야 하고, 부모나 유전적인 요인이 있는 사람은 젊어서부터 관리하는 것이 중요하다. 요즘 질병은 나이에 관계없기 때문이다.

2. 아침예찬!

아침식사를 꼭 챙기는 습관(탄수화물과 채소로)을 가져야 한다.

3. 충분한 취침.

가능하면 11시 이전에 취침하도록 한다. 밤 10시부터 새벽 2시까지 취침은 신체 리듬을 위해 대단히 중요하다는 사실 인식해야 한다.

4. 걷기 운동.

꾸준한 걷기 운동으로 허벅지, 엉덩이 근육 단련시켜야 한다. 걷기 운동은 소아비만 예방에도 효과적이다.

5. 코골이는 병원에 가서 치료해야 한다.

6. 금연은 필수(절대 엄수), 음주는 가능한 적게!

7. 식이섬유 많은 채소(녹황색 채소, 색깔 있는 채소 참조)는 다이어트와 변비 예방을 위해서도 좋은 음식이다.

코로나와 독감이 같이 유행할 수 있으니 올해는 꼭 독감 예방 백신을 맞는 게 좋다는데 밤을 새워 공부해도 선뜻 답을 내릴 수 없으니 어찌 하면 좋을까?

세계 10대 슈퍼 푸드

2002년 미국의 시사주간지 TIME은 세계 10대 슈퍼 푸드를 선정하여 발표하였다. 슈퍼 푸드는 인체 노화 분야의 세계적 권위자인 스티븐 포렛 박사가 쓴 『나는 슈퍼 푸드를 먹는다』라는 책 제목에서 유래된 말이다.

슈퍼 푸드는 열량과 지방 함량이 낮고, 비타민 무기질 항산화 영양소 섬유질을 포함한 생리 활성 물질인 파이토 케미컬을 많이 함유한 식품을 말한다. 슈퍼 푸드는 심혈관 질환, 고혈압, 당뇨 등 만성질환과 암 등의 예방과 면역력 강화에 도움이 되는 식품이니 기억하였다가 실생활에 활용하면 좋겠다.

2000년대 들어 식품 유통시장은 급격하게 변하기 시작했다. 오프라인에서 온라인으로 중심이 옮겨가기 시작한다. 나는 회사를 서울로 옮기고 아예 서울로 이주를 했다. 친구들은 '다들 고향으로 돌아오는데 왜 지금 서울로 가느냐?'고, 누가 식품을 직접 보지도 않고 온라인에서 구매를 하겠느냐고 반대했다.

나는 1980년대 편의점이 대세가 될 것이고 전국의 구멍가게가 사라질 거라는 말을 믿지 않아서 사업의 큰 기회를 놓친 적이 있었기에 이번에는 주변의 반대를 무릅쓰고 생각대로 이주를 감행했다.

세상의 변화는 무섭게 진행되고, 갈수록 변화의 사이클이 짧아진다. 불과 40년 전에 전국의 동네마다 골목골목에 있던 구멍가게, 연쇄점, 슈퍼 이런 것들이 사라지고 편의점이 대신할 줄은 예상하기 힘들었으나 그리 오래 걸리지 않아 대세가 되었고, 온라인 시장이 백화점 대형마트 재래시장 모두를 합한 것보다 커질 것이라고 미리 예측하기란 어려웠지만 훨씬 빨리 도래하지 않았는가?

온라인 쇼핑몰이 한창 유행하기 시작할 무렵 쿠팡, 티몬, 위메프 등 소셜커머스가 등장했다. 부산에 있을 때 시작했던 '오징어 불고기'와 '돈오불(돼지고기, 오징어 불고기)'을 서울에 와서 출시하여 제법 매출을 올릴 시점에, 나는 아침식사의 중요성을 인식하고, 천연 발효식초의 효능에 푹 빠져 천연 발효식초를 이용한 피클 개발에 몰두하였다.

그 무렵 티몬과 거래를 시작했고, 영국에서 수입한 뮤즐리를 알게 되었다. 아침식사의 중요성을 알리기 위해 선택한 아이템인데, 사실 그때까지 나는 뮤즐리를 몰랐다.

영국에서 제품이 도착했을 때 뮤즐리와 그래놀라가 함께 왔다. 지금 뮤즐리를 검색하면 시리얼의 한 종류라고 나오는데, 흔한 켈로그 등의 시리얼 대신 좀 더 나은 제품을 찾으려다 발견한 것이 뮤즐리다.

뮤즐리는 스위스에서 시작되었고, 유럽인들이 즐기는 시리얼이라고 보면 되겠다. 내용물도 곡류에 견과류, 건(乾)과일까지 섞인 제품이었다. 미국에서 시작된 시리얼보다는 좀 고급스럽고, 내용물도 다양하고 포장도 컬러 인쇄로 화려하지 않은 종이 포장이었다. 그래놀라는 기존의 시리얼과 비슷했다.

이제 세계 10대 슈퍼 푸드를 알아보자.

1. 귀리

귀리는 콜레스테롤 저하에 도움이 되고, 섬유소가 풍부한 식품이다. 서양인들이 아침식사 대용으로 많이 먹는 오트밀이 귀리로 만든 것이다. 오트밀은 귀리를 볶은 다음 눌러서 납작하게 만들거나 빻아서 거칠게 부순 것인데 주로 우유에 타서 식사대용으로 먹는 음식이다.

맛을 위해 설탕이나 초콜릿을 입히기도 하는데 그냥 귀리를 볶은 것이 좋겠다. 귀리의 다양한 효능은 검색해보면 될 테고, 귀리와 비슷한 우리의 곡물 보리와 기장도 같은 방법으로 가공하여 상품화하면 좋을 성싶다.

귀리를 쌀과 섞어 잡곡밥처럼 먹거나, 우유가 싫은 사람들은 볶은 귀리를 가루 내어 밀가루와 섞어 빵을 만들거나, 죽을 끓일 때 넣어 먹는 것도 좋은 방법이라 생각한다. 귀리는 심장병, 당뇨, 다이어트에도 좋으니 자신 만의 섭취 방법을 연구하여 굳이 다이어트를 위한 다른 방법을 찾을 필요 없이 꾸준히 먹으면 어떨까?

2. 블루베리

검푸른 블루베리는 혈관에서 혈전의 생성을 방지하여 심장병과 뇌졸중을 예방하는 보랏빛 안토시아닌, 비타민C와 E 등 항산화 성분, 시력에 관여하는 로돕신 등의 효능이 있는 것으로 알려진 식품이다.

안토시아닌 색소는 강력한 항산화제로 종양의 진행을 억제하고 심장질환, 골절, 알츠하이머, 치매 등 많은 질병의 만성 염증에 유용한 물질인데 검푸른 색이나 보라색, 검은 색의 식품에 많이 들어 있다. 블루베리, 가지, 포도, 흑미, 검은콩(서리태와 서목태 2가지가 있는데 쥐눈이콩이라고 부르는 서목태가 더 좋음), 자색 고구마 등에 안토시아닌 색소가 풍부하다.

블루베리는 잼을 만들거나 주스로 만들어 마시는 것보다는 생과일이나 블루베리 식초로 드시기를 권한다.

3. 녹차

카테킨(탄닌) 성분의 녹차는 차나무의 잎을 가공하여 만든 식품이다. 색깔이 녹색이라 녹차인데, 덖어서(물을 더하지 않고 볶아서) 새의 혓바닥처럼 말려 있는 형태라서 작설차라고도 부르지만 차나무는 한 종류이고, 설록차는 태평양에서 만들어 붙인 이름이며, 이외의 것들은 차용하여 붙인 이름이다. (보리차, 옥수수차, 오미자차 등등)

차 재배의 북방한계선은 북위 36도인데 우리나라의 경상남도와 전라남도의 북쪽 경계선과 비슷하여 보성과 하동 등 전남과 경남에서 차가 생산된다.

필자는 고2 때 차를 처음 맛보았다. 그 전에 모르고 마셨는지는 모르지만 차인 줄 알고 마신 것은 고2 때가 처음이다. 부산 대청동의 어느 표구사 앞을 지나치다가 쇼 윈도우에 전시된 병풍을 보고 느낌이 와서 그 자리에 한 시간 정도 서서 병풍을 보고 있었다. 서예 병풍인데 8폭쯤이었다. 그때 표구사 문이 열리더니 여주인이 말했다.

"학생, 아까부터 거기 서 있던데 여기 들어와서 보지."

"네."

대답을 하고 냉큼 표구사로 들어갔다.

"뭘 그렇게 유심히 봤는가?"

"저기 병풍이요, 저게 누구의 작품입니까?"

"학교에서 추사 김정희라고 배웠는가?"

"네, 배웠습니다."

"저게 그 유명한 추사 선생 글씨라네."

"진짜인가요?"

"아니, 저건 인쇄본이고 진짜는 굉장히 비싸단다."

그러면서 차를 한 잔 주셨다. 다식(茶食) 몇 개 담은 접시랑 내놓은 차가 바로 연둣빛이 도는 액체 녹차였다.

"이게 무슨 차입니까?"

"작설차라는 건데 좋은 거라네."

별로 맛이 없었다. 다식만 몇 개 집어먹고 나오면서 '저런 걸 왜 마시지?' 하는 생각이 들었다. 나중에 서예를 하면서 안 사실이지만 추사 글씨가 문외한이 봐서는 좋은 글씨인 줄 모르는데, 그때 왜 거기서 발길을 멈추고 오래 있었는지 이유를 모르겠다. 이 일을 계기로 서예를 하게 됐고, 다도로 바꾸게 된 걸 보면 사람에겐 어떤 인연이 있는 모양이다.

'고다[두드릴 고(鼓), 차 다(茶)]'라는 말이 있다. 다도에는 열두 대문이 있는데 경지가 깊어 갈수록 문을 두드려 하나씩 더 깊은 경지에 이른다는 말이다.

"당신은 차 맛을 아시나요?"

이 물음에 대답할 수 있으면 차에 입문은 한 정도일 것이다.

다도를 배운지 6개월쯤 지났을 때의 어느 날, 저녁에 집에 가려고 버스를 타러 가는데 입 안에 향기가 돌며 목구멍에서 야릇한 향내가 넘어와 기분이 날아갈 것 같은 느낌이 들었다. 배고플 때가 됐는데도 아무 것도 먹기는 싫었고. 다음날 다도 선생님께 말했다.

"저 어제 차 맛을 알았습니다."

"맛이 어떻던데?"

"저~그게 말로 표현하기는 어렵고, 목구멍에서 어떤 향기가……."

"그래, 알았네. 이제 차 맛을 알았구먼. 축하하네."

다도 선생님은 내가 차 맛을 알았다고 인정하셨다. 녹차는 몸속의 유해 활성산소를 제거하는 항산화 효과가 비타민E의

50배, 비타민C의 100배나 된다고 한다. 삼국지를 보면 유비 현덕이 어머니가 좋아하는 차를 구하기 위해 차를 실은 배가 들어오는 나루터로 먼 길을 가는 장면이 나온다. 차는 중국에서 한국을 거쳐 일본으로 전래된다.

차나무에서 딴 잎을 덖어서 만드는 녹차는 다도를 발전시켰고, 스님이나 학자들의 기호음식으로 자리 잡았는데, 요즘은 설록차라는 티백으로 주로 마신다. 녹차 티백은 대부분 현미 녹차인데 찻잎에 볶은 현미를 더하여 구수한 맛을 더해 마시기 쉽도록 만든 제품으로 보인다. 차에 숭늉을 섞은 꼴이라 할까?

순수한 녹차나 작설차를 구해 우려서 마셔보시기를 권한다. 일전에 소개한 말차, 분말차를 다완(茶碗, 차 사발)에 마시는 것도 운치 있는 방법일 것이다.

홍차는 찻잎을 발효시켜 만든 것인데 17세기 중국에서 유럽으로 수출되어 유럽의 음료로 자리 잡았으며 덜 발효된 차는 우롱차라고 부른다.

녹차는 찻잎을 따는 시기에 따라 맛이 틀려지는데 우전차를 최고로 친다. 우전(雨前)차는 곡우 전에 딴 차를 말하는 것으로 곡우가 24절기 중 하나로 양력 4월 20일 무렵이니 4월 중순에 잎을 딴 차를 말한다.

4. 마늘

마늘은 항균, 살균 면역력 증강에 좋은 식품이다. 어릴 적 복날이 되면 할머니께서 마늘백숙을 해주시던 생각이 난다.

"얘들아 마늘 까라." 하시면 그날은 백숙 먹는 날이구나 싶어 신이 났다. 토종닭을 손질하여 속에 깐 마늘을 꽉 채우고 실로 꿰맨 후 푹 삶아서 만든 마늘백숙은 마늘의 알싸한 맛이 살에 배어 닭고기의 텁텁함을 줄여주기 때문에 고기가 맛있었다. 고기를 먹은 후 찹쌀을 넣고 죽을 끓이면 찹쌀과 익은 마늘이 섞인 죽이 됐다.

요즘의 삼계탕보다 맛이 있었던 걸로 기억된다. 〈마늘백숙〉이라는 상호를 달고 장사를 해보면 어떨까?

삼계탕은 원래 이름이 계삼탕(鷄蔘湯)이었는데 해방 후 삼계탕으로 바뀌었다. 인삼의 삼(蔘)자를 앞에 두면 좀 비싼 음식으로 보일까봐 그랬을까?

5년 전쯤 건조식품에 매달린 적이 있었다. 마늘의 효능은 전 국민이 알고 있기에 마늘로 제품을 만들 궁리를 하다가 흑마늘을 건조하여 젤리처럼 만들면 먹기도 수월하고 건강에도 좋은 식품이 될 거라는 생각이 들었다. 흑마늘을 제조하려면 다시 별도의 시설이 필요하여 흑마늘을 구매하여 건조시켜 만들기로 하고 남해 흑마늘연구소에 연락을 했다.

흑마늘은 경북 의성과 경남 남해에서 많이 생산된다. 흑마늘을 구매했는데, 흑마늘이 진득한 액체로 붙어 있어, 젓가락으로 하나씩 뜯어내어 건조기에 넣는 작업이 힘들었고, 건조시간도 상당히 오래 걸렸다. 완전히 건조하면 딱딱해지니까 적당한 타이밍에 꺼내야 하나씩 떨어져 젤리처럼 씹어 먹을 수 있으니까 건조시간 조절도 신경을 써서 작업을 했다.

유리병 제조업체를 검색하여 사각형의 예쁜 유리병을 구입, 제품을 완성하여 홈플러스 바이어를 초청 시식 미팅도 하고 좋은 평을 받았는데, 단가가 너무 비싸게 들었다. 흑마늘 값에 가공비, 유리병, 라벨, 포장박스, 마진을 더하니 생각보다 너무 비싸서 잘 팔리겠는가 싶었다. 기회가 또 있을지 모르지만 마늘의 효능을 생각하면 다시 만들어보고 싶은 제품이다.

마늘은 면역력 향상과 항암효과로 잘 알려진 슈퍼 푸드이며 알리신이란 성분 때문에 독특한 아린 맛이 나며 우리 음식에 가장 많이 쓰이는 양념이고 부재료 중의 하나다. 주로 다진 마늘 형태로 쓰이는데, 설탕과 1대 1로 섞어 마늘청을 만들거나 꿀을 넣어 마늘꿀을 만들어 먹는 것도 좋은 방법일 것이고, 구워서 아린 맛을 없애고 먹는 방법도 괜찮다고 생각한다.

오랜 역사를 통해 마늘이 우리 민족의 건강과 질병에 지대한 영향을 미쳤을 테니 우리에게는 정말 고마운 식품이다.

5. 토마토

토마토는 붉을수록, 익힐수록 진가를 발휘한다. 오늘 소개하는 10가지 슈퍼 푸드 중 필자의 관심을 가장 많은 끄는 식품이다. 생리 활성 물질, 비타민C, 비타민K가 풍부하고, 붉은 색에 라이코펜 효능으로 동맥경화 방지, 혈류 개선으로 심혈관질환 예방, 칼륨의 염분 배출로 고혈압 예방, 루틴은 혈관을 튼튼하게 해준다. 생으로 먹는 것보다 익혀 먹는 것이 좋고, 지용성이라 기름에 볶아 먹는 방법이 좋다.

몇 년 전 분식점 프랜차이즈의 메뉴를 개발해준 적이 있었다 행복한 백화점 내 어느 음식점에서 예비 가맹점주를 위한 시식회가 있었는데, 토마토 계란 볶음밥을 직접 만들어 호평을 받은 일이 있었다.

프라이팬에 식용유를 두르고 계란을 스크램블 하다가 토마토를 썰어 넣고 같이 볶는다. 반쯤 익었을 때 밥을 넣어 같이 볶아도 되고, 밥을 따로 담고 토마토 계란볶음을 위에 얹어 덮밥 형태로 만들어도 된다.

소금 간만 적당하게 해도 맛이 깔끔하고, 덮밥으로 할 때는 밥 위에 소스(데리야끼 소스7 +굴 소스3)를 적당히 뿌리고 토마토 계란볶음을 얹으면 조리 끝.

조리방법이 간단하고, 맛있으며, 영양도 식재료 조합도 훌륭하다고(완전식품 계란과 라이코펜 토마토의 만남) 생각되어 꼭 상품화하고 싶었는데, 지금이라도 음식점(분식점) 하는 분들께 메뉴로 강추한다. 방울토마토를 반으로 잘라서 쓰면 좋고, 비용을 아끼려면 잘 익은 토마토를 칼로 십자를 긋고 살짝 데쳐 껍질을 벗긴 후 적당한 크기로 썰어 사용해도 된다.

6. 브로콜리

브로콜리는 비타민C 덩어리로 피부미용에 좋다. 짙은 녹색의 꽃양배추로 샐러드, 수프, 스튜 등에 쓰이며, 항산화 물질과 다량의 칼슘을 함유하고 있다. 100g으로 하루 필요량의 비타민C를 충족시킨다. 이번에 다시 성분을 살펴보니 슈퍼 푸드에 선정될 만하고, 자주 식탁에 올려야 할 식품이다. 수프, 카레, 볶음밥 등에도 쓰인다.

유투브에서 일본 여성의 블로그를 보았다. 돼지고기와 파프리카를 썰어 굴 소스에 볶아 볶음밥을 만들어 아이의 도시락으로 싸주는 내용이었는데 얼마나 좋은가? 볶음밥 옆에는 낫토를 조금, 그 정도면 거의 완벽한 도시락(벤토)이라 생각한다. 브로콜리의 녹색에 파프리카의 빨강, 노랑, 주황이면 색상도 기가 막힌다.

음식은 간과 색상의 조화다. 간이 맞고, 색깔을 생각하여 음식을 만들면 맛과 영양, 건강을 두루 챙길 수 있다는 말이다.

7. 아몬드

아몬드는 고소한 항산화 식품으로 비타민이 풍부하다.

옛날에 창원에서 있었던 일이다. 설이 가까워오는데, 개척교회 목사님이 가난한 신도들을 돕고 싶다며 강정을 만드는 데 도와달라고 했다.

견과류와 건과일을 넣은 강정을 구상하여 제안하였다. 그 목사님이 신학 공부를 할 때 재래시장에서 노점상을 하며 학비를 벌었던 터라 몇 군데 재래시장의 목 좋은 자리를 잡아, 시장통에서 강정을 만들어 팔았다.

장보러 나온 손님들이 현장에서 직접 만드는 강정의 맛을 보고는 줄을 섰다.

교회 사람들이 견과류를 넣은 강정을 만들어 파니까 믿을 수 있다고 불과 보름 동안 4천여 만 원어치를 팔아 일을 해준 신도들께 나눠주고 훈훈한 명절을 보냈던 기억이 난다. 나도 시장에 나가 거들었는데, 레시피 개발과 노동의 대가라면서 150만 원을 줘서 요긴하게 썼다.

견과류가 좋다는 것은 다들 아실 테고, 수입품을 구매할 때는 설탕 등 첨가물이 많이 묻어 있는지, 수입한 지 오래 되어 변질된 것이 없는지 잘 살펴봐야 한다. 오래 진열하여 먼지나 이물질이 붙어 있는 것도 살펴보고, 하루 섭취량도 체크하여 꾸준히 섭취하면 좋겠다.

견과류를 상온에 그냥 보관하는 경우가 많은데 공기 중의 세균(곰팡이류)으로 인해 독성물질이 생겨날 수 있으므로 반드시 개봉하여 밀폐용기에 담아 냉장고에 보관해야 한다.

8. 적포도주

적포도주는 건강한 육류에 잘 어울리는 신비의 과일주다. 포도주를 저장할 때 만들어지는 떫은맛의 카테킨은 항산화 작용을 한다.
좋은 콜레스테롤(HDL 콜레스테롤)을 증가시키는 폴리페놀 함량이 백포도주의 10배쯤 된다.
심장질환, 뇌 질환, 암 예방에 도움을 주며, 프랑스 사람들이 육류, 치즈, 버터 등을 많이 먹어도 심장질환이 적다는 프렌치 패러독스는 적포도주 덕분이다. 고기 먹을 때 소주 대신 곁들여도 좋을 성싶다.

9. 시금치

베타카로틴이 풍부한 시금치는 대표적인 녹황색 채소다. 비타민B와 C, 철분, 칼슘이 풍부하며, 허약체질, 임산부, 어린이에게 좋은 식품이다.
베타카로틴의 항산화 작용으로 동맥경화, 폐암 예방에 좋다. 지용성으로 기름과 함께 먹는 게 좋으니 나물할 때 참기름에 무치거나 기름에 볶아 먹는 방법도 좋겠다.

10. 연어

연어는 오메가3 지방산(DHA EPA)이 풍부한 붉은빛 생선이다. 혈관질환, 골다공증, 뇌졸중 예방에 좋다.
요리하기 쉽고 통조림 제품도 있어 쉽게 구입할 수 있으며, 주 2회 정도 섭취하면 좋겠다.

코로나19와 추위로 움츠러들 때 면역력 강화와 감기 예방에 좋은 슈퍼 푸드를 찾아 건강하게 겨울을 나고 힘차게 용솟음치는 봄을 맞이하시기 바란다.

〈에필로그〉

카톡으로 쓴 낭만식객의 도전기

인간의 후각은 수백 가지의 냄새를 구분하지만, 미각은 4~5가지 맛만 느낄 수 있다. 백문(百聞)이 불여일견(不如一見)이란 말이 있듯이, 백 번 듣는 것이 한 번 보는 것보다 못하다고 한다. 이유가 무엇일까? 사람의 오감 중 미각(味覺)과 시각(視覺)이 그만큼 각인 효과가 크기 때문일 것이다. 어떤 음식의 맛을 잊지 못하고, 본 것을 오래 기억한다는 뜻이다.

지난 1년 반 동안 폭풍의 계절을 보냈다. 강변을 산책하다 쓰러져 대학병원 응급실로, 재활 요양병원으로 옮겨 다니다, 낯선 곳으로 이사하고, 책을 쓰면서 보낸 세월이 꿈만 같다.

병원에서 의식을 찾았을 때 나는 피딩 대신 밥을 먹겠다고 했다. 휠체어 대신 걷겠다고 했고, 하루에 2차례씩 병원 옥상과 계단을 오르내리며 걷고 또 걸었다.

가족들은 떠났고, 친구들도 멀어졌다. 하던 사업을 접었으니 퇴원해도 할 일이 없었지만, 병원에 있다가는 죽음을 기다리는 절망의 풍경밖에 볼 수 없을 것 같아서 퇴원을 했다.

조선족 간병인의 말이 생각난다.

"한국 사람들은 왜 걸어 들어와서 누워서(죽어서) 나가는 이런 곳(요양병원)에 돈 들여 입원하는지 모르겠어요."

간병인들은 거의 조선족이다. 조선족을 가까이서 보기는 처음이었는데, 그들은 돈에 대한 집착이 강해 보였고, 중국인의 관점으로 말했으며, 모이면 환자들을 폄하하는 넋두리가 일상이었다. 중국을 싫어하는 나로서는 듣기 싫은 말들이었고, 민족의 문제와 국민의 문제를 다시 생각하는 계기가 되었다.

하여간 요양병원을 탈출하여 세상 속으로 나가야 한다는 일념으로 퇴원을 요청하였고. 스스로 날짜를 정해 작년 5월 퇴원하고 혼자 재활하며 책을 쓰게 되었던 것이다.

사실 10년 전부터 책을 써보라는 권유를 받았으나 실천에 옮기지 못했다. 그 이유는 내가 유명한 사람도 아니고, 식품을 전공하지도 않았으며, 요리사도 아니기 때문에 책 쓸 자격이 되겠나 싶어서였다.

퇴원하고 나서 새로운사람들 출판사 이재욱 대표님을 만났는데, 책을 써보라고, 책이 완성 되면 책도 나오고 건강도 회복될 거라는 희망의 메시지를 주셨다. 그리하여 책을 쓸 용기를 냈고, 2020년 5월 중순 퇴원하여 5월 하순부터 쓰기 시작했다.

입원 중 사무실을 정리하여 남은 거라곤 옷가지와 스마트폰, 파카볼펜 한 자루가 전부여서 카톡으로 써보자고 마음먹었다.

카톡의 내 계정에 메모하듯이 쓴다면, 가능할까? 카톡의 메모로 쓴 원고를 지인에게 보내 컴퓨터 워드로 전환하고, 출판사에 메일로 보내는 방식이었다.

에피소드가 많다.

잘못 눌러 원고가 사라져 버리거나 행을 띄우다가 길어져 찾지 못하는 등 같은 내용으로 두세 번씩 써야 하는 일도 허다했다. 식품의 종류가 많아 서너 페이지짜리로 여러 편 쓰기로 했는데, 50편은 돼야 3백 페이지 정도의 책이 된다고 그것을 목표로 삼았다.

1년이 52주니까 1년의 기간을 잡고 시작했는데, 9개월 만인 금년 2월에 50편을 넘기고 3월인 지금 에필로그를 쓰는 중이니 계획보다는 빠른 편이다.

이 글의 장르는 에세이나 칼럼에 가깝겠지만 형식이 뭐가 중요하랴. 맛집 탐방이나 요리책이 아니라, 이야기로 서술하는 식품과 건강, 인류의 역사와 집안의 유래까지 책의 제목처럼 '오디세이'의 대장정인 셈이다.

구전되어 전해진 이야기는 물론 중학교 시절인 1970년대 초반부터 반세기에 걸친 추억을 망라하고, 다녔던 곳, 만났던 사람, 기억에 남는 음식, 식품의 개발 배경과 역사적인 발전과정 등 나중에라도 참고가 될 만한 사항과 직접 경험한 이런저런 이야기를 가감 없이 기록하는 작업을 하였던 것이다.

전문적인 지식은 아니더라도 일반인들이 잘 모르거나 의문을 가지는 문제들에 대한 내용도 군데군데 있을 것이다. 식품은 분야가 워낙 다양해서 자신이 직접 경영하는 사업 외에는 잘 모르는 경우가 많고, 직접 생산해보지 않은 아이템은 더욱 그러하기에 나름대로 나의 장점을 살려 실감 나는 이야기를 들려주고 싶었다.

사실 나는 모든 걸 잃어버린 채 백수가 된 줄 알고는 절망에 빠져 있었는데, 이번에 처음으로 책을 쓸 결심을 했다. 일단 뜻을 정했으니 자신에 대한 약속을 지켜야 했고, 책임감마저 느껴졌다. 세상에서 버림받아 혼자가 됐다고 생각했으나 그것도 아니었다.

생명이 다하는 날까지 사람은 할 일이 있고, 소명을 실천할 의무가 있으며, 생각하기에 따라 충분한 삶의 가치가 있다는 것을 느낀 소중한 10개월이었다.

책의 출간이 기다려진다. 식품에 관한 이런 스타일의 책이 또 있는지 모르지만, 스마트폰 하나로 쓴 책이 얼마나 되는지 모르겠지만, 그만큼 형식이 독특하고, 일기도 편지도 쓰지 않는 이 시대에 글쓰기의 다른 방식을 실험했다는 사실을 내 눈으로 확인하고 싶은 것이다.

모두가 떠나고 혼자 남았다고 생각했는데, 그렇지도 않았고 그렇다 해도 그건 자신의 몫이다. 이 세상에 존재하는 것 자체로 주변의 여러 사람으로부터 도움을 받고 있다는 사실을 뼈저리게 느낀다.

고마운 분들이 많았다. 평촌 한림대 성심병원의 사회복지사, 의왕 와이즈병원의 박현우 물리치료사, 정다해, 김소정 작업치료사, 회기동 사랑내과 원장님, 회기동 메디컬약국 약사님, 회기동 주민센터 박ㅇ영 사회복지사 등 의료진과 관공서 분들…무엇보다 이런 기회를 주신 출판사 새로운사람들의 이재욱 대표님, 건강이 회복될 때까지 글을 써보라고 응원해주신 (주)한마루의 김옥열 대표님, 물심양면으로 도와주신 한국토종닭협회 문정진 회장님, 주진회 실장님, 몇 번씩 나를 찾아와서 격려해주시고 책에 광고도 실어준 용인 해피팩토리의 이창형 사장님, 원고 워드 작업과 궂은 심부름을 도맡아준 이충정 군에게도 감사드린다.

밤에 글을 쓰고 새벽 5시가 되면 고양이 세수를 하고 밥 먹으러 매일 찾아갔던 승낭식당, 승냥이 아줌마(강미경 이모, 카드 영수증을 보고 이름을 알았음)는 나를 지탱하게 해준 에너지원이자 힘이었다. 하루도 거르지 않고 매일 새벽에 아침밥 해주는 누이처럼 나를 돌봐준 데 대해 어떻게 감사를 표해야 할지? 아침에 시간 맞춰 밥 먹는 게 얼마나 중요한지, 매일 계란프라이와 간고등어 한 토막을 먹는 것이 얼마나 건강에 도움이 됐는지 말이다.

밤에 글 쓰다 찾아가 아메리카노를 마시거나 컵라면을 사온 씨유 카이스트점 직원들께도 감사드린다. 이렇게 나는 많은 이웃들의 도움으로 살아가고 있다. 다시 한 번 다함없는 감사를 드리며, 세상을 향해 이웃을 배려하고 도우며 살리라 다짐한다.

무거운 짐을 지고 머나먼 길을 가야 하는 인생, 자전거처럼 계속 페달을 밟지 않으면 쓰러지기에 요즘 나는 퇴원 후 제2의 목표를 고민하고 있다. 어처구니없는 일로 고생하고 있지만 다시 쓰러지면 일은 끝이기에 여러 모로 조심스럽다.

'어처구니'라는 말의 뜻을 최근에야 알았다. 부끄럽다. 맷돌의 손잡이라는 뜻이니 어처구니가 없으면 맷돌을 돌릴 수 없는 것이다. 일단 LH에 전세 임대주택 신청을 했고, 오피스텔도 된다기에 식품회사나 음식점을 상대로 제품과 메뉴 개발에 대해 컨설팅을 해주는 식품 컨설팅 회사를 만들어볼 작정이다

회사명은 '어처구니'라고 정할 생각이다. 어처구니를 영문으로 표기하여 머리글자를 딴 'UCGN'이라고 하면 좀 있어 보일까? 미국의 어느 대학 이름 같기도 하다.

혹시 이런 무명의 낭만식객이 쓴 책을 사서 읽은 독자가 이런 일을 필요로 한다면 기꺼이 도울 생각이다. 책값의 몇 백배, 몇 천배의 도움을 드려 성공하는 모습을 꼭 보고 싶다.

2021년 3월

저자 한 상 훈

사단법인 한국토종닭협회
Korean Native Chicken Association

농업회사법인 (주)한마루 경기도 구리시 갈매동 240-41
파프리카, 단호박 재배, 유통업체 031)572-2864

마메든
Momeden
반찬이 없거나 입맛이 없을땐
매콤한 밥도둑, 고추장
휴대용, 여행용으로 딱!
멸치볶음
500g
고추장
황태
500g
고추장
쇠고기 볶음
고추장
아..
배고파..

마메든
Momeden

볶음 고추장 100g

선택1

쇠고기 볶음 고추장 100g

육즙의 감칠맛과 고단백 영양식품으로
풍부한 청정지역 호주산소고기와
고추장의 만남.

원산지 및 제조처 : 대한민국/해피팩토리
유통기한 : 제조일로부터 12개월
식품의 유형 : 혼합장
고추장52%[소맥분(밀:미국산,호주산),정제수,고추양념(중국산/고추가루6.2%,정제소금,마늘,양파)],소고기15%(호주산),물엿11.7%,옥배유4.3%,마늘,간장,L-글루타민산나트륨(향미증진제),솔빈산칼륨0.1%(합성보존료),대두분, 참기름(참깨:수입산), 매실농축액, 땅콩분태, 참깨(중국산)

선택2

멸치 볶음 고추장 100g

국내산 영양 많은 멸치를
듬뿍 넣어 맛과 영양을
모두 챙긴 고추장 입니다.

원산지 및 제조처 : 대한민국/해피팩토리
유통기한 : 제조일로부터 12개월
제품의 유형 : 혼합장
고추장52%[소맥분(밀:미국산,호주산),정제수, 고추양념(중국산/고추가루6.2%,정제소금,마늘,양파)], 멸치12.2%(국내산),물엿19.6%, 옥배유4.3%, 마늘, 간장, L-글루타민산나트륨(향미증진제),솔빈산칼륨0.1%(합성보존료), 대두분, 참기름(참깨:수입산), 매실농축액, 땅콩분태, 참깨(중국산)

선택3

톳 볶음 고추장 100g

톳이 씹히는 칼칼한 맛의 고추장으로
염장 톳을 세척하여 불린 후
절단하여 만든 고추장 입니다.

원산지 및 제조처 : 대한민국/해피팩토리
유통기한 : 제조일로부터 12개월
제품의 유형 : 혼합장
톳13%(제주산),고추장64.9%[소맥분(밀:미국산,호주산),정제수,밀쌀(밀:미국산), 마늘,양파, L-글루타민산나트륨(향미증진제), 종국, 솔빈산칼륨0.1%(합성보존료)] 물엿, 땅콩, 매실농축액, 꿀, 겨자분, 솔빈산칼륨0.1%

선택4

황태 볶음 고추장 100g

갖은 양념을 하여 가열한 고추장에
황태채를 넣어 만든 맛깔나는
고추장 입니다.

원산지 및 제조처 : 대한민국/해피팩토리
유통기한 : 제조일로부터 12개월
제품의 유형 : 혼합장
황태채6.2%(러시아),고추장64.9%[소맥분(밀:미국산,호주산), 정제수, 고추양념(중국산/고추가루6.2%,정제소금,마늘,양파)], 마늘, 양파, L-글루타민산나트륨(향미증진제),종국, 식품첨가물:솔빈산칼륨0.1%(합성보존료),물엿,겨자분,매실농축액, 땅콩, 꿀

선택5

쇠고기 볶음 고추장 500g

육즙의 감칠맛과 고단백 영양식품으로
풍부한 청정지역 호주산소고기와
고추장의 만남.

원산지 및 제조처 : 대한민국/해피팩토리
유통기한 : 제조일로부터 12개월
제품의 유형 : 혼합장
고추장52%[소맥분(밀:미국산,호주산),정제수,고추양념(중국산/고추가루6.2%,정제소금,마늘,양파)],소고기15%(호주산),물엿11.7%,옥배유4.3%,마늘,간장,L-글루타민산나트륨(향미증진제),솔빈산칼륨0.1%(합성보존료),대두분, 참기름(참깨:수입산), 매실농축액, 땅콩분태, 참깨(중국산)

선택6

멸치 볶음 고추장 500g

국내산 영양 많은 멸치를
듬뿍 넣어 맛과 영양을
모두 챙긴 고추장 입니다.

원산지 및 제조처 : 대한민국/해피팩토리
유통기한 : 제조일로부터 12개월
제품의 유형 : 혼합장
고추장52%[소맥분(밀:미국산,호주산),정제수, 고추양념(중국산/고추가루6.2%,정제소금,마늘,양파)], 멸치12.2%(국내산),물엿19.6%, 옥배유4.3%, 마늘, 간장, L-글루타민산나트륨(향미증진제),솔빈산칼륨0.1%(합성보존료), 대두분, 참기름(참깨:수입산), 매실농축액, 땅콩분태, 참깨(중국산)

선택7

톳 볶음 고추장 500g

톳이 씹히는 칼칼한 맛의 고추장으로
염장 톳을 세척하여 불린 후
절단하여 만든 고추장 입니다.

원산지 및 제조처 : 대한민국/해피팩토리
유통기한 : 제조일로부터 12개월
제품의 유형 : 혼합장
톳13%(제주산),고추장64.9%[소맥분(밀:미국산,호주산),정제수,밀쌀(밀:미국산), 마늘,양파, L-글루타민산나트륨(향미증진제), 종국, 솔빈산칼륨0.1%(합성보존료)] 물엿, 땅콩, 매실농축액, 꿀, 겨자분, 솔빈산칼륨0.1%

선택8

황태 볶음 고추장 500g

갖은 양념을 하여 가열한 고추장에
황태채를 넣어 만든 맛깔나는
고추장 입니다.

원산지 및 제조처 : 대한민국/해피팩토리
유통기한 : 제조일로부터 12개월
제품의 유형 : 혼합장
황태채6.2%(러시아),고추장64.9%[소맥분(밀:미국산,호주산), 정제수, 고추양념(중국산/고추가루6.2%,정제소금,마늘,양파)], 마늘, 양파, L-글루타민산나트륨(향미증진제),종국, 식품첨가물:솔빈산칼륨0.1%(합성보존료),물엿,겨자분,매실농축액, 땅콩, 꿀

TIP

볶음고추장, 이렇게 드세요!

★ 돼지고기에 볶음고추장을 넣고 볶기만하면 5분뚝딱 제육볶음.(멸치볶음 등등)

★ 볶음고추장으로 만들어먹는 간단 떡볶이.

★ 일반고추장 대신 비빔밥에 맘애든 볶음고추장 넣은 맛있는 비빔밥 완성.

★ 봄철에 나온 나물들을 볶음고추장과 함께 무치는 나물무침

★ 매콤한 볶음고추장 더덕구이!

★ 한끼 뚝딱 비빔국수 참기름 한방울이면 O.K !

해피팩토리 경기도 용인시 처인구 포곡읍 포곡로 234번길 16 2F
031)319-9222